Haunted Lady

1942

by M.R.Rinehart

目次

主要登場人物

ヒルダ・アダムス……………看護婦。別名、ミス・ピンカートン
パットン警視…………………警視
イライザ・フェアバンクス……裕福な老婦人
カールトン………………………イライザの長男
スージー…………………………カールトンの妻
マリアン…………………………イライザの長女
ジャニス…………………………マリアンの娘
フランク・ガリソン……………マリアンの元夫
アイリーン………………………フランクの現在の妻
コートニー・ブルック…………医師
ウィリアム………………………執事
マギー……………………………料理人
アイダ……………………………メイド
エイモス…………………………運転手

憑りつかれた老婦人

第一章

　ヒルダ・アダムスは、一つの事件の解決後にはお決まりとなっていることをやっていた。入浴剤をたっぷり入れた風呂にゆったりと浸かり、かすかに白髪が混じった短い髪を洗って、足をしげしげと調べて爪を切ると、小さいが有能な両手にローションを入念にすりこむ。

　ナイトガウン姿で座っている彼女は三十八歳という年齢でも、天使さながらに見えた。肌は薔薇色で目が澄んでいて、子どものようだ。その日、パットン警視が新任の警察本部長に話したように、幼い感じがするところがヒルダの売りだった。

「彼女はコウノトリが赤ん坊を運んでくると、いまだに思っているような雰囲気なんです」パットン警視は言った。「訓練を受けた看護婦として十五年間も働いている女には珍しい。しかし、たいていの人間が顕微鏡を使って見るよりも多くのものが、あのブルーの目で見えるんです。さらに、彼女は人から信用される。おしゃべりなタイプじゃないから、秘密を話しても安全だと思われます。彼女は椅子に座って編み物をし、飼っているカナリアの話を聞かせる。するとほどなくして、相手は知っていることを洗いざらい打ち明けるってわけで。あれは天賦の才ですよ」

「なかなか役立つんだろうな?」

「役立ちますとも。問題が起こったとき、上流家庭の人間が真っ先に思い浮かべるのは何か? 訓練を受けた看護婦です。誰かが病気になると、ほら、彼女がいてくれるというわけです」

「上流家庭ではその種の問題など起きない気がするが」

パットン警視は保護者ぶった笑みを浮かべて新任の本部長を見た。「きっと驚くでしょうな」彼は言った。「奴らは金を持っている。そして金は厄介事を引き起こす。それだけではありません。頭がおかしい人間も出てきます」

パットン警視はにやりと笑った。本部長はいぶかしげに彼を見つめた。

「実はですね」警視は言った。「今日の午後、寝室に蝙蝠が出て困るという老婦人からの報告がありました。あらゆる場所をふさいでも、相変わらず蝙蝠が現れる。鼠が出ることもあるし、雀も一、二羽出てくるというんです」

本部長は眉を上げた。「パンダは出ないのかね?」そう尋ねた。「象は?」

「そんなものまでは出ないそうですが。奇妙な音も聞こえるというんです」

「何かに憑りつかれているらしいな」本部長は言った。「年老いた女はときどきおかしくなるんだ。家内の母親は亡くなった夫を見たと思い込んでいたことがよくあった。少しも好意を持っていなかった相手だったのに。よく夫に物を投げつけていたな」

パットン警視は礼儀正しく微笑んでみせた。「年寄りにはそんなことがあるかもしれません。さっきの老婦人には一緒に暮らしている孫娘がいます。孫娘によると、老婦人の話は本当らしいです。たぶん孫娘に言われて、ばあさんは通報してきたんでしょう」

「で、どうしろというんだね?」

「孫娘は夜だけ警官に見張りに来てほしいと言いまして。フェアバンクスという家ですよ。おそらくご存じでしょう。孫娘は誰かが夜に侵入して、いろいろな動物を持ち込むと思っているようです。だが、老婦人はそんな考えはばかげていると言いました。問題は家そのものにあるのだと」

本部長は驚いたようだった。「まさかイライザ・フェアバンクスじゃあるまいな？」

「まだファーストネームは知りませんが。ミセス・フェアバンクスと聞いています。ヘンリー・フェアバンクスの未亡人だとか。心当たりでもあるんですか」

「なんてことだ」本部長は弱々しく言った。「それで？ きみは彼女に何と言ったのかね？」

パットン警視は立ち上がり、ズボンに包まれた脚を揺すった。「信頼できるよい話し相手(コンパニオン)を雇うように勧めました。老婦人の身を守るだけでなく、落ち着かせてもくれる女性を」微笑する。「できれば、訓練を受けた看護婦がいいとね。かかりつけの医者に相談してみると老婦人は言っていました。その医者からの連絡を待っているところです」

「で、アダムスとかいう看護婦を送り込むのか？」

「予定があいていれば、ミス・アダムスを派遣するつもりです」パットン警視は「ミス」という部分をやや強調して言った。「もし、家が何かに憑りつかれているとか、町の動物園全体がフェアバンクス家に引っ越してきたとかヒルダ・アダムスが言えば、わたしは信じますよ」

パットン警視はにやりと笑いながら部屋から出ていった。本部長は大きな机の後ろの椅子の背にもたれ、ぶつぶつ不平を言った。耄碌(もうろく)した老婦人の問題に頭を悩まさなくても、やるべきことはいくらでもあるのだ。たとえその老婦人がイライザ・フェアバンクスでも。それとも、「耄碌した」ではなく、「老いぼれた」と言ったほうがいいのか？ 彼にはよくわからなかった。

その晩八時になって、ようやくパットン警視のもとに連絡があった。電話をかけてきたのは医師ではなかった。老婦人の孫娘だったのだ。

「パットン警視さんですか?」彼女は言った。

「そうですが」

相手は少々息が切れたような声をしていた。「祖母の代わりに電話しております。また蝙蝠を捕まえたことを、あなたにお知らせしてほしいというのです」

「本当なのですか?」

「本当って、何がですか?」

「また蝙蝠を捕まえたことですよ」

「ええ。タオルで捕まえて手元にあるとか。わたしは電話をしようと抜け出してきました。祖母は使用人もわたしたちのこともまったく信用していません。警察に誰かをよこしてもらいたがっています。今日、看護婦のことをおっしゃったそうですね。今夜、祖母には誰かがついているべきだと思うんです。かなり神経が高ぶっていますから」

パットン警視は考えをめぐらせた。「医者はどう言っていますか?」

「お医者さまには話しました。あなたにすぐ電話をかけるとのことです。ブルック先生といいます。コートニー・ブルック先生です」

「わかりました」警視は言って電話を切った。

そんなわけで、その晩、ヒルダ・アダムスが手にローションをすりこんで、カナリアの籠に覆いを掛け、きれいに整えたベッドにもぐり込もうとしたときに電話が鳴ったのだった。

彼女は嫌悪を込めて電話を見やった。一つの事件から別の事件に移る間の休暇が気に入っていた。制服や制帽を点検したり、ストッキングの穴をかがったり――もっとも、この頃のストッキングは繕えないほどの穴になるのだが――映画を一、二本見たりする休みが。つかの間、電話が鳴るままにしておきたい気持ちに駆られた。だが受話器を取った。

「もしもし」

「パットンだが。ミス・ピンカートンだね？」

「ヒルダ・アダムスです」ヒルダは冷ややかに言った。「そんなくだらない名前で呼ぶのはやめて」

「寝ていたのかい？」

「ええ」

「そうか、すまないな。また、きみに事件なんだ」

「今夜はだめです」ヒルダは有無を言わさぬ口調だった。

「これには興味を引かれると思うんだがな、ヒルダ。ある老婦人が自分の部屋で蝙蝠を捕まえたんだそうだ。タオルで」

「本当に？　髪に蝙蝠がもぐり込んだのではなくて？　捕虫網で採ったのでもないのね？」

「わたしがタオルと言ったら、タオルなんだ」警視は断固とした口ぶりで言った。「彼女のところにはさまざまな生き物が迷い込んでくるらしい。小鳥だの蝙蝠だの、鼠だのがね」

「わたしは心の病は扱わないの。ご存じでしょう、警視さん。それに、任務を終えたばかりなのよ」

パットン警視はいらだった。「なあ、ヒルダ」彼は言った。「こいつは何かあるかもしれないし、何でもないかもしれない。だが、わたしにはひどく妙な事件に思える。老婦人と一緒に暮らす孫娘が本当の話だと言っているんだ。もうすぐ孫娘からきみに電話があるだろう。この件を引き受けてもらいたいんだ。頼む」

ヒルダはやりきれない気持ちで、覆いの掛かった鳥籠や柔らかなベッドを見やり、開け放したドアの向こうのささやかな居間にある、インド更紗のカバーを掛けた椅子や、優しい感じの青いカーテン、読んでいない雑誌の山に目をやった。まだかすかに湿っている髪の毛さえも意識した。

「この時期は蝙蝠が多いのよ」彼女は言った。「老婦人が一匹捕まえたって、かまわないでしょう?」

「蝙蝠が入ってくる方法などないから問題なんだ」警視は言った。「頼むよ、ヒルダ。そのブルーの目をよく光らせていてほしい」

ヒルダはとうとう引き受けたが、いかにも不承不承だった。数分後、悩みを抱えたらしい若い女の声で電話がかかってきたとき、ヒルダは早くもスーツケースを詰めていた。女は明らかにパットン警視の指示に従って電話してきたらしかった。

「お医者さまのブルック先生の代わりにお電話しています」彼女は言った。「わたしの祖母の具合がよくないのです。こんな遅くにお電話して申し訳ないのですが、今夜は祖母を一人にしておくべきではないと思いますの。こちらにいらしていただけますか?」

「パットン警視から電話で話をうかがった方でしょうか?」

女の声はぎこちなかった。「ええ」と言った。

「わかりました。一時間後にはそちらへうかがいます。もっと早いかもしれません」

ヒルダは安堵のため息が聞こえたように思った。

「よかったわ。祖母はミセス・ヘンリー・フェアバンクスです。住所はグローブ街の十番地。お待ちしています」

ヒルダは受話器を置いてベッドの端に深く座った。名前を聞いて仰天していた。とすると何年もの間、ロンドンの社交界を仕切ってきたあと、年老いたイライザ・フェアバンクスはタオルで蝙蝠を捕まえるようになったのか。ヒルダが子どもだった頃、イライザは「レディ・フェアバンクス」と呼ばれていた。当時のフェアバンクス家の前庭の芝生にはまだ鉄製の鹿が飾ってあり、大衆を寄せつけまいとしてそのまわりを鉄柵で囲ってあった。今では鹿も取り去られ、主人のヘンリーも世を去った。近隣の光景も変わってしまった。殺風景な下宿屋が建ち並び、反対側の通りの角には近所向けのスーパーマーケットができた。しかし、フェアバンクス家の広壮な四角い建物は柵に囲まれたまま、以前のように建っている。変わりゆく周辺や世間に反抗するかのように。

ヒルダは立ち上がって着替え始めた。思い出に敬意を表し、いちばんいい服と帽子を身に着けた。それから片手にカナリアの籠を、もう一方の手にスーツケースを持って階段を下りた。大家の部屋のドアのところで籠の覆いを外した。カナリアのディックは興奮していた。枝から枝へ飛び移っていたが、ヒルダを目にするとおとなしくなり、ビーズのような瞳で鋭く彼女を見つめた。

「いい子にしているのよ、ディッキー」ヒルダは言った。「それから毎日、ちゃんと水浴びしてね」

カナリアはさえずり、ヒルダはまた籠に覆いを掛けた。さまざまな人間と人生を分かち合ってはいるものの、ディッキーの世話も含めて自分自身の人生をあまり生きていないと思うとなんだかわびしかった。いつものように行き先を書いた紙切れと一緒に大家に籠を預けた。それから静かに家を出ると、角のところにあるタクシー乗り場に歩いていった。しばしばヒルダを乗せていくビル・スミスが帽子のひさしに手をやり、スーツケースを持ってくれた。

「さっきお帰りになったばかりだと思いましたがね」彼はさりげなく言った。

「わたしもそう思っていたのよね、ジム。グローブ街の十番地へお願い」

彼はすばやくヒルダを見やった。「フェアバンクス家でどなたかご病気なんですか？」

「年老いたミセス・フェアバンクスの具合がよくないのよ」

ジムは声をあげて笑った。「また蝙蝠を見たってことですかい？」

「蝙蝠？　どこでそんなことを聞いたの？」

「ちょっとした噂でね」ジムは快活な口調で言った。

ヒルダは座席の端の前のほうに座った。ナイトガウンを脱いで短い髪に帽子をかぶった彼女はもはや三十八歳の天使には見えず、穏やかで有能な独身女性に変わっていた。編み物をして飼っているカナリアの話をすると、人々から秘密を打ち明けられるような女に。ヒルダはジムを見つめ返した。

「ミセス・フェアバンクスについてどんな噂を聞いているの、ジム？」

「そうだな、あのばあさんがいろいろと面倒を起こしているってことですかね。もう若くないですから。噂じゃ、おつむのほうが少々緩くなっているとか。幽霊に憑りつかれていると思っているそうですね。部屋に蝙蝠やら何やら、いろんなものが見えるらしい。おれに言わせりゃ、見たいものを見させておけばいいんですよ。もっとひどいものが見えるって人間もいるんですから」

ジムはきれいな曲がり方でフェアバンクス家の私道に車を入れ、家の横側の車寄せにこれ見よがしにきっちりと停車した。ヒルダはあたりを見た。屋敷は静かで、何ら問題もなさそうだった。赤い煉瓦の大きな家の横の廊下に明かりがともり、照明がついている部屋が二階にも一つか二つ見えた。ジムはスーツケースをドアまで運び、下に置いた。

「さて、幸運を祈りますよ」彼は言った。「さっきの話は気にしないでください。ばかげた話ですからね」

「わたしはそう簡単に怯えたりしないわよ」ヒルダはにこりともせずに言った。

ジムに料金を払い、呼び鈴を押す前に車を見送ったが、タクシーがいなくなるとどういうわけか寂しい気がした。警視がこの件にヒルダを必要としているのだから、何か妙なことがあるのだろう。それに警視は幽霊の存在なんてまるっきり信じていない。暗がりに立ったまま、ヒルダはほぼ二十年前、ミセス・フェアバンクスの娘のマリアンが結婚した日のことを思い出していた。当時、ヒルダ・アダムスは病院の見習い看護婦で、非番のときにこの家の前を通ったのだった。あのとき、ここの階段には赤い絨毯が敷き詰められ、鉄柵の外に群がった見物人は警官の制止を受けながら興奮して中を覗き込んでいた。ヒルダも足を止め、見物に加わった。

何台もの車が教会から戻ってくるのを新聞記者たちが待ち受けていた。到着した新郎新婦は階段のところで立ち止まった。あれからかなり経ったけれど、今でもヒルダは当時の光景をありありと思い出せた。白いサテンのドレスとヴェールを身に着けたマリアンは長い裳裾を片手でたくし上げ、もう一方の手には白い蘭のブーケを持っていて、長身でハンサムな新郎はモーニング・コートの襟にクチナシの花を挿し、笑顔で彼女を見下ろしていた。

外の舗道で見ていた小柄な見習い看護婦にとって、ロマンス小説が現実になったようなものだった。あの日、マリアンとフランク・ガリソンは若さと美に包まれていた。その結婚が離婚に終わったなんて。

ふいにヒルダは向きを変え、呼び鈴を鳴らした。

第二章

若い娘がドアを開けたのでヒルダは驚いた。執事か、少なくとも客間女中が現れると思っていたのだ。話し始めると、ヒルダに電話をくれた女性だとわかった。

「ミス・アダムスですか?」

ヒルダは相手に品定めされていることを意識した。安心させるように微笑んでみせた。「そうです」ヒルダは言った。

「わたしはジャニス・ガリソンです。いらしていただけてとてもうれしいわ」言いながらあたりを見回す。誰かに盗み聞きされていないかというように。「とても心配なんです」

ジャニスは横の廊下から中央の廊下までヒルダを案内し、そこでためらうように立ち止まった。低い声が聞こえてくる部屋は、あとでヒルダにもわかったのだが、図書室だった。なおもしばらくぐずぐずしていたが、ジャニスは廊下を横切ってドアを押し開け、かつては二つの客間だった部屋へ入っていった。今では二つの部屋がつながって一つの広い客間に変わっていた。黄色のブロケード織の家具がしつらえられたヴィクトリア朝の部屋で、クリスタルのシャンデリアが吊るされ、ほの暗い壁にはひどく趣味の悪い油絵が掛けてあった。ランプが一つしかともっていなかったが、ヒルダにはジャニスがはっきりと見えた。

きれいな顔立ちね、とヒルダは思った。たぶん十八歳くらいだろう。もっとも、この頃では年を言い当てるのが難しいけれど。でも、まぎれもなく若いし、心配事を抱えているのは間違いない。ジャニスはすばやい一瞥を廊下に投げると、両開きのドアを後ろ手に閉めた。

「あなたと二人だけで話さなければならないんです」ジャニスは息を切らし気味に言った。「祖母のことです。どうか――どうか祖母の頭がおかしいとか、そういうふうには考えないでください。奇妙な振る舞いをしたとしても、それには理由があるのです」

ヒルダはこの娘が気の毒になった。ジャニスの目からは今にも涙がこぼれそうだ。けれども口調は淡々としていた。

「わたしは妙な行動をとる老婦人に慣れていますよ」ヒルダはにっこりして言った。「理由というのは、どういうことですか?」

だが、ジャニスはヒルダの言葉を聞いていなかった。廊下の向こうの部屋のドアが開く音に耳を澄ましていたのだ。ジャニスは言った。「少しお待ちいただけますか?」そして急いで廊下に出ていき、ドアを閉めた。廊下からは低い声のやり取りが聞こえてくる。するとふたたびドアが開き、男が部屋に入ってきた。大柄で疲れた顔をしている。耳の上あたりが白髪になった、豊かな黒い髪の男だった。

ヒルダは衝撃を受けた。フランク・ガリソンなのだろうが、ほぼ二十年前の新郎の姿とはまるきり様変わりしていた。相変わらずハンサムには違いないが、年相応かそれ以上の年齢に見えた。にもかかわらず、ヒルダの手を取ったときの微笑は魅力的だった。

「よく来てくれました」彼は言った。「娘から、あなたがいらっしゃるとうかがいましてね。ガリソンと申します。娘には少し休息が必要だと思いませんか、ミス・アダムス。このところ、娘は大変な思いをしているのです」

「わたしはお役に立つためにうかがったんですよ」ヒルダは陽気な口調で言った。「ありがとう。ずっと心配していたものでしてね。ジャニスは痩せすぎだ。あまりよく眠っていません。ジャニスの祖母が……」

フランクは言いかけて口をつぐんだ。片手を髪に滑らせた彼に目をやり、ただ老けただけではないとヒルダは見て取った。疲労した様子だし、スーツは手入れが必要らしかった。ジャニスもそのことに気づいたかのように、父親の腕に腕を絡ませ、きつく握った。柔らかい感じの茶色の目で父親を見上げる。

「心配なさらないで、お父さま。わたしなら大丈夫よ」

「今の状況が気に入らないのだよ、おまえ」

「おばあさまにお会いになる?」

フランクは腕時計を一瞥し、首を横に振った。

「わたしはアイリーンを連れて帰ったほうがいいだろう。彼女が来たがったからなのだが、しかし――おばあさまによろしく伝えておくれ、ジャニス。それと、今夜は少しでも眠るのだよ」

彼がドアを開けると、廊下にいる小柄な金髪の女がヒルダの目に入った。女は手袋をはめながら興味ありげにドアをじっと見ていた。かつては美しかっただろうと思われる女で、いくぶん不機嫌そうだ。ジャニスは当惑した様子だった。

「こちらはミス・アダムスです、アイリーン」ジャニスは言った。「おばあさまが落ち着きをなくしているので、看護婦さんに世話をしてもらうことにしたの」

アイリーンはヒルダにうなずいてみせると、ジャニスのほうを向いた。「わたしの意見を言わせてもらうとね、ジャニス」冷ややかな口ぶりだった。「おばあさまは施設に入っていただくのがいいと思うわ。蝙蝠やら何やらの騒ぎを考えるとね！　ばかげていますもの」

ジャニスは顔を赤らめたが、何も言わなかった。正面玄関のドアを開けたフランク・ガリソンの表情はこわばっていた。

「きみの考えは胸にしまっておいたほうがいいと思うよ、アイリーン」彼は言った。「さあ、帰ろう。おやすみ、ジャニス」

ドアが閉まると、ヒルダはジャニスを見やった。驚いたことに、目には涙が浮かんでいた。

「ごめんなさい」ジャニスは言い、ハンカチを取り出そうと袖口の中を探し回った。「あんなふうに父が帰ってしまうことにどうしても慣れなくて。ご存じでしょうが、父母は離婚したのです。アイリーンは父の二度目の妻なんです」目を拭うと、ハンカチをしまい込む。「父は母が留守のときしか来られません。母は——両親が会うと、あまりいい雰囲気ではないのです」

「そうなのですか」ヒルダは慎重に言った。

「わたしは父が好きですけれど、離婚の際にどうしたいかと裁判所で尋ねられたとき、この家にいたいと答えました。祖母にはそのことがとてもつらかったのです。つまり、両親の離婚が。祖母は父を気に入っていました。それから」彼女はためらった。「それから父はあまりにも早くアイリーンと再婚したのです。それで、わたしは——だから、この家にとどまってよかったと思いました。こういうことをあなたに話したほうがいいと思ったのです」そしてつけ足した。「アイリーンはそんなにたびたび来ませんが、あなたに会ってしまったので——」

ジャニスは口ごもった。ヒルダが見ると、震えていた。

「あの」ヒルダは言った。「お疲れのようですよ。明日、すっかり話してくださるということでいかがでしょうか？　今はベッドに行ってよく休んだほうがいいですね。わたしを患者さんのところへ連れていって、今の話は明日まで忘れることにしませんか？」

ジャニスは首を横に振った。さっきよりも落ち着いている。高ぶった感情が収まったのは間違いなかった。

「わたしは大丈夫です」ジャニスは言った。「祖母にお会いになる前に知っておいてほしいことがあります。わたしがここにいる理由はお話ししましたよね？　祖母のためだけじゃないんです。母もひどく不幸なんです。離婚以来、母は変わってしまいました。祖母にも母にもわたしが必要だと思いました。でも、もちろん、いちばんわたしを必要としたのは祖母です」

ヒルダは無言だったが、いつもは穏やかな顔がこわばっていた。なんて身勝手な老人なのだろうと思った。スポーツだの娯楽だのといった若者の世界にいるべきこの娘が、二人の陰気な女とともにこんな霊安室みたいな家で暮らしているとは。どれくらいになるのか？　六年か七年だろうとヒルダは推測した。

「そうですか」ヒルダはあっさりと言った。「お二人はそれでよかったわけですね。でも、あなたはどうなのでしょう？」

「わたしは別にかまいません。祖母とドライブに行ったり、夜には本を読んであげたりします。そんなに悪い暮らしではないんです」

「お母さまはどうなんですか？　お母さまだって本を読めるでしょうに」

ジャニスは驚いた様子になり、それから当惑したようだった。「離婚後、母と祖母はあまり折り合いがよくありません。祖母は母を心からは許していないんです。なんだかわたしたちについて悪い印象を与えてしまったようですね」ジャニスは果敢に言葉を続けた。「実際、最近までは何もかもうまくいっていたんです。父はときどき来ましたし。もちろん、母が留守のときを見計らってですけれど。それに、行ける場合はわたしが父のところへ行きます。父の再婚相手はわたしの家庭教師だった人なので、当然、彼女を知っていました」

何か言いにくいことがあるのだなと、ヒルダはここで感じた。そして普段ならやらないようなことをやった。手を伸ばしてジャニスの肩を軽く叩いたのだ。

「そのことはもう忘れてください」彼女は言った。「わたしが来たわけですから、本を読むことは引き受けられます。実を言うと、読み聞かせの腕前はなかなかのものなんですよ。自慢できることの一つです。それに、午後のドライブも好きですし。そんなに機会はありませんけれど」

ヒルダは微笑んだが、ジャニスは笑い返さなかった。若い顔は深刻で生真面目な表情を浮かべていた。またもや耳を澄ましているのだろうとヒルダは思った。屋敷内に何の音もしなかったので、ジャニスは安堵したようだった。

「ごめんなさい」ジャニスは言った。「わたしは本当に疲れているんだと思います。ここ一、二カ月、できるだけのことをして祖母を見守ってきました。あなたが祖母に会う前に、もう一度念を押しておきたいんですが、ミス・アダムス。つまり、祖母は気が触れてなどいないってことを。わたしと同じようにまともです。もし、そうではないと言う人がいても、どうか信じないでください」

二人が階段を上り始めたとき、廊下には相変わらず人の気配がなかった。ジャニスはスーツケースを運ぶと言い張り、ヒルダは好奇心を込めて見回した。なんとなく失望を感じた。はるか昔の結婚式の日以来、この屋敷はヒルダにとって興味の対象だった。当時、彼女はここが花や音楽で満ち溢れ、人々でにぎわっているだろうと想像していた。けれども、かつては華やかさがあったとしても、今は完全に消え失せていたのだ。

だからといって、屋敷がみすぼらしいわけでもなかった。左右にドアが並んだ中央の長い廊下には上質の絨毯が敷かれ、黒っぽい羽目板はワックスで磨いてあり、年代物ではあるが、家具は見事だった。しかし、広い居間と同様に廊下の照明は暗かった。若いジャニスのあとを歩きながら、ヒルダはいつもこれほど暗いのだろうかと考えていた。ジャニス・ガリソンは若い身空で、こんな薄暗がりの中で暮らしているのだろうかと。

二階に上がったところにある部屋のドアの前でジャニスは足を止めた。警告するような一瞥をさっとヒルダに投げてから、ドアをノックした。

「ジャニスです、おばあさま」彼女は明るい声で言った。「入ってもかまいませんか?」

部屋の中で誰かが動く気配がした。足音に続いて声が聞こえた。「おまえ、一人なの、ジャニス?」

「ブルック先生が勧めてくださった看護婦さんをお連れしました。きっと気に入るはずよ、おばあさま」

ごくゆっくりと鍵が外された。ドアがほんの数インチ開き、小柄な老婦人がこちらを覗いた。ヒルダは驚愕した。ミセス・フェアバンクスを、支配力のある女性として記憶していた。威厳があって堂々としており、評議員の一員として病院を訪れた際には看護婦たちをひどくびくつかせたものだった。今やミセス・フェアバンクスは信じがたいほど縮んでしまったようだ。けれども、目は相変わらず輝いていた。鋭い視線がヒルダに向けられる。それから、見たものに満足したかのように、ミセス・フェアバンクスは鎖らしきものを外してドアを開けた。

「まだ手元にあるのよ」ミセス・フェアバンクスは勝ち誇ったように言った。

「よかったわ。こちらはミス・アダムスです、おばあさま」

老婦人はうなずいた。握手はしなかった。「看護婦の世話は受けたくありませんよ」彼女はヒルダをしげしげと見ながら言った。「見張っていてもらいたいの。わたくしを脅そうとするのは誰か、そしてなぜなのかを知りたいのです。けれども、つきまとわれるのはごめんですよ。わたくしは病気ではないのですから」

「わかりました」ヒルダは言った。「面倒はおかけしません」

「問題は夜なんですよ」年老いた声がふいに哀れみを帯びた。「昼間はわたくしも問題ありません。昼はあなたも寝ていいです。ジャニスが部屋を用意しているでしょう。でも、夜は誰かにそばにいてほしいの。廊下にいてくれないかしら？　つまり、この部屋のドアの外に。隙間風があるなら、ジャニスに衝立でも立てさせます。あなたは眠ってはだめですよ、いい？　これまではジャニスがそうしてくれたのだけれど、この子は居眠りしてしまうんですよ。間違いありませんとも」

ジャニスはばつが悪そうだった。スーツケースを取り上げる。「お部屋にご案内します」彼女はヒルダに言った。「お着替えをなさりたいでしょう」

ジャニスがふたたび口をきいたのは、彼女たちが出てから老婦人の部屋のドアが閉められ、鍵が掛けられたあとだった。「わたしが言ったとおりでしょう？」廊下を歩き始めるとジャニスは言った。「祖母は完全に正気だし、何かが起こっているんです。それについては祖母が話してくれるでしょう。

わたしには理解できないんです。無理よ。頭がおかしくなってしまいそうなの」

「あなたは睡眠不足のせいで参りかけているんです」ヒルダは厳しい口調で言った。「大奥さまが『まだ手元にあるのよ』とおっしゃっているのは何なのですか？」

「祖母からじかに聞いたほうがいいと思います、ミス・アダムス。それでかまいませんか？」

ヒルダはかまわなかった。一人になると、事務的な動作で身の回りの支度にとりかかった。スーツケースの中身を開け、ぱりっとした制服をハンガーに吊るし、編み物袋や懐中電灯、注射器、体温計、さまざまなカルテをきちんと並べた。そのあと、手際よく着替えた。白い制服、白いゴム底靴、硬く糊付けされた白い制帽。けれども、しばらく手を止めて、相変わらずスーツケースの底にしまってあった三十八口径の自動拳銃をしげしげと眺めた。パットン警視から贈られたものだ。

「きみをどこかに派遣するときは、何か厄介事が起きているからなんだ」と彼は言ったのだった。「こいつの使い方を覚えるんだぞ、ヒルダ。こんなものを使う羽目にはならないかもしれない。だが、使う必要があるかもしれないからな」

そう、ヒルダは拳銃の使い方を覚えた。拳銃を分解して掃除し、また組み立てることさえできた。拳銃があるとわかっているだけで心強く思ったことが、これまでに一度や二度はあったのだ。だが、今は拳銃を入れたまま、スーツケースに鍵を掛けた。今回の件がどんなものであれ——相当なものじゃないかと考えられたが——暴力沙汰にはなりそうにないと思ったのだ。もちろん、ヒルダの予想が間違っていたのだが、このときはきちんとした自分の姿を鏡に映してみたり窓の外を眺めたりしたあとで、間違いなく明るい気持ちになった。

ヒルダの部屋は隣のジャニスの部屋と同様に、横側の通りに面していた。二百フィートほど離れたところには白く塗られた円屋根のついた、古びた煉瓦造りの厩（うまや）があった。かつてはヘンリー・フェアバンクスが馬を飼っていたのだろうが、今は車庫として使われているようだ。そのすぐ後ろにはまたしても塀があり、横側の通りがあった。角にある〈ジョーの店〉からの明かりと街灯で、地所の外れあたりが照らされていた。けれども、屋敷自体には明かりが届いていなかった。屋敷は有産階級の暮らしが気にいらないかのように静かに引きこもっていた。

晴れやかになっていたヒルダの気分は暗くなった。並べてあった持ち物から重さが五ポンドもある『看護の方法』という本——夜勤のときに読むと、軽く眠気を催させる本——を取り上げて小脇に抱え、ジャニスの部屋のドアへと戻った。

ジャニスも外をじっと見つめながら窓辺に立っていた。何かにひどく心を奪われているらしく、ヒルダがドアを二度めにノックしてようやく、驚いたようにこちらを振り返った。

「あら！」ジャニスは頰を染めて言った。「ごめんなさい。用意はできたのですか？」

ヒルダは部屋をじっくりと見た。どうやらジャニスは部屋を居心地よくしようと努力していたらしい。年代物のマホガニーのベッドには鮮やかな色のパッチワークのキルトが掛けてあった。窓のカーテンは黄色。暖炉のそばの低い椅子はジャニスが青とグレイのインド更紗で張ったものらしかった。けれども、ジャニスの私生活をうかがわせるものはほとんどない。写真が一枚も飾られていなかったし、手紙や招待状も目に付くところになかった。小さな机はむき出しで、本が数冊と煙草の包みが一つあるだけだった。

「すべて用意できました」ヒルダは落ち着いた口調で言った。「お医者さまは何か指示を残していきましたか？」

なぜかジャニスの顔はいっそう赤くなった。「いいえ。祖母は病気というわけではありませんから。眠れない場合のために鎮静剤を置いていらっしゃっただけです。もちろん、祖母の心臓は強くありません。だから何もかもが――とても手に負えないように思えますの」

ジャニスはそれ以上の説明をしなかった。彼女のあとから歩いていきながら、ヒルダは不慣れな屋敷では必ずそうするように、自分がどこにいるのかを注意深く見きわめた。見たかぎり、複雑な部屋の配置ではなさそうだった。ヒルダの部屋とジャニスの部屋が並んでいる狭い廊下の反対側にはさらに二つの部屋があった。だが、屋敷の正面近くに来ると、二階の廊下は広くなり、広い四角の踊り場へ通じている。昼間は階段の上にある窓からの光がそこに差し込み、家具がしつらえられて、形式ばらない居間のようになっていた。屋敷の表側の角には寝室が二つあり、その間にあるもっと狭い三つ目の部屋が今は浴室に作り替えられているのがすぐにわかった。

ジャニスは先へ進みながら教えた。「あなたの部屋とわたしの部屋の向かい側にある部屋は、伯父のカールトンと妻のスージーのフェアバンクス夫妻のものです。二人は今、旅行中です。それから正面の角部屋の一つには母がいます。図書室の上にある部屋ですが」

ジャニスは出し抜けにあくびした。と思うと、微笑した。笑うと、彼女の印象がすっかり変わった。また若さを取り戻したかのように、これまでよりも幼く見えた。

「早くベッドに入ってください」ヒルダは厳しい口調で言った。

「何かおかしなことがあったら、知らせてくださいますね?」

「おかしなことなんて何も起きませんよ」

廊下を歩いていくジャニスをヒルダは見守っていた。丈の短いスカートに緑色のセーターを身に着けたジャニスはなんだか子どもみたいだった。ヒルダは非難を込めて小さくうなり、大理石を張ったテーブルに荷物――『看護の方法』を含めて――を置くと、一晩を過ごすための掛け心地のいい椅子はないかと見回した。そんな椅子はなかったので、意を決して患者となる老婦人の部屋のドアをノックした。

第三章

ヒルダが初めてまともに見たミセス・フェアバンクスの印象はよいものではなかった。ミセス・フェアバンクスは昔風のキルトのドレッシングガウンを着て、警戒しているというよりは不安そうなテリアのようで、怯えていて、かなり野暮ったい老女といった感じだった。態度もこちらを安心させるようなものとは言えなかった。

「お入り」彼女はそっけなく言った。「それからドアの鍵を閉めて。見せたいものがあるのです。それが煙突から降りてきたとか、窓から入ってきたのだろうなんて言ってはだめよ。窓には格子と網戸がはまっているし、煙突は煙道の蓋を閉めてあるのですからね。それだけじゃないのよ。煙道には新聞紙を詰めてあります。わたくしがやったのですよ」

ヒルダは中に入ると、後ろ手にドアを閉めた。広々とした四角い部屋だった。家の正面に向いた窓が二つあり、さらに二つ、横側に面した窓があった。四本柱の天蓋がついた大きなベッドが横側の窓の向かいの壁を占領しており、その隣には浴室へ通じるドアがある。もう一つの壁には暖炉があり、あとでヒルダが気づいたのだが、その両側にクローゼットがあった。

ベッド脇のラジオ以外、この部屋は老婦人が花嫁としてここへ来たときから変わっていないのだろう。どっしりした胡桃材の化粧台、火の気のない暖炉脇の座面が籐でできた揺り椅子、炉棚にはヘンリー・フェアバンクスの色褪せた写真さえあった。高いカラーをつけ、濃い口髭をはやしたヘンリーの写真は今世紀に変わる前に撮ったもののようだった。

ミセス・フェアバンクスはヒルダが写真をちらっと見たことに気づいた。「若い頃の過ちを自分に思い出させるため、あの写真を置いているのです」彼女は冷ややかに言った。「それからね、わたくしは背中のマッサージなどしてもらいたいわけではないのよ、お嬢さん。これがどうやって部屋に入ってきたのかを知りたいのです」

ミセス・フェアバンクスは夜に備えてきちんと寝具が折り返されたベッドへヒルダを導いた。毛布のカバーに置いてあるバスタオルの中には何か生き物がいるに違いなかった。ヒルダは手を伸ばしてそれに触れた。

「これは何ですか?」彼女は尋ねた。

ミセス・フェアバンクスはぐいっとヒルダの手を引っ張った。「さわってはだめよ」いらだたしげに言う。「捕まえるために、わたくしはさんざん苦労したのですからね。これを何だとお思い?」

「説明してくださったほうがよろしいかと」

「蝙蝠よ」老婦人は言った。「みんなはわたくしの頭がおかしくなったと思っているの。娘さえ、母親は気が触れたと考えている。ああいった蝙蝠なんかが部屋に入ってくるのだとわたくしは言い続けているのに、誰も信じてくれないのよ。そう、ミス・アダムス、これは蝙蝠です」

ミセス・フェアバンクスの口調にはまぎれもなく勝利の響きがあった。「蝙蝠が三匹、雀が二羽、そして鼠が一匹」彼女は話し続けた。「すべてこの一、二カ月の間のことよ。まったく、鼠とはね!」嘲るような口調だった。「この屋敷に五十年も暮らしているけれど、鼠なんて一匹もいたためしはなかったのに」

ヒルダは落ち着かなかった。鼠は好きじゃなかったのだ。床に目をやりたい衝動をどうにか抑える。

「そのような生き物はどうやって部屋に入ってくるのでしょう?」彼女は尋ねた。「なんといっても、何か方法があるに違いありません」

「だからあなたがここにいるのよ。その方法を見つけなさい。そうしたら一週間分の給料を上乗せします。それからね、あの蝙蝠は始末したくないの。今日、警察官に会ったとき、何か見つけたら取っておくようにと言われたのでね」

「余分な報酬などいりません」ヒルダは穏やかに言った。「蝙蝠をどうしたらよろしいでしょう?」

「物置へ持っていきなさい。右側のいちばん端のドアです。そこに靴箱があるから、中に入れて紐で縛っておいて。逃がしてはだめですよ、お嬢さん。必要なんですからね」

ヒルダはおそるおそるバスタオルごと中身を持ち上げた。両手の中で何か小さくて温かいものが身をくねらせている。ヒルダは今回の仕事全体がひどく気に入らなかった。でも、自分を見ているミセス・フェアバンクスの目は聡明で警戒心をたたえ、どことなく哀れみを催させた。ヒルダがそれを持って部屋から出ると、背後で鍵の回る音がした。突然、ヒルダは今度の件に何か邪悪なものがあるという感覚を抱いた。陰気な屋敷、部屋に閉じこもっている老女、自分の手の中にいる哀れな小さな生き物。ひどく妙な事件に思えると言ったパットン警視は正しかった。

ミセス・フェアバンクスが言ったとおり、物置は廊下の奥にあった。ヒルダはバスタオルを片手で慎重に持ったまま、もう一方の手でドアを開けた。中に入って明かりのスイッチを手探りしていると、ふいに物音が聞こえた。次の瞬間、何か柔らかくて毛が生えたものが彼女の肩に乗り、そこから床にどさりと降りた。

「うわっ！」ヒルダは弱々しい声をあげた。

けれども、鼠は――それが鼠だったとヒルダは確信していた――ようやくスイッチを見つけて照明をつけたときには姿を消していた。とはいえ、ヒルダは震えが収まらなかった。靴箱を探し当て、わななく両手で中に蝙蝠を投げ入れた。蝙蝠は驚いた様子でなすすべもなく靴箱に横たわったままだった。ヒルダは靴箱を持って廊下のテーブルのところで立ち止まり、箱を置いて自分の外科用鋏で小さな空気穴を一つあけた。だが、またしても鍵を開けて部屋に入れてもらったとき、ヒルダはいらだちを感じた。

「いったい、どうやったらお世話をして差し上げられるんでしょうか？」ヒルダは詰問した。「こうやって締め出されてばかりいるのに」

「世話をしてくれとは頼んでいませんよ」

「ですが――」

「いいですか、お嬢さん。わたくしはあなたにこの部屋を調べてもらいたいの。もしかしたら、ああいった生き物がどうやってここに入ったかを突き止められるかもしれない。入る方法がわからないとしたら、この家にいる誰かがわたくしを死ぬほど怖がらせようとしているということね」

「そんな恐ろしいことを、ミセス・フェアバンクス。まさか本気ではありませんよね」

「もちろん、恐ろしいことですよ。でも、毒ほど恐ろしくはないわね」

「毒ですって！」

「毒です」ミセス・フェアバンクスは繰り返した。「わたくしを信じられないなら、医者に訊いてみなさい。わたくしのトレイにあった砂糖に入っていました。砒素がね」

ミセス・フェアバンクスは暖炉のそばの揺り椅子に座った。しなびた姿だったが、満足そうに見えた。看護婦を仰天させるのに成功したので、喜んでいるかのように。実際、そのとおりだった。ヒルダは心底から驚いていた。うつむいて立っているヒルダの顔はこわばり、にこりともしていなかった。この事件がまったくもって気に入らなかったのだ。とにかく、老婦人が自分の言っていることに確信を持っているのは間違いない。

「こういったことはいつ始まったのですか?」ヒルダは尋ねた。

「三カ月前ね。わたくしの朝食用トレイの砂糖に砒素が入っていたのです」

「それが思い違いじゃなかったのは確かですか?」

「あの蝙蝠のことは思い違いじゃなかったでしょう?」

ミセス・フェアバンクスは話を続けた。事件が起こった朝、彼女は苺を食べていた。朝食はいつも自室でとる。砒素は粉砂糖の中に入っており、彼女は危うく死ぬところだった。

「でも、わたくしは死ななかった」ミセス・フェアバンクスは言った。「犯人たちを出し抜いてやりました。砒素のことはわたくしの思い違いじゃなかったのよ。医者は全部の料理の見本を持ち帰りました。砒素は砂糖の中に入っていたんですよ。若い人を雇っていることのいい点ね」彼女は言った。「この医者は頭がいいの。新しいことをいろいろと知っている。年寄りのスマイスがかかりつけの医者だったら、わたくしは死んでいたわね。ジャニスが若いブルック先生を雇ったのです。どこかで知り合ったのでしょう。それにブルック先生は近くにいますからね。車庫の向こうのハストン街に住んでいるんですよ。とにかく、それは確かに砒素でした」

ヒルダはぞっとしたような表情だった。実際、身の毛がよだったのだ。「使用人について教えてください」彼女は鋭い口調で言った。

「何年もいる者たちですよ。家族の者よりも信用できるほどです」

「トレイを運んできたのは誰でしたか?」

「ジャニスよ」

「でも、ジャニスを疑ってはいませんよね、ミセス・フェアバンクス」

「誰のことも信用していません」ミセス・フェアバンクスは険しい顔で言った。

ヒルダは腰を下ろした。急にすべての状況が信じがたいものに見えてきた。しんと静まり返った屋敷、格子と網戸のはまった窓、換気の悪い部屋のよどんだ空気。そして揺り椅子に座った老婦人は自分が殺されそうになったことを平然と話している。

「もちろん、警察には知らせましたよね」ヒルダは言った。

「言うまでもなく、そんなことはしませんでした」

「でも、お医者さまが……」

ミセス・フェアバンクスは微笑し、きれいな義歯が二本見えた。「わたくしが不注意で砒素をのんでしまったと、医者には話したのです」ミセス・フェアバンクスは言った。「信じていないようでしたが、あの人に何ができるというのです? もう長い間、わたくしはうちの家族が新聞沙汰にならないように気をつけてきました。よその家と同じように、うちにも問題があるのですよ。その一つは娘の離婚」彼女の表情が硬くなった。「もっとも悲劇的で無意味なことでした。そのせいでわたくしはフランク・ガリソンを失ったの。信頼できる人間だったのに。それと、息子のカールトンがかなり身分が下の女と不幸な結婚をしたという問題があります。家族の誰かがわたくしを殺そうとしているなどと、警察に話せるはずがないでしょう?」

「ですが、ご家族の方がやったとわかっているわけではないのですよね、ミセス・フェアバンクス?」

「ほかに誰がいるというの? 使用人は長年仕えている者たちです。わたくしの遺言にはあの者たちにも少しは残すことを書いていますが、おそらく知らないでしょう。どっちみちわたくしを殺そうとするほどの額をもらえるわけではありません。わたくしが外出するときは、年寄りのエイモスという者が車を運転します。たいていはジャニスを一緒に連れていくのですよ。エイモスはわたくしを嫌っているかもしれませんね。よくはわかりませんが、ジャニスの身には何も起こらないようにとエイモスも気をつけているようです。ジャニスが子どもの頃、エイモスはポニーが引く馬車に乗せてあげたものですよ」

ヒルダは当惑していた。ミセス・フェアバンクスの態度に面食らっていたのだ。なんだかミセス・フェアバンクスは死とゲームをやっていて、今のところ、彼女が勝ってきたという感じだった。

「それ以来、毒を入れられたことはありませんでしたか?」ヒルダは訊いた。

「わたくしは気をつけているんです。階下で食事するときは、みんなと同じものを食べます。ほかの者が食べるのを見届けたあとでね。朝食は自分でここへ運んできます。オレンジジュースは自分で絞り、コーヒーは浴室に置いたパーコレーターで入れているの。コーヒーに砂糖は入れませんとも!あなたも目を配っていたほうがいいでしょう。あなたに来てもらった理由はお話ししたとおりです」

ヒルダが立ち上がると、糊のきいた制服がかさかさと音をたてた。今では何か妙なことがあるのだと確信していた。ミセス・フェアバンクスが正気を失っているのでないかぎりということだが、頭がおかしいとは思えなかった。ミセス・フェアバンクスの声には真実の毅然とした響きがあった。言うまでもなく、ブルック医師に毒の話を確認することはできる。それに蝙蝠が存在していた。老婦人がなんらかの目的のためにゲームをしているのだとしても、彼女のような暮らしをしていて蝙蝠なんか手に入れられるだろうか？　あんな生き物を獲得する方法など、ヒルダには見当もつかなかった。田舎ではときどき夜に蝙蝠を見かけることはある。一度、ヒルダが子どもだった頃に蝙蝠が家の中に飛び込んできたことがあった。子どもたちは髪の中に蝙蝠がもぐり込むことを恐れて、頭を両手で覆ったものだった。でも、ここで、こんな町中でとは――。

「今夜は部屋のドアを開けていたのですか？」ヒルダは尋ねた。

「ドアは決して開けません」

そうらしかった。ヒルダは部屋を調べ始めた。だが、何の結論も引き出せなかった。ミセス・フェアバンクスが言ったように、浴室も含めて、どの窓にも格子と網戸がはまっていた。そして網戸は留め付けてあった。暖炉の両側のクローゼットは絵が描かれたひと続きの漆喰塗りで、長年の古い衣類のかび臭いにおいを発している。クローゼットの一つだけに切れ目があった。ドアにいちばん近いクローゼットの片側に小型の金庫が作りつけられていたのだ。現代的で頑丈そうだった。

後ずさりしたとき、ヒルダはミセス・フェアバンクスに観察されていることに気づいた。

「金庫はどうなのでしょうか？」ヒルダは尋ねた。「金庫に何か入れてあって、扉を開けたときに外へ出てくるなんてことはありませんか？」

「これを開けられるのはわたくしだけです。それに、開けてはいません。中には何もありませんよ」

とはいえ、またしても狡猾な表情が浮かんでいたので、ヒルダはミセス・フェアバンクスを信じなかった。這いつくばってベッドの下を探り、煤の雨を浴びながら煙突を調べて煙道をふさいでいた新聞紙を元に戻し、古めかしい形のバスタブの後ろを覗いたあと、この部屋がドラム缶並みに密封されていることをヒルダが認めると、老婦人は皮肉な微笑を向けた。

「警察にもそう言ったのよ」彼女は言った。「でも、おまわりさんはわたくしが嘘をついていると言ったのです」

夜の十一時を過ぎると、ようやくミセス・フェアバンクスは寝る気になった。ただ医師が置いていった睡眠薬をのむことは拒み、着替えにヒルダの手を借りようともしなかった。そしてさっさとヒルダを追い払い、部屋のドアの前に待機して一分たりとも目を閉じないようにと命じた。彼女が部屋から出たとたん、背後で鍵の掛かる音が聞こえた。ヒルダは部屋の外の廊下に変化が起こったことに気づいた。老婦人のドアの近くにはテーブルと座り心地のよさそうな大きな椅子が運び込まれていたのだ。テーブルの横には読書用のランプが置いてあり、テーブルそのものには本や雑誌が山積みされていた。さらに隙間風を防ぐための衝立も置いてあった。重そうなトレイを持って正面の階段を上ってくるジャニスの姿がヒルダの目に入った。

ジャニスは軽く息を切らしていた。「コーヒーを魔法瓶に入れておいたのですが、それでかまいませんか」彼女は言った。「あなたがいらっしゃるとわかったとき、マギーにコーヒーを用意させたんです。マギーはうちの料理人なの。ほら、祖母はあなたが持ち場を離れるのを嫌がるでしょうから。食事をとりに下へいらっしゃると――」

ヒルダはトレイをジャニスから受け取った。「あなたを叱らなければなりませんね」厳しい口調で言った。「休んだはずだと思いましたのに」

「わかっています。ごめんなさい。今から休みますので」ジャニスはおずおずとヒルダを見た。「いらしてくれて本当に感謝しているのです」そう言った。「何事も起こりませんよね、きっと？」

何日も経ってから、ヒルダはこの娘の顔を思い出すことになった。痩せすぎだが、今は自信に満ちて安堵した様子の彼女を。それから、鍵の掛かった部屋で動き回るミセス・フェアバンクスの物音、テーブルに置いてある蝙蝠が入った靴箱、確信を込めて言った自分の声を思い返すことになったのだった。

「もちろん、何も起こりませんとも。ベッドへ行って、すべて忘れてください」

けれども、ジャニスはすぐに行こうとはしなかった。看護に関するヒルダの本を取り上げてパラパラとめくる。「看護婦になるための勉強はとても大変なのでしょうね」

「ただ勉強するだけでは足りないんですよ」

「わたしは病院で働きたいんです。でも、もちろん、そんなことは……さぞすばらしいことでしょうね――とにかく、お医者さまの話の意味がわかるってことは。わたしはひどく無知な人間だと感じてしまうんです」

ヒルダはまじまじとジャニスを見た。この娘はここから逃げ出したいのだろうか？　それとも、若いブルック医師に関心があるのか？　ヒルダは知っている多くのインターンたちを思い返した。インターンが好きではなかった。彼らはあまりにも自信過剰だったのだ。若い看護婦には笑いかけるくせに、年配の看護婦を無視した。ヒルダは一度、廊下の角を曲がったとたん、インターンの一人に腕をつかまれたことがあった。相手が誰だかわかったときの、彼の顔が滑稽だったことといったら。けれに違いない。

ども、ブルック医師はヒルダがマウント・ホープ病院を辞めてからかなりあとにインターンになった

ヒルダは話題を変えた。「住んでいる方々について少し教えてください」そう提案した。「あなたのお母さまと、伯父さま夫婦がこの家で暮らしているのですよね。使用人についてはどうですか？」

ジャニスは腰を下ろして煙草に火をつけた。「住み込みの使用人は今では三人しかいません」彼女は言った。「エイモスが通いで来ています。以前はもっといたのですが、近頃は祖母が——ほら、どんなふうだかわかりますよね。祖母は家計を心配しているんだと思います。祖母が使用人を減らしてしまったのです。うちでは明かりさえも節約しています。たぶんお気づきになったでしょうけれど！」

ジャニスは微笑して椅子で体を丸めた。くつろいで気楽そうだった。

「使用人はどれくらい長く勤めているのですか、ミス・ガリソン？」

「まあ、どうかジャニスと呼んでください。みんなそう呼ぶんです。ええと、ウィリアムは三十年ここにいます。料理人のマギーは二十年です。アイダは」ジャニスはにっこりした。「アイダは新米です。たった十年しかいないんですよ。それからもちろん、エイモスね。彼は車庫の上で暮らしています。ほかの使用人はここの上階の裏のほうに住んでいるんです」

「どの使用人のことも信用していらっしゃるんでしょうね？」

「もちろんです」

「ほかには？　定期的にここを訪れる方はいませんか？」

ジャニスはやや反抗的な表情を見せた。

「わたしの父だけです。祖母は訪問客を好まないし、母は——そう、母はお友達と外で会っています。カントリークラブやレストランでね。あれ以来——厄介事が起こって以来、祖母は母が友達を連れてくるのを嫌がるのです」

ジャニスは煙草の火を消して立ち上がった。蝙蝠が入った箱はテーブルの上にある。彼女はその箱に視線を注いだ。

「それを警察に見せるんですよね？」ジャニスは訊いた。

「大奥さまがそうしろとおっしゃっているのです」

ジャニスは長々と息を吸い込んだ。「見せなければならないのでしょうね」彼女は言った。「彼らは祖母の頭がおかしいと言うでしょう。祖母を閉じ込めてしまうわ。でも、見せなければなりませんね、ミス・アダムス」

「〝彼ら〟って誰のことですか？」

だが、ジャニスはすでにその場を離れていた。寝室へと廊下を歩きながら、ハンカチを取り出そうと袖の中を手探りしていたのだ。

ジャニスがいなくなると、ヒルダは考えにふけった。編み物を取り上げたが、少し編むと、それを置いて本を広げた。本で見つけたことは充分とは言いがたかった。砒素についてはごく簡単にしか書かれていなかったのだ。

「希酸、鉄、砒素といった多くの薬物は胃の内粘膜を刺激し、痛みや悪心、嘔吐を引き起こす場合がある」それに死もね、とヒルダは思った。年老いた女の死。風変わりな点はあろうとも、無力で哀れな老女の死だ。

ヒルダは本を押しやってカルテを取り、きちんとした筆跡で書いた。「午後十一時三十分。患者は興奮気味。脈拍は弱くて速い。鎮静剤の服用を拒む」

まだ書いていたとき、ミセス・フェアバンクスの部屋でラジオが鳴り出した。ヒルダはびくっとした。大きな音で、大勢の悪魔の叫び声のように彼女の鼓膜を打った。十分間は我慢した。それからヒルダはドアを叩いた。

「大丈夫ですか?」ヒルダは叫んだ。

意外にも、ただちに老婦人はドアのすぐ向こうから返事した。「もちろん、大丈夫ですとも」ミセス・フェアバンクスはきつい口調で言った。「いいですか、そこにいなさい。家の中を駆けずり回る必要などないのですからね」

今度の仕事は嫌だとヒルダはつくづく思った。知らない家で夜を過ごすことには慣れていた。何が起こっているのかもわからず、見知らぬ人たちの中に放り出され、彼らの暮らしに入り込んで、一時的に生活をともにすることは。でも、この事件もこの家も全然好きになれなかった。

幽霊の出そうな家だからというわけではない。ヒルダは幽霊の存在など信じていなかった。いつになく激しい口調で自分に言い聞かせたように、ここがどうしようもなく不愉快なところだからなのだ。暗すぎるし、奇妙すぎるし、あまりにも現実離れしている。それに老婦人は看護婦など必要としていなかった。彼女に必要なのは番人か警官だったのだ。

第四章

ラジオは真夜中を過ぎても鳴っていた。それから急に切れると、死んだような静けさが広がった。その静寂の中に、ヒルダは階段を上ってくるひそやかな足音をふいに聞き取った。彼女は身をこわばらせた。だが、ようやく現れた姿は警戒心を与えるよりはむしろ悲劇的な感じを起こさせた。黒のディナードレスを着た女性はヒルダを見て驚いた様子だった。彼女はこちらに目を凝らしながら踊り場で立ちすくんだ。「母に何かあったのかしら?」ささやくような声で尋ねた。

そのときには相手が誰かヒルダにもわかっていた。ジャニスの母親のマリアン・ガリソン。けれども、信じがたいほどさま変わりしていた。痛々しいくらいに痩せて、入念に施した化粧はやつれた顔を強調するだけだ。それでも、まだある種の美は保っていた。きれいな輪郭の顔や黒い目——ジャニスの目とそっくりだ——は変わっていなかった。幸せな暮らしだったら美しい人なのに、とヒルダは思った。

マリアンは首のまわりの重そうな真珠のネックレスをもてあそびながら立ったままだった。もう一方の手に持っているのが室内履きであることにヒルダは気づいた。

「まさか——母はまた——」

彼女がそれ以上話せないようだったので、ヒルダは首を横に振った。メモ帳をテーブルから取り上げてこう書いた。「神経質になっているだけです。今夜、大奥さまは部屋で蝙蝠を捕まえました」マリアンはそれを読んだ。頬紅をつけた顔から血の気が引いた。「じゃ、本当だったのね！」相変わらずささやくように言った。「信じられないわ」

「その箱に入っています」

マリアンは身震いした。「わたしは全然信じなかったのよ。母の空想だと思ったの。いったいどこから蝙蝠は入ってくるのかしら？」それから、マリアンは制服姿のヒルダが母親の部屋の前に陣取っていることの奇妙さに気づいたらしかった。「たぶんショックなのよね――母は本当に病気というわけではないのでしょう？」

ヒルダは微笑した。「ええ。一晩か二晩、大奥さまのそばに誰かいたほうがいいとお医者さまが判断したのです。無理もありませんが、大奥さまは神経が高ぶってらっしゃるので」

「たぶんそうでしょうね」マリアンは曖昧に言い、ややためらったあとで自分の部屋に入っていき、ドアを閉めた。ヒルダはマリアンが立ち去るのを見守っていた。その晩にせよ、どの晩にせよ、ヒルダはこの家の誰も信用していなかった。だが、居心地の悪さを感じていた。それじゃ、離婚によってあんなに変わる女性もいるのね！　専制的な年寄りの母親のいる家に戻り、自分の家にコソコソ出入りすることになって、美貌も健康も生きる熱意も失ってしまうのだ。二人目の妻である影の薄い小柄なブロンド女性といたフランク・ガリソンのことを思った。彼も幸せそうには見えなかった。それに娘のジャニスは彼らの間で引き裂かれている――祖母とマリアン、そして父親の間で。

蝙蝠が箱の中で身動きし、何かをひっかくような小さな音をたてた。ヒルダはもう一つ空気穴を開け、中を覗こうとした。けれども、見えたのは今やじっとしている黒い塊だけだった。また箱を下に置いた。

老婦人がまだ目を覚ましているという奇妙な感じをヒルダは覚えた。ドアの上に欄間窓はないが、ミセス・フェアバンクスが相変わらず動き回っている気配があった。一度などはまぎれもなくクローゼットの扉の軋む音が聞こえた。それから、またしてもラジオが鳴り始め、どんなラジオでも大嫌いなヒルダはこれをまるまる一晩、我慢しなければならないのかとうんざりした。ヒルダがまだ思案していると、マリアンが部屋のドアを開けて廊下に出てきた。

「ラジオを止めてもらえない?」マリアンは強い口調で言った。「あれのせいでおかしくなりそうだわ」

「ドアに鍵が掛かっているのです」

「それじゃ、ドアを叩いてちょうだい。何でもいいからやって」

「大奥さまはいつもラジオを鳴らすのですか?」

「いつもというわけではないわ。ここ一、二カ月ね。眠り込んでしまってラジオが夜通し鳴っているときもあるのよ。不愉快だわ」

マリアンはドレッシングガウンを着る手間もかけていなかった。六月の夜の寒さに震えて立っていた。小ぶりだが、形のよい胸をした痩せた体の輪郭をシルクのナイトガウンが浮かび上がらせている。目には苦悩の色があった。

「ときどき思うのよ。母は本当に――」

マリアンが何を思っているのかは語られずじまいだった。寝室から細く甲高い悲鳴が聞こえたからだ。ラジオの音を圧するほどの声に続いて、さっきよりも大きな声がまた聞こえた。パニックに駆られたマリアンはドアにぱっと飛びつき、激しく叩いた。

「お母さま」マリアンは言った。「中に入れて。どうなさったの？　何があったの？」

ふいにラジオの音がやみ、ミセス・フェアバンクスの年老いた細い声が聞こえた。「鼠がいるんですよ」震え声だった。

見るからにほっとした様子でマリアンはドアにもたれた。「鼠に怪我をさせられることはないわ」マリアンは言った。「わたしを中に入れて。ドアの鍵を開けてちょうだい、お母さま」

だが、ミセス・フェアバンクスはドアの鍵を開けたがらなかった。ベッドから出る気配もない。しばらくしてようやく鍵を開けると、ミセス・フェアバンクスはさっさとベッドに戻り、背筋をピンと伸ばして座った。マリアンとヒルダを勝ち誇ったように眺めながら。

「鼠は整理簞笥の下にいますよ」彼女は言った。「見たのです。これでおまえもわたくしを信じるでしょうね」

「興奮なさらないで、お母さま」マリアンは言った。「体に悪いから。そこに鼠がいるなら、ウィリアムを呼んで殺させましょう」

ミセス・フェアバンクスは娘を冷ややかな目で見た。「もしかしたら、鼠がいることを知っていたんじゃないの」そう言った。

「ばかなことを言わないで、お母さま。わたしは鼠が大嫌いなのよ。そんなものがいるなんてわかるはずないでしょう？」

ヒルダは冷静な目で二人を観察していた。老婦人の顔には疑惑の色が浮かび、娘の顔には驚きと傷ついたという表情があった。最初に立ち直ったのはマリアンだった。ベッドのそばに立って母親を見下ろす。

「ウィリアムに言って鼠を始末させます」彼女は言った。「鼠を見たとき、お母さまはどこにいらしたの？」

「ベッドですよ。ほかにどこにいるというの？」

「明かりをみんなつけたままで？」

二人の間にすばやい視線のやり取りがあった。どちらも疑わしげで警戒するまなざしをしていた。ヒルダは戸惑った。

「そこにばかみたいに突っ立っていないで」ミセス・フェアバンクスは言った。「ウィリアムを捕まえて、火かき棒を持ってくるように伝えなさい」

マリアンは出ていき、後ろ手にドアを閉めた。ヒルダはあまり気が進まないながらもひざまずき、鼠がまだ整理簞笥の下にいると報告したが、それも嫌だった。ヒルダは立ち上がると、急いでドアまで退却し、そこから部屋を見回した。

ヒルダが出ていったときとほぼ変わっていなかったが、今や老婦人の服はきちんと椅子の上に置かれていた。けれども窓はすべて閉まっており、ベッドはそれほど乱れていなかった。確かに、ミセス・フェアバンクスがベッドに入ったばかりというふうに見えた。ほかにも前と違うところがあった。火の気のない暖炉の正面に、詰め物をしたカバーが掛かったカードテーブルが置いてあり、トランプが一組載っていたのだ。

老婦人はヒルダの様子を見守っていた。「わたくしはマリアンに嘘をついたのよ」彼女は楽しそうに言った。「ベッドには入っていませんでした。一人占いをやっていたの」

「どうして一人占いなどを？　しかも、眠れないときになぜですか？」

「眠らせてくれる薬を医者に出してもらえとでも？　わたくしは頭が働くようにしておきたいの。この家では誰もわたくしに睡眠薬なんかのませられませんよ。特に夜はね」

その晩の残りは静かだった。「古参の使用人」と全身に書いてあるような、くたびれたバスローブ姿の年配のウィリアムがとうとう鼠を追いつめ、すばやく仕留めると、塵取りに入れて運び出した。マリアンは自分の部屋に戻って、ドアを閉めて鍵を掛けてしまった。その間ずっとジャニスは眠っており、ヒルダは一時間ほどもひざまずいて調べたが、床にも幅木にも穴など見つからなかったので、とうとう立ち上がった。ミセス・フェアバンクスは不審の表情をありありと浮かべてヒルダを見つめていた。

「誰があなたをここへ寄こしたの？」ミセス・フェアバンクスは出し抜けに言った。「あなたが敵ではないと、わたくしにわかるはずもないわね」

ヒルダは身をこわばらせた。「わたしがここにいる理由はちゃんとおわかりだと思いますが、ミセス・フェアバンクス。パットン警視が――」

「あの人、あなたを知っているの？」

「ええ、そうです。以前に彼のために働いたことがありますので。ですが、こんなふうに閉め出されていてはお役に立てません。もっとわたしを信用してくださらなくては」

ヒルダがうろたえたことに、老婦人はすすり泣きを始めた。年を取った人に特有の涙が出ない泣き方だった。彼女は顔をゆがめ、顎をひくひくさせていた。

「誰も信じられないのよ」ミセス・フェアバンクスは途切れ途切れに言った。「自分の子どもたちさえも。カールトンすら信じられない。わたくしの息子だというのに。わが子なのに」

ヒルダは同情の念がこみ上げるのを感じた。「でも、息子さんは今夜いらっしゃいませんでしたよ」

そう言った。「ですから、息子さんには何もできなかったはずです。それはおわかりでしょう?」

すすり泣きがやんだ。ミセス・フェアバンクスはヒルダを見上げた。「だったら、マリアンの仕業です」彼女は言った。「フランクが結婚した女をこの家に入れたことでわたくしを責めているのですから。あの子はフランクに夢中でした。いまだに恋い焦がれているのよ。あの女が彼を捕まえたとき、マリアンは正気をなくしそうでした」

「マリアンさんにできたはずはないでしょう」ヒルダは鋭い口調で言った。「どうか冷静になってください、ミセス・フェアバンクス。たとえお嬢さんがこの部屋に入ってきたとしても、鼠を持ってこられたはずはありません。ポケットに鼠を入れて持ち歩くことなんて誰にもできませんから。それをいうなら、蝙蝠だって同じことです」

それから一時間も経って、ヒルダはようやく老婦人の部屋を出ることができた。部屋にいた時間を利用して、あたりをもっとよく調べてみた。タイル張りの浴室はマリアンの部屋とつながっておらず、ほかの部分と同様に網戸はしっかりと留め付けてあった。クローゼットには金庫と老婦人の服が並んでいるだけだった。金庫がある側のクローゼットの扉に靴を入れる袋がぶら下がっていて、靴がいっぱいに詰め込まれていた。それを見てヒルダは微笑したが、何日かのちにその袋の重要性を知ることになったのだ。この事件における靴の袋の役割を。

一つのことだけは確かだった。普通の手段では鼠にしろ蝙蝠にしろ、この部屋に入れたはずはなかったことだ。古めかしい型の床の通気口は閉まっていた。ぴったりと全部が閉まっていたわけではない。ヒルダがマッチを擦って見ると、通気口の上下の鉄板が少しずれて小さな隙間があった。だが、鉄板の上の鉄格子はしっかりと床にねじで留められ、隙間は一平方インチよりも狭かった。

ミセス・フェアバンクスはベッドに横たわり、ヒルダの一挙手一投足を観察していた。入れ歯をすでに外していたミセス・フェアバンクスは血の気のない歯茎を見せてあくびをした。

「もうあなたにもわたくしが何を言っているかわかったでしょう」彼女は言った。「明かりを消しなさい。ドアの鍵を掛けずに出ていっても結構よ。ただし、持ち場を離れないで。わたくしはときどき目を覚ますのだけれど、あなたがいないことがわかったら……」

外の廊下に出たヒルダはもはや無表情ではなかった。パットン警視なら、闘争心をたたえた顔だと言うところだろう。彼女は老婦人のいびきが聞こえるまで待った。それから爪先立ちで自室へ戻り、緊急事態だと判断していくつかのものを取り出した。糸巻とゴム手袋、それに画鋲を。これらを廊下のテーブルまで持って帰ると、あたりがしんとしているのを確かめてから作業に取りかかった。床の近くに二つの画鋲を留め付けた。一つはドア枠に、そしてもう一つはドアそのものに。そして黒い糸を画鋲の一つからもう一つへと結びつけ、端を外科用鋏で切り取ると、立ち上がって仕掛けの出来栄えを調べた。黒みを帯びた木造部を背景にした糸はまったく見えなかった。

そのあと、ヒルダは椅子のまわりを囲うように衝立をめぐらせ、懐中電灯を取り出すと、手袋とジャニスが置いていった新聞紙を持って忍び足で階段を下りていった。

一階は真っ暗だった。ヒルダは廊下で足を止めて耳を澄ました。どこかで柱時計が時を刻む音が大きく聞こえてくる。それ以外はひっそりとしており、懐中電灯を使う必要もなく台所まで歩いていけた。でも、台所では懐中電灯をつけた。彼女がいたのは古めかしい造りの食器室で、床はすり切れたリノリウムで覆われ、食器棚には陶器やガラス製品がぎっしり詰まっていた。一瞥しただけで探していたものがないとわかり、ヒルダは台所に入っていった。

そこは細長くて広いがらんとした部屋で、ペンキも塗られていなかった。部屋の片側にはホテルの調理場にでも充分なほど大きな石炭のかまどがあった。かまどの火は消えていなかったが、慎重に灰で覆われていた。にもかかわらず、ヒルダは一つ一つかまどの蓋を開けてみた。中には何もなく、彼女は安堵のため息をついた。それから流しの下の小さなごみ箱を調べたが、成果はなかった。

探していたものをついに見つけたのは台所のポーチの外の中庭だった。石炭の灰が入った樽のいちばん上に置いてあったのだが、ヒルダは手袋をはめてからそれを引っ張り出した。ふたたび二階へ上がっていって、その鼠の死骸をきちんと包んでスーツケースに入れ、鍵を掛けた。

それからミセス・フェアバンクスの部屋のドアが開いた形跡がないことを確かめると、その前に椅子をそっと置いて『看護の方法』を取り上げ、行き当たりばったりにページを開いた。「医師や看護婦といった医療従事者は自分で推論するのではなく、見聞きしたり、においを嗅いだり感じたりしたものをそのまま報告すべきである」心地よい眠気を感じながらヒルダは読み続けた。

第五章

翌朝、状況は昨日よりもよくなったように見えた。六月の陽光の中で、時代を経た屋敷は不吉というよりは厳粛な感じに思われた。ミセス・フェアバンクスは早くに目を覚まし、ヒルダに朝食のトレイを運ばせた。だが、グレープフルーツには砂糖をかけず、卵の殻は自分で剝くと言い張った。

台所でトレイを待っていたとき、ヒルダは使用人たちを観察した。かまどにかがみ込んでいる中年ででっぷりしたマギー。外のポーチでトウモロコシのパイプをふかしているエイモス。無口で年老いたウィリアム。テーブルで紅茶を飲んでいる、三十代後半らしい、顔色が悪くて物憂げなアイダ。ヒルダを無視していたけれど、使用人のほうも彼女から目を離さなかった。訓練を受けた看護婦に対する使用人の敵意にヒルダは慣れていた。反感と疑念を持たれることに。とはいえ、この四人の使用人の疑惑の念はヒルダだけへのものではないらしかった。お互いを不審のまなざしで見ていたのだ。彼らはおしゃべりをしていなかった。マギーの扱う鍋の音やストーブの蓋の音を別にすれば、台所は静かすぎるほどだった。

食器室に行ったヒルダはウィリアムが話す声を耳にした。

「そこに置いたはずだと言ったじゃないか」ウィリアムは言っている。「わたしはその手のことを忘れないんだ」

「しっかり留め付けてなけりゃ、あんたは自分の頭だって忘れちまうだろうよ」これはマギーの声だ。「誰かが持っていったに違いない」ウィリアムは頑なに言い張った。「あいつが死んでいなかったなんて言わないでくれ。間違いなく死んでいたんだ」

ヒルダが台所に引き返すと、会話はやんだが、ポーチにいるエイモスはにやにや笑っていた。

その朝、ジャニスは遅くまで寝ていたが、ヒルダが朝食をとりにいってみると、テーブルにマリアンがいた。マリアンは一睡もしなかったようだ。緑色の部屋着のせいで、肌の青白さや痩せた体が目立っている。彼女の横にいると、ヒルダはいっそう元気で、ちょっとふっくらした天使のように見えた。マリアンはすでに食事を終えていたが、ウィリアムがヒルダに給仕して立ち去ったあとも席を離れず、コーヒーカップをそわそわともてあそんでいた。

「たぶん」マリアンは言った。「母はわたしたちに殺されそうだと、あなたに話したんじゃないかしら」

ヒルダは冷静な態度だった。「そういうことではないですよ、ミセス・ガリソン。ただ、ちょっと前にある出来事があったとおっしゃっていましたが。砂糖に砒素が入っていたとかなんとか」

マリアンは苦笑した。サイドテーブルから煙草を取り出すと火をつけ、おもむろに口を開いた。「そういうことがあったのは事実よ」彼女は言った。「そのときブルック先生が母のトレイの食物を分析したの。確かに砒素はあったわ。でも、考えてもみてよ」彼女はまた唇を引き締めて微笑した。「わたしたちがそんなことをしたなら、砒素をそのまま残しておいたと思う？　みんながあのトレイを扱ったのよ。娘のジャニスがトレイを母のところへ運んでいった。トレイを下げたのはわたし。兄のカールトンがトレイを裏の階段のてっぺんまで持っていき、そのあと兄嫁がそれを下ろしてきた。

もしも使用人が犯人だとしたら、トレイを始末したでしょう。でも、誰もそんなことをしなかった」彼女は煙草をもみ消した。「わたしたちは不愉快な家族かもしれないけれど、ばかではないのよ、ミス・アダムス。警察を呼びたかったのに、母が反対したの」

マリアンは瘦せた肩をすくめた。「どうしたらよかったのかしら？　わたしたちの仕業だと母が思いたかったなら、それでもかまわないわ。けれども、あれ以来、とても気まずい毎日になっているのよ」

「家の中に砒素はあったんですか？」

「全然見つからなかったわ。もちろん、母は全員を疑っているけれど」

「なぜ、疑っているんでしょう？」

「母にはお金があるからよ」マリアンはそっけなく言った。「お金を持っていて手放そうとしないから。もちろん、わたしはここから出ていけるのよ。離婚手当をもらっているの」彼女は顔を赤らめた。「それに田舎にささやかな家があるし。でも、母はジャニスにいてもらいたがっているし、あの子はわたしたちがここにいるべきだと思っているの。昨夜の鼠の件は単なる偶然にすぎないわ。蝙蝠やら何やらのことは……」

マリアンはまたもや肩をすくめた。ヒルダの表情はまるで変わらなかった。

「ミセス・フェアバンクス自身がそういった出来事に関わっているかもしれないと思ったことはありませんか？」ヒルダは尋ねた。「年老いた女の方は妙な行動をとるときがあるものです。注目されたいのに、そうしてもらえないと、あらゆる策略を用いるんですよ」

「母がどうやってそんなことを？」

「使用人の手を借りればできるでしょう。または、大奥さまは毎日車でお出かけになるという話でしたね？　そこでなんらかの手配をしているのかもしれません——誰かから何か包みを受け取るとかいったことを」

マリアンはたいしておもしろくもなさそうに笑った。「たとえば、砒素を受け取るとかっていうの！」

「ミセス・フェアバンクスは致死量にならない程度に砒素をとったんじゃないでしょうか」ヒルダはあっさりと言った。「大奥さまは家族の誰かに腹を立てていて、もめ事を起こしたいと思っているのかもしれません」

「母はわたしたちみんなに腹を立てているのよ」マリアンは言った。「ジャニスだけは例外だけれど。母はわたしが半狂乱になるほどあの子をこき使っている。娘には自分の生活がまったくないの」マリアンはまた別の煙草に火をつけ、その手が震えていることにヒルダは気づいた。「よくわからないうちにわたしたちのことを判断しないで」マリアンは続けた。「わたしはジャニスを連れてここを出たいのだけれど、あの子はおばあさまを置いていくなんて、と気が進まないのよ。それに兄はほかに行く場所がないし。兄の事業はぼろぼろなの。ブローカーをやっていたのだけれど、失敗したわ。この頃じゃ、靴を買うお金さえもない。おまけに養わなければならない妻だっている」

マリアンは立ち上がった。「わたしたちはそんなに悪い人間じゃないのよ。スージーにだっていい点があるわ」彼女は弱々しい微笑を浮かべた。「誰も母を殺そうとするはずがないし、死ぬほど怯えさせようとするはずもない。さて、あなたは少し眠ったほうがいいでしょうね。母が何か用があるときのために、声が聞こえるところにわたしがいるわ」

だが、ヒルダはその朝ベッドに入らなかった。ミセス・フェアバンクスが入浴して着替えるのを手伝い、ベッドのリネンを新しいものに取り換えた。それから部屋の掃除をアイダに任せて外出着に着替え、角のところでバスに乗って警察本部へ向かった。本部の飾り気のない狭い部屋にヒルダが入っていくと、パットン警視しかいなかった。きちんとした仕立てのスーツに身を包み、小さな帽子をかぶったヒルダに警視は称賛のまなざしを向けた。

「やあ」彼は言った。「何かに憑りつかれたご婦人は今日はどうしている?」

ヒルダは微笑むと、彼の前の机に箱と包みを置いた。パットン警視は軽く警戒するような表情を見せた。

「これは何だ?」そう問いただした。「まさか葉巻を持ってきてくれたわけではあるまい?」

ヒルダは腰を下ろし、手袋を外した。「箱には」澄ました顔で言う。「蝙蝠が一匹入っているの。生きているから、わたしがいる間は開けないでね。もう一つのほうは死んだ鼠よ。ごみ箱から拾い上げたの。午前三時に――興味があるかもしれないから、時間を話したわけだけれど」

「なんてことだ! あの屋敷はノアの箱舟さながらじゃないか。ごみ箱から鼠を拾い上げたとはどういう意味なんだ?」

それからヒルダはパットン警視の机の向かいに腰を下ろし、両膝の上できちんと手を組んで事情を話した。三月の砒素事件から始めて、昨夜の出来事まで順に説明する。パットン警視は当惑しているようだった。新聞紙にきっちり包まれた鼠をじっと見つめていた。

「なるほど。じゃ、この鼠は部屋に入れるはずがなかったのに、入ったということだな。そうだろう?」

「これはわたしが整理箪笥の下で見つけた鼠とは違うかもしれないわ」

「だが、きみは同じ鼠だと思っているわけだろう?」

「同じだと思っています。ええ、そう」

「これをどうしたものだろう?」パットン警視は困ったぞというふうに尋ねた。「とにかく、鼠が何だっていうんだ?　立派なお屋敷にだって鼠はいるだろう?」

「鼠は腺ペストを伝染させることがあるわね」

「やれやれ」パットン警視は言った。「なぜ、こんなものをわたしのところに持ってきたんだ?」

「もうその鼠には蚤がいないでしょう。危険なのは蚤よ。ただ、鼠を調べてもらったほうがいいだろうと思って。誰かがミセス・フェアバンクスを殺そうとしているのは確かだから」

「この鼠みたいにかい?」

「それみたいに」

パットン警視は椅子にもたれてパイプに火をつけた。「何か見当がついているんじゃあるまいな?」

ヒルダはかすかに微笑した。「全員が動機を持っているわね。息子とその妻だというカールトンとスージーにはまだ会っていないわ。旅行中なの。とにかく、ミセス・フェアバンクスにお金があって、それを手放そうとしないことははっきりしている。元の義理の息子であるフランク・ガリソンはたまに訪ねてくるけれど、ミセス・フェアバンクスの死によって利益を得るかどうかはわからないわね。医者にも殺人の動機があるかもしれないものの、孫娘しか彼を知らないうちからミセス・フェアバンクスは毒を盛られていた。孫娘はどこかでこの医者に会ったことがあるみたいね。彼が往診に呼ばれたのは近くに住んでいるからだった。わたしは医者にもまだ会っていないの」

「なぜ、医者に動機があるんだ?」
「孫娘が彼を愛しているんじゃないかと思うのよ。医者なら赤ん坊以外のものも、かばんに入れて運べますからね」

パットン警視は声をあげて笑った。彼はヒルダに少なからぬ愛情を持っていたし、それ以上に敬意を抱いていた。「きみは賢い女だよ、ヒルダ」彼女が立ち上がると、警視は言った。「結構。きみの動物園へ帰ってくれ。それと、頼むから蚤に取りつかれないでくれよ」

角のところでヒルダはバスに乗ったが、屋敷へ真っすぐには帰らなかった。〈ジョーの店〉からハドソン街へ抜け、かつては立派だったが、今では大半が貸し出されて放置された雰囲気の家が並ぶ地域を通って、その一つにブルック医師の診療所を発見した。そこはフェアバンクス家の車庫のほぼ真向いにあり、磨く必要がある小さな真鍮の表札には「医学博士　C・A・ブルック」と書いてあった。

ヒルダは入り口の石段で振り返り、フェアバンクス家の外観を観察した。車庫と円屋根で屋敷の使用人の別棟は隠れているが、ほかの部分はよく見えた。玄関の屋根も見えたし、ジャニスの部屋まで見通せる。だから昨夜、ジャニスは窓の外に視線を据えていたのだろう!

ヒルダが呼び鈴を押すと、ややあってから、だらしない身なりの娘が現れた。すると、娘は出し抜けにドアを大きく開けて頭を突き出した。
「先生はご在宅ですか?」ヒルダは訊いた。

娘は驚いた様子でじろじろとヒルダを眺めていた。「こっちです」そう言うなり、彼女はさっと引っ込んだ。

ヒルダは娘のあとについて家の中へ入った。左側は待合室だった。家具は数えるほどしかなく、センターテーブルが一つ、壁のまわりに並んだ椅子が数脚、それに古ぼけた本箱が一つだ。そこから二重扉で奥の診察室につながっている。診察室では上着を脱いだ若い男が机の向こうでぐっすり眠っていた。

娘は手ぶりで示した。「あちらが先生です」そう言って姿を消した。

若い男は目を開けて戸惑ったようにあたりを見ると、飛び上がって上着をつかんだ。「本当に申し訳ありません」彼は言った。「一晩中起きていたもので。どうぞお入りください」

とりたてて顔立ちのいい男というわけではなかった。けれども、感じのいい微笑をしていたし、歯並びもきれいだった。ヒルダは彼を失望させることになんだか気が引けた。

「わたしは患者ではないんです」彼女は言った。

「違うんですか？　まあ、患者が来るとは実のところ思っていませんでしたが。とにかく、お座りください。暑いですね？」

ヒルダは天気などに興味がなかった。医師に視線を据えて言った。「わたしはミセス・フェアバンクスの看護婦です。いくつかお尋ねしたいことがあるんです、先生」

医師が体を固くしたとヒルダは思った。にもかかわらず、彼は微笑した。「ぼくは職業上の秘密を漏らすことはできないですよ。たとえ、あなたにでも。その、ミス――」

「アダムスと申します」

「そうですか。ある意味では、あなたがあの家にいるのはぼくの責任かもしれません、ミス・アダムス。ぼくはジャニスのことが心配だったのです。しかし、警察の看護婦を雇うとは思わなかった」

「わたしは警察の看護婦じゃありません、先生。何か問題があったとき、警察に報告するだけです。

それだけですよ」

「そうですか」彼はまた言った。「さて、ミス・アダムス、ミセス・フェアバンクスが何かに憑りつかれているのかどうか、ぼくの考えを知りたいというなら言いますが、答えはノーです。夫人は年老いているし、以前から変わり者です。近頃、彼女にはある種の固定観念がひどくなってきたようだ。その一つは家族に殺されそうだというものです。夫人が話したように、怯えさせて殺すつもりなのだと。ぼくはそんなことを信じませんがね。あの家の人たちを知れば――」

「砒素は固定観念なんかじゃありませんよ、先生」

ブルック医師はおもしろくないという顔つきになり、いらだったように見えた。「誰から砒素のことなんか聞いたのですか？　ミセス・フェアバンクス自身も家族もそのことを内輪の秘密にしようと言い張ったのだが。ぼくはその点に反対したが、無駄だった」

「本当に砒素だったのでしょう？」

「そのとおり。亜ヒ酸でした。ミセス・フェアバンクスはそれほどの量を摂らなかったのですが、空腹時だったのですよ。運がいいことに、ぼくが夫人のもとへ着いたのは一時間ほどしか経たないときでした。そのときでさえ、彼女はひどい状態で――チアノーゼになったり、脈拍が弱くなったりしていた。ぼくは胃の洗浄をしたが、夫人はかなり弱っていました」

「砒素だったのは疑いないんですね？」

「そうです。砒素を検査するラインシュ法を試しました。間違いなく砒素でしたよ」

医師は話し続けた。警察を呼びたかったのだが、考えてみてほしい、と。そこにいたのは家族と、長年勤めてきた使用人たちだけだったのだ。彼らの誰かの仕業だと責めることはできなかった。スキャンダルを巻き起こすこともできない。それに、同じようなことは二度と起きなかった。ただ、老婦人自身に変化が生じてしまった。その事件以来、彼女はさまざまなことを妄想するようになったのだ。自室でのあれこれ、蝙蝠だの鼠だの、雀だのといったものを……。

昨夜の話を聞くと、医師は立ち上がって部屋の中を歩き回った。「いやはや、困ったことになるぞ」彼は言った。「間違いなく、うんざりするほど困ったことになりそうだ！　もちろん」彼はつけ加えた。「そういうもののせいでミセス・フェアバンクスが死ぬことはないでしょうが。殺人ではない。しかし、あのときは――」

「あのときの砒素は殺人目的だったと思いましたか？」

「まさか夫人が顔の艶をよくしようと思って、亜ヒ酸を摂ったわけではないでしょう」彼は陰鬱な口調で言った。

ヒルダよりもはるかに背が高く痩せた若いブルック医師は玄関まで送ってきてくれた。帰りかけると、医師は彼女の肩に手を置いた。

「あのですね」彼は言った。「ジャニスに気をつけてやってもらえませんか？　あの人はひどい緊張状態にさらされてきたんです。あそこの人たちはまともだが、みんながてんでんばらばらだ。犬や猫みたいに喧嘩している。もしもジャニスに何かが起こったら……」

ブルック医師は最後まで言い終えなかった。じっと立ちすくみ、通りの向こうに視線を据えている。塀と煉瓦の車庫の奥には、フェアバンクス家の黒っぽい長方形の建物が過去の壮麗さをたたえた威厳ある姿で立っていた。

「おかしな話じゃありませんか？」ブルック医師は言った。「子どもの頃、ぼくはあの塀の外に立って、老婦人が馬車で出かけるところをよく見ていたものでしたよ！」

　そのときのヒルダが誰も信用していないのでなかったら、ブルック医師を好ましく思ったかもしれない。彼にはどことなく少年っぽい雰囲気があり、それが魅力的だったのだ。しかし、ヒルダは彼への気持ちをふたたび硬化させた。

「たぶんおわかりだと思いますが」ヒルダは冷ややかに言った。「あなたも容疑者の一人に入っているんですよ？」

「容疑者！　いったいぼくが何をしたと？」

「あなたがかばんに入れて、ミセス・フェアバンクスの部屋に鼠などを運んだかもしれないということです」

　ブルック医師は仰天したようだった。それから、さもおかしそうに長々と笑った。「そして死ぬほど怖がらせようとしたというんですか。ぼくにとって最高の、ほぼ唯一といえる患者を！」彼は言った。「どうかごらんください、ミス・アダムス。あなたが見たこともないほど、ピカピカのきれいなかばんをお目にかけましょう」

　だが、かばんを見るためにヒルダが戻ることはなかった。ブルック医師は車庫のそばの塀にあいた穴を教えてくれ、彼女はその近道を通り抜けて屋敷に帰った。エイモスが泥だらけの車を洗っている脇を通ったが、彼は顔も上げなかった。エイモスは背が低くて不愛想な感じの男だが、家のほうへ向かう後ろ姿をまじまじと見られていることをヒルダは意識した。ヒルダも不快さを味わっていた。その日の朝、台所のポーチでやっていたのと同じように、エイモスがまたしてもにやりと笑っているに違いないと思ったのだ。

ヒルダは正面玄関へ行かず、屋敷の裏口へと歩いていった。その頃には正午になっていて、使用人たち――エイモスは別として――はすでに台所の外の小部屋で昼食をとっていた。ヒルダが戸口で足を止めると、ウィリアムが立ち上がった。

「ちょっと考えていたんですけれど」彼女はさりげなく言った。「この家では鼠捕りを仕掛けていないのですか？　ここに鼠がいるなら――」

「この屋敷には鼠なんていないよ」マギーがぶっきらぼうに言った。

「昨夜、一匹捕まえたんですが」

「エイモスに訊いてみなよ。あたしに言わせれば、鼠は車庫にいるんだ」

けれども、そのときにやってきたエイモスが話を耳にして、車庫には鼠などいないと不機嫌に言い放った。ヒルダは使用人を観察した。普通の人たちだと思った。知的というよりは忠誠心が強く、今はまぎれもなく不安な思いをしている。アイダがエイモスをにらみつけた。

「あの砒素のことはどうなのよ？　車庫には砒素があるかもね」

彼女の声は高くて手厳しかった。エイモスもアイダをにらみ返した。

「おまえさんは口をつぐんでるほうが身のためだぞ」

全員がヒステリーを起こす寸前だったが、彼らの恐怖にとどめを刺したのはいかにも平凡なマギーだった。

「あたしに言わせればね」彼女は言った。「ここには幽霊が憑りついているんだよ。アイダやジャニスお嬢さまが出かけていたときに大奥さまと座っていたら、いろんな音が聞こえたんだ」

「何を聞いたの？」ヒルダが尋ねた。

「何かを叩く音が部屋中に聞こえたんだよ。何かをこするような奇妙な音がした。クローゼットが開いたこともあった。金庫が入っているあのクローゼットさ。あたしはちゃんと見たんだ。部屋にいたのは大奥さまとあたしだけだった――それに、大奥さまは眠っていなさった」

アイダは悲鳴をあげ、ウィリアムはテーブルをバンと打った。「そんな話はやめろ」鋭い声で命じた。「古い屋敷ってものは軋む音がするんだ。看護婦を怯えさせて追い払いたいのか?」

マギーは顔を赤くして話をやめた。アイダは蒼白な表情で見るからに怯えていた。エイモスだけが食事を続けていた。二階へ上がりながらヒルダは二つのことを確信した。どの使用人も心から怯えていることと、誰もが潔白であることを。

第六章

ヒルダが老婦人の部屋に行くと、昨夜の不気味な雰囲気とはすっかり様変わりしていた。誰かが——ジャニスだろうとヒルダは思った——部屋を片づけたのだろう。

室内には陽光が注ぎ込み、テーブルにはライラックの花瓶があり、ベッドには絹のカバーが掛かって、小ぶりの枕がいくつも並んださまは軽薄な感じを与えそうなくらいだった。ジャニスさえ昨日よりも顔色がよくなり、たっぷり休息したようで微笑んでいた。今や黒い絹のドレスを着て揺り椅子に腰を下ろしているミセス・フェアバンクス本人は、昨夜のぞんざいな老婦人と違う人間に見えた。

ミセス・フェアバンクスがまるっきり変わったわけではなかった。彼女は相変わらず権威をふるっていて、疑り深そうですらあった。小さな目を金庫が入ったクローゼットの一つにぴたりと向け、戸口に立つヒルダに気づかない様子だった。

「クローゼットから出てきなさい、カールトン」ミセス・フェアバンクスは言った。「そこには何もないと言ったはずですよ」

カールトン・フェアバンクスは不承不承といったふうに姿を現した。両膝の埃を払いながら出てきた彼は四十代くらいの小柄で敏捷そうな男だった。細面の顔に皺が寄り、頑固そうな表情をしていた。

「奴らはどうにかして入ってきたはずだよ、お母さん。ぼくに調べさせてくれてもいいじゃないか？」

「あの生き物たちは運び込まれたの」ミセス・フェアバンクスはぴしゃりと言った。「わたくしはそう言ったでしょう。この家の誰かが持ち込んだのよ」

カールトンは笑顔を作ろうとした。「ぼくが持ち込んだというのなら、昨夜は町にいなかったよ。スージーも同じだ。とにかく、彼女は鼠を怖がっている」

「たぶんスージーはこれまでにも鼠を見たはずですよ。しかも、どっさりとね」ミセス・フェアバンクスは冷ややかに言った。

どういうわけか、この言葉のせいで部屋はしんとなった。カールトンは口を引き結び、ジャニスは落ち着かない様子だった。遅まきながら入り口にヒルダがいることに老婦人が気づいたせいで沈黙は破られた。ミセス・フェアバンクスは意地悪そうな小さな目でヒルダを見つめた。

「見てのとおり、わたくしは愛する家族に囲まれているところよ、ミス・アダムス」ミセス・フェアバンクスは言った。「こちらが息子です。あなたが来た昨夜、この子は町にいませんでした。というか、本人はそう言っているわね」

カールトンは身をこわばらせた。彼はヒルダにうなずいてみせると、母親に切り返した。「それはどういう意味かな？」そう詰問した。「ぼくはできるかぎりのことをやっている。もし、こんな状況が続くようなら何か考えなければならないよ。昨夜のことについては――」

「わたくしはしっかりと手を打っていますよ」

「わかったよ。わかったってば」カールトンはいらだたしげに言った。「昨夜のことについてだが、ぼくのアリバイが必要だというなら、ちゃんとあるさ。スージーも同じだ。だが、こんなことは何もかもばかげているよ。いったいなぜ、鼠とかをこの部屋に持ち込む奴がいるんだい？」

「わたくしを死ぬほど怖がらせるためです」老婦人は落ち着き払って言った。「ただ、わたくしはそうやすやすと怯えさせられないけれどね、カールトン。怖がらせるのは楽じゃないわよ」

のちに、ヒルダはそれから数日間の出来事を起こった順に思い出そうとした。このあとの昼食から順番に。ヒルダが思い返したところによると、マリアンは口数が少なかった。昼の光の中で見ると、マリアンは前の晩よりもやつれた感じだった。ジャニスはそわそわして心ここにあらずといった様子だ。カールトンはいらだちを隠そうともしていなかった。そしてテーブルの上座についたミセス・フェアバンクスはみんなの様子を眺めており、ほかの者が食べるまでどの料理にも手をつけなかったし、苺にかける砂糖を当てつけがましく断った。

カールトンの妻のスージーだけが普段どおりのようだった。スージーがつねに自然体でいることにヒルダはやがて気づいた。彼女はブロンドの髪をした大柄な女で、のんびりした足取りで食堂へ入ってきた。年老いた復讐の女神のネメシスがいかにも不快そうに自分をねめつけていることなど気づいてもいないように。

「煙草の火を消しなさい」ミセス・フェアバンクスは言った。「食卓では喫煙を認めないと何度も注意したはずですよ」

スージーはにっこり笑った。バター皿の縁で煙草の火を消したが、明らかに老婦人をいらだたせるのが目的だったらしい。そして腰を下ろした。スージーは厚化粧をしていたが、顔の作りは整っていて、着ている明るい紫のドレスはすらりとした体を引き立てていた。ドレスの下にはほとんど何も着ていないらしいわね、とヒルダは思った。

「ほら、これが幸せな家族ってものよね」スージーは皮肉な口調で言った。「あたしたちが出かけていた間、誰かに嚙みついた人でもいたの？」

すかさずジャニスが口を挟んだ。「いい旅でしたか？」彼女は尋ねた。「あら、忘れていたわ。こちらはミス・アダムスです、スージー。おばあさまのお世話をしてくださっているの」

「それから、時間も作ってくれるのね」スージーはテーブルの向かいにいる看護婦に微笑みながら言った。けれども、ヒルダはスージーの鋭い青い目にじっくりと値踏みされていることがわかった。

「あなたが休むための時間をね、ジャニス。最近のあなたったら、疲れ切った状態だったもの」

スージーはミセス・フェアバンクスがその場にいないかのような話し方をした。たちまちわかったのだが、スージーは事実上、義母と口をきくことがなかったのだ。彼女はジャニスに向かって話した。ミセス・フェアバンクスをいらいらさせればさせるほどいいというわけだ。まさしく今、スージーは義母をいらだたせているところだった。

「いい旅だったかということだけれどね。全然だめだったの。足は痛いし、もう一度、鶏小屋を調べる羽目になんかなったら、大声で叫んでやる。あたしはシラミで覆われているようなものよ——鶏にシラミがいるとしたらだけれど。とにかく、カールトンは農場を買えないの。だから、話しても役に立たないわね」

「伯母さまは本当に農場がお好きなんですか？」ジャニスは重ねて訊いた。

「飢え死にするよりは農場に住むほうがましでしょう？　または、ここで暮らすよりは」

「スージー！」カールトンが言った。「口を慎んでくれないかな。ぼくたちはここにいられることにおおいに感謝すべきなんだ。きっとお母さんは——」

「きっとお義母さまはあたしのずうずうしさを嫌っていらっしゃるのよね」スージーはよどみなく言った。「わかったわよ、カールトン。お行儀よくします。それで、昨夜はどうしたというの?」

ヒルダは彼らを注意深く観察した。マリアンは皿に載った料理をぼんやりと口に運んでいるし、ジャニスは不安そうで、カールトンは顔をしかめ、スージーは食べることも口論も楽しんでいるのが見え見えだった。そしてテーブルの上座では、黒い絹の服を着たミセス・フェアバンクスが堅苦しく腰を下ろしてみんなを眺めていた。

「わたくしは思うのですけれどね、カールトン」ミセス・フェアバンクスは冷たい口調で言った。「ここで起こったことについて、おまえの奥さんは何か意見があるんじゃないかしらね?」

カールトンは腹を立てたようだった。だが、スージーはおもしろがっているようにしか見えなかった。「この三日間、あたしが養鶏場と豚小屋を転々としていたことを説明しなければならないわね」スージーは夫に言った。「楽しかったと言ってもいいくらいよ。少なくとも変化があったわけよね。あたしは豚が大好きよ」

だいたいにおいて楽しいとは言えない食事だった。とはいえ、あとから思い出しても、殺人の気配が漂っていたとヒルダには思えなかった。全員がそれぞれ違っていて、強い嫌悪感を持ち、恨み合ってもいた。スージーさえも——ヒルダにはスージーが義母を軽蔑しているらしいことがうかがえた。しかし、彼女がひそかに義母の食事に毒を盛るとは思えなかった。スージーにはこそこそした性質が全然なかったのだ。

ヒルダはマリアンも犯人の対象から外した。マリアンはあまりにも無力で孤立し、自分が不幸だということばかり考えている。もしかしたらミセス・フェアバンクスの読みが正しくて、マリアンはいまだにフランク・ガリソンを愛しているのかもしれない。それにしても、二人はどうして離婚したのだろう。とにかく、カールトン・フェアバンクスに関しては潔白だとヒルダも断言できなかった。男は母親を殺すものなのだ、と彼女は思った。そう頻繁にあるわけではないが、ときどきそんなことが起こる。それに、この家でのカールトンの立場は不幸そのものだ。嫉妬深くて所有欲も強く、みんなを疑っている老婦人に頼らなくてはならないのだから。おまけに彼女はカールトンの妻を嫌悪している。

今、カールトンは話しているところだった。顔をいくぶん紅潮させていた。「お母さんに無理強いしようというわけじゃないんだよ」彼は言った。「こいつは悪くない話なんだ。ぜひ受けるべきだと思うよ。ぜひとも受けるべきだ。このあたりは暮らすのにいい場所だよ。アパートメントを建てるのにふさわしいだろう――つまり、こういうことなんだ。戦争や何かがあったとき、どこかに農場を持っていると、万が一の備えになる。ともかく、生きていけるくらいのものは育てられるだろうからね」

「くだらない話はやめてちょうだい。おまえが農業について何を知っているというの?」

「学べるさ。それに、ぼくは田舎が好きなんだ」

カールトンの声には熱意がこもっていた。つかの間、彼は希望を持っているようにすら見えた。しかし、母親は首を横に振った。「この場所は決してアパートメントなんかにしません」ミセス・フェアバンクスはナプキンを置きながら言った。「わたくしの生きている間は絶対にね」そうつけ加えると、スージーを険しいまなざしでじっと見た。

ヒルダは立ち上がるミセス・フェアバンクスを眺めていた。年老いているし、辛辣で疑り深いかもしれないが、家族の前に立つ彼女の姿には幼稚な雰囲気が皆無だった。ふたたび煙草に火をつけて、きつい視線を向けた義母ににやりと笑ってみせたスージーさえ、彼女が立ち上がったときには席を立った。

その日の午後、ヒルダは何時間か眠った。屋敷はひっそりとしていた。スージーは小説を手にしてベッドに入ってしまった。カールトンはエイモスが洗った車に乗って出かけた。マリアンは——あまり楽しそうではなかったが——ドライブに母親を誘った。ヒルダは寝る前に窓から外を眺めて、ジャニスが通りを渡って医師の家へ行き、数分後に彼を伴って出てくるのを目にした。二人は古ぼけたフォードに乗って走り去った。

ヒルダは目を覚まして着替えたあと、誰もいない図書室から警視に電話をかけた。

「何か進展はありましたか？」ヒルダは訊いた。

「報告書を受け取ったよ。何もない。きみのところのノアの方舟は百合さながらに清らかなものだ。そっちは変わったことでもあったかな？」

「いえ。別に」

ヒルダは電話を切った。食器室に内線電話があるので、あまりはっきりしたことは言いたくなかった。だが、落ち着かない気持ちだった。マギーの話がただのヒステリーのせいだとは思えなかった。ヒルダは帽子をかぶると、通りを横切って小規模の電気店へ入っていった。ベルと電池、押しボタンのついた長いコードを買った。それらを組み立てるには少し時間がかかり、作業をしながら店の主人はおしゃべりをしていた。

「お客さんはフェアバンクス家からいらしたんでしょう？」彼は尋ねた。「あそこの私道から歩いてきなさるのを見ましたよ」

「ええ。わたしはミセス・フェアバンクスのお世話をしているのです」

店主はにやりと笑いかけた。「もう幽霊をごらんになりましたかな?」

「わたしは幽霊なんか信じていません」

「それは運がいい」彼は言った。「あそこのお屋敷の使用人たちは――死ぬほど怖がっていますよ。いろんなことが起こっていると言っています」

「そうらしいですね」ヒルダはそっけなく言った。

ヒルダは包みを受け取って屋敷へ戻った。相変わらず静かだった。ミセス・フェアバンクスの部屋のドアは開いていたが、金庫が入ったクローゼットは閉まっていた。ヒルダは肩をすくめ、実験に取りかかった。押しボタンは老婦人のベッドサイドテーブルに置いた。それから電池とベルを廊下へ持っていく。コードがあってもドアが閉まったので、ほっとした。

そのあと、以前よりもさらに念入りに老婦人の部屋をふたたび調べた。絵の裏側の壁を見て、動かせる範囲の敷物を持ち上げ、またしても窓の網戸と格子をじっくり調べ、浴室の壁のタイルやあらゆるところの幅木さえ検討した。この部屋は砦並みに堅固だった。

ヒルダがまだ部屋から出ないうちに、ドアが開いてカールトンが入ってきた。片手にハイボールのグラスを持ち、血走った目をしている。ヒルダがいたので驚いたようだった。

「失礼」カールトンはあとずさりしながら言った。「まさかあなたがいるとは――母がいると思ったもので」

カールトンは疑いのまなざしでヒルダを見ていた。ヒルダはお得意の控えめな微笑を浮かべた。

「大奥さまはまだお戻りではありません、ミスター・フェアバンクス。わたしは大奥さまのためにベルを取りつけていたのです」

「ベルを？　何のために？」

「夜に大奥さまが何かに悩まされたら、ベルを鳴らせるようにです。お呼びになっても、わたしに聞こえない場合があるかもしれません。または大奥さまが声を出せないことも」

どうやらカールトンは自分を取り戻したらしかった。「ぼくに言わせれば、実にくだらないことだ」かすかに体を揺らしながら言った。「いったい誰が母を悩ませるというんだ？」

「あるいは誰が大奥さまに毒を盛りたがるかということですよね、ミスター・フェアバンクス？」

彼の顔が紅潮した。額に血管が浮き上がっている。「毒のことは、若造のブルックの話があるだけだ。ぼくはそんなものを信じない」

「ブルック先生はかなり確信を持っているようですよ」

「そりゃそうだろう」カールトンは激しい口調で言った。「奴がどんな利益を得ているか考えてみたまえ！　重要な患者を獲得したんだ。命を救ってもらったからと感謝している患者をね！　もしも、ぼくなら……」

カールトンは最後まで言わなかった。踵を返すと、後ろ手に音をたててドアを閉めて出ていったのだ。

ヒルダは一階へ行った。アイダは出かけていて、台所にいるのはマギーだけだった。紅茶を飲んでいたマギーは感情がまったくこもっていない目でヒルダを見た。

「ちょっと実験してみたいことがあるの」ヒルダは言った。「手伝っていただけないかと思って。あなたが聞いたという物音に関してなんです」

「それがどうだっていうの？　あたしはね、誰がなんて言おうと、物音を聞いたんだよ」

「そうですね。聞いたに違いありません。ただ、どうやってそんな音が出たか、わたしにはわかると思うのです。もし、あなたが大奥さまの部屋に行ってくれれば――」

「あの部屋に一人で行くつもりはないね」マギーはぼそっと言った。

ヒルダはいらだった。「ばかなことは言わないでください。今は真昼間だし、何か音がしたとしたら、わたしがたてるものです。わたしが知りたいのは、その音があなたの聞いたものと同じかどうかということだけなのよ」

結局のところ、マギーはしぶしぶミセス・フェアバンクスの部屋に入っていった。ただし、ドアは開けたまま、何かあったらすぐ逃げ出せるようにして。屋敷は静寂そのものだった。グローブ街を走るかすかな車の音が分厚い壁を通してときおり聞こえてくるだけだ。ゴム底の靴を履いて地下室へ下りていくヒルダは小柄で勇敢な幽霊のようだった。

ヒルダは苦もなく暖房用の加熱炉を見つけた。見落とすはずはなかっただろう。それは広い地下室の真ん中にメドゥーサさながらに立っていた。あらゆる方向に熱い空気を送る巨大なパイプを延ばしながら。ヒルダは加熱炉の扉を開け、手を突っ込んで、鉄の壁を叩いた。初めはそっと、そしてだんだん強く叩いていった。そのあとパイプを叩いてみたが、アスベストで覆われていたので、あまり期待は持てなかった。

けれども、上の階からは何の音も聞こえなかった。マギーは悲鳴をあげていない。屋敷の静けさは破られなかった。ヒルダはとうとう火かき棒を取ると、加熱炉そのものを叩いた。すると、意外な結果になった。地下室の階段の上からスージーの声が聞こえてきたのだ。

「お願いだから、そんなやかましい音をたてないで、エイモス」スージーは言った。「こんな日に火を焚いているはずないでしょう」

ヒルダは息を殺していた。ややあって、スージーは荒々しくドアを閉めて立ち去った。ようやくヒルダがミセス・フェアバンクスの部屋に上がっていくと、廊下でマギーが苦笑を浮かべて立っていた。

「あんなふうに加熱炉を叩いたら、誰にだってわかる」マギーは言った。「あたしが保証するよ。あたしが聞いた音はこの部屋から聞こえたんだ。それに、そのときは蝙蝠なんか飛んでいなかったね」

第七章

その晩、というのは七月十日の火曜日の夜だったが、ヒルダがちょっと面食らったことがあった。意外にも、ミセス・フェアバンクスが異議も申し立てずにベルを取りつけることを受け入れたのだ。

「わたくしがベルを鳴らさないかぎり、あなたに邪魔されないで済むということね」ミセス・フェアバンクスは言った。「出たり入ったりされるのは嫌なんですよ。いったんわたくしがベッドに入ったら、あなたは出ていって。でも、部屋のドアの外から離れてはいけませんよ。たとえ一分たりとも」

とはいえ、ドライブをしてきたあとだったからミセス・フェアバンクスは疲れていた。脈を測ったヒルダは好ましい状態ではないと思った。なんとかなだめて老婦人に夕食をベッドでとらせると、その晩、ブルック医師を訪ねた。

「大奥さまは活動しすぎたと思います。きっと怯えていらっしゃるんです」ヒルダは言った。「いらしていただけませんか?」

「先に帰っていてください」医師は言った。「ぼくは近道を通っていきます。一分半もあれば着きますよ!」

とにかく、ベッドの横に立ってミセス・フェアバンクスを笑顔で見下ろしたときの医師はまぎれもなくプロだった。「今夜あたり、うかがおうかと思っていただけですよ」彼は言った。「ぼくが患者をほったらかしにしているなどと、看護婦から報告されたらたまりませんからね。具合はいかがですか？」

「あの人は看護婦じゃありませんよ。婦人警官です」驚いたことに、老婦人はそう言った。「わたくしはやすやすとはだまされませんよ、先生。わたくしが話した警視は付き添いをつけたほうがいいと言って、そうしたらあの人が来たんです。たぶん、それでよかったんでしょうね。眠っている間に殺されたくありませんから」

医師は仰天したふりをした。「それはそれは」彼は言った。「婦人警官とはね！　我々も気をつけなければなりませんね？　ぼくは何週間も毒物には注意してきたのですが！」

ブルック医師はジギタリスの処方箋を書き、しばらくミセス・フェアバンクスのそばに座っていた。けれども、少年っぽい彼の雰囲気はいくらか失われてしまった。ヒルダは部屋を出た医師のあとをそっとついていき、階段を下りた。すると、彼が下の廊下でジャニスと立ち話をしているのが聞こえた。声をひそめてはいたが、二人の話ははっきりとヒルダの耳に入った。

「ぼくたちはあまり賢くないな、ダーリン？」医師は言った。「二階にいる、鋭い目の女はどんな些細なことも見逃さないだろう」

「彼女には何も見逃してほしくないわ、コートニー」

「本当にそう思っているのかい？」

医師の口調は疑わしげだったが、心配そうな響きもあった。

「もちろんよ」ジャニスは反抗的な声で言った。「あなただってそうでしょう。でも、もしも警察が――」

「いいかい、ジャニス」彼は言った。「もし、きみのおばあさんが亡くなったら、それは自然死のはずだ。警察が介入してくることなどあり得ない。ただ、アダムスとかいう女が監視していることは家族に言わないほうがいい。もしも、何か妙な企みがあるなら――」

「まさかうちの家族を疑ってはいないわよね、コートニー?」

「疑っていないって?」彼は険しい顔で言った。「ぼくが何を疑っているかを知ったら、きみは驚くだろうな」

ブルック医師は車寄せの下にある横手のドアから外に出た。うつむいた彼は不機嫌そうで浮かない顔つきだった。だが、車庫の近くに来ると顔を上げた。エイモスの部屋へ通じるドアを開けて誰かがひそかに入っていったのだ。医師はかばんを置き、急いでドアから中に入ってあとを追った。相手が女だったので、彼は当惑した。彼女は階段のいちばん下の壁にもたれてうずくまり、声を殺して泣いている。

医師がマッチを擦ると、怯えた目で彼を見ているのはアイダだった。今にも気を失いそうな彼女を医師は支えてやった。

「ほらほら」彼は言った。「怖がらなくていい! すまなかったね、アイダ。きみだとは思わなかったんだ」

医師はアイダを階段に座らせてやった。彼女はまだ息を切らしていたが、顔にはゆっくりと赤みが差してきた。

「怖かった」アイダは言った。「暗がりで誰かがわたしのほうへやってくるのが見えたから、てっきり――」アイダは口ごもり、さっき落としてしまった包みを拾い上げた。「今日はわたしのお休みの日なんです。実家から帰ってきたところで」

「これからは私道を歩いたほうがいい」医師はアイダに言った。「家に入るまで見ていてあげよう」

アイダはゆっくりと歩いていき、ブルック医師はかばんを取り上げた。とはいえ、神経がかなり乱れていた。通りの向こうの自宅へ入っていくと、雇っているだらしない身なりの娘が奥の診察室で医学書の一冊に描かれた絵を貪るように眺めているのに気づいた。彼はつかつかと入っていき、彼女の手から本をひったくった。

「ぼくの本に汚い鼻を突っ込まないでくれ。さあ、出ていくんだ」きつい口調で言った。「おまえが学ぶようなものはないよ。ここから出ていってくれ」

娘はすすり泣きながら出ていった。医師は腹を立てた自分が恥ずかしかった。それに疲れていた。あくびが出る。しかし、ベッドへは行かなかった。廊下にあった帽子を取り、通りの向こうのフェアバンクス家の敷地をしばし眺めたあと、用心深くそこへ戻って屋敷へ近づいていったのだった。

その日の夜、屋敷内ではお定まりの出来事らしいとヒルダが思ったことが起きていた。図書室の後ろにある狭い居間で、スージーとカールトンがトランプのジンラミーのことで言い争っている。ジャニスはヒルダが夜の持ち場に収まったのを確認したあと、ベッドへ行ってしまった。マリアンは図書室で一、二時間、読書してからベッドへ向かった。ジャニスとミセス・フェアバンクスを除けば、ヒルダに二重の役割があることを誰も疑っていないのは明らかだった。けれども、マリアンは二階の廊下でちょっと立ち止まって言った。

「別に深刻なものじゃないんでしょう？　つまり、お母さまの心臓の状態だけれど」

「はい。脈拍が弱くなっていたのですが、もうよくなりました」

マリアンは母親の部屋のドアに視線を向けながらじっと立っていた。夕食のために着替えて化粧をした今、彼女の見栄えは前よりもよかった。娘のジャニスによく似ているとヒルダは思った。ふいに思い立ったらしく、マリアンは椅子を引き寄せて腰を下ろした。

「たぶん、母からわたしのことを聞いたでしょう？　離婚のことだけれど」

「離婚なさったとうかがいました。ですが、それだけです」

マリアンは険しい顔つきになった。「あの女をジャニスの家庭教師としてここに入れないでと、わたしは母に懇願したのよ」マリアンは言った。「ああいう女の性質なら知っているもの。あの女が来てから一カ月ほど経ったとき、彼女を追い出してちょうだいと、わたしはひざまずかんばかりになって母に頼んだ。でも、母はそうしてくれなかったのよ。ジャニスが懐いているからと言って」

ヒルダは編み物を手にした。その上にかがみ込んだまま、相手の話に無関心なふうを装った。「どんな離婚も悲しいものですよ」ヒルダは言った。「お子さんがいる場合は特にね」

「わたしは何年も耐えたわ。日ごとにわたしを弱らせていくあの女を見ながら。家を出て、どこかほかのところで暮らしたかった。でも、わたしの――わたしの夫は母を一人きりにしたがらなかったの。少なくとも、彼はそんなふうに言ったわ。今ではそんなんじゃなかったとわかっているけれど。カールトンは家を出ていったのに、わたしはとどまらなければならなかった」

もしも殺される人間がいるとしたら、ガリソンの二度目の妻のアイリーンだろうとヒルダは考えた。マリアンが自分の後釜に激しい嫉妬心を抱いているのは明白だった。ヒルダは巧みに話題を変えた。

「教えてください、ミセス・ガリソン」ヒルダは言った。「こういったことはいつから始まったんですか？　つまり、砒素だとか蝙蝠だとかは」

マリアンの怒りは鎮まった。どうにか自分を取り戻して煙草に火をつけた。「確かなことはわからないわ」彼女は言った。「なぜか母は自分の部屋に金庫を置きたがった。金庫はわたしが二月に母をフロリダへ連れていった間に設置されたの。わたしたちは三月九日に帰ってきて、それから一日か二日後に母は毒を盛られたのよ。もし、あれが毒だったとしたらね」

「それから蝙蝠は？」

「知らないわ。初めのうち、母はああいうことを黙っていたから。母は網戸を開けて彼らを逃がしてやったと言っていたわ。そのあと、母は網戸を釘づけにさせたの。たぶん、わたしたちの誰も母の言うことを信じなかったでしょうね。とにかく、蝙蝠だの鳥だの鼠だのは外から家の中に入ってくるのが普通でしょう？」

マリアンは弱々しく微笑み、ヒルダも微笑を返した。「おそらく、物音にも蝙蝠や鼠と同じようなことが言えるのでしょうね」ヒルダは穏やかに言った。

マリアンは驚いたようだった。「物音？　物音って、何のことなの？」

「大奥さまの部屋から夜中に物音が聞こえると、使用人たちが言っていますよ。マギーと話したんです。彼女は神経質そうには見えませんけれど」

けれども、マリアンは肩をすくめた。「ああ、マギーね」彼女は言った。「マギーは厄介な年頃なのよ。何でも想像してしまって。あなただって使用人というものを知っているでしょう。騒ぎを起こしたがるの。たぶん、あの人たちの人生はかなり退屈なんでしょうね。刺激をかきたてるものなら何でもいいのよ」

マリアンは立ち上がって煙草の火を消した。かすかに顔が赤くなっている。「これ以上求めなくても、うちには厄介事がいくらでもあるのよ、ミス・アダムス」彼女は言った。「この家でわたしが命令する権利なんてないけれど、あなたが使用人たちを信用しないでくれるとうれしいわ」

マリアンは部屋に入ってしまった。頭を傲然と高く上げ、黒のドレスの裾を引きずりながら。彼女を眺めていたヒルダは、ほっそりした体の中に激しい怒りが燃えているように思えた。自分の後釜に座った女への怒り、母親への恨み、スージーへの軽蔑や侮蔑の念、カールトンへの憤りが。ヒルダは編み物を下に置いて――編み物は嫌いだった――この屋敷の住人の一人一人について考えた。不満を抱いた不幸なマリアン。母親に対しては気弱だが、ほかの人に対してはやや横柄で、現状に満足していないことが明らかなカールトン。抜け目がなくて無関心で怠惰なスージー。ジャニスについては考えなかったが、代わりにコートニー・ブルック医師のことについてしばし思いをめぐらした。

ミセス・フェアバンクスが亡くなったら、たぶんジャニスが相続人になるだろう。あの医師は毒殺騒ぎがあったよりも前からジャニスを知っていた。もしも彼が賃貸料よりも多くを稼いでいたら、驚きというところだろう。それに彼は亜ヒ酸についてよくしゃべったし、それがどういうものかを充分に知っていた。もしかしたら、ミセス・フェアバンクスが毒をのまされるはずだったのは朝食のときではなくて、部屋のドアが閉ざされ、助けを呼ぶことができない夜だったのかもしれない。一つのことだけは確かだ。医師がヒルダを恐れているということ。あの、「鋭い目の女」という言葉はかなり不愉快だった。でも、その一方で……

真夜中になると、屋敷は静寂に包まれた。母親の隣の部屋でカールトンは気持ちよさそうにいびきをかいていた。ジャニスが眠っているのは確かだった。スージーの部屋のドアは開いていて、明かりと煙草のにおいが漏れ出てくる。マリアンはもう姿を現さなかった。ヒルダは老婦人の部屋にそっと入っていき、耳を澄ました。ミセス・フェアバンクスは眠っていて穏やかな寝息が聞こえてきたが、室内の空気はむっとして暑かった。老婦人は窓を開けることを拒んだのだ。ヒルダは気をもみながら暗がりに立っていた。空気を入れる必要があった。心臓の病には酸素が必要だ。ヒルダは爪先立ちで窓まで行き、ふいに立ち止まった。

背後で音がした。何かが動いているような、物をひっかくような音。すばやく振り返ったが、部屋の様子はさっきまでと変わっていなかった。老婦人は身じろぎもしない。そのとき、ヒルダは目にした。金庫が入っているクローゼットがゆっくりと動いている。廊下から入る明かりで見ると、クローゼットの扉は軋む音をたてながら六インチ以上開いていた。

ヒルダは信じられない思いで見つめていた。それから急いでクローゼットに近寄ると、開いていったときと同様の慎重さで扉はまた閉まり始めた。だが、完全に閉まってはいなかった。掛け金が掛かる音はしなかったのだ。けれども、閉まったことは確かだった。ヒルダはそれをにらみつけながら、ぞっとして髪の毛が逆立つのを感じた。考える暇を自分に与えなかった。膝をがくがくさせながらクローゼットまで行き、その外に立った。

「出てきなさい」ヒルダは低い声で言った。「誰だろうと、出てこないと大声をあげるわよ」

返事はなかった。ヒルダが扉を開けようとすると、苦もなく開いた。クローゼットの中には誰もいなかった。靴が入った袋は乱れもせずにぶら下がり、金庫は閉まっていて、並んでいる服の間には何も隠れていなかった。ヒルダは気が抜けるのを感じた。全身から空気が抜けてしまったように。これはトリックよ、と憤りながら思った。老婦人を怖がらせる作戦の一部なのだ。トリック！　汚いトリック！　そして老婦人の心臓が弱っているので、今夜このトリックを試みようとしたのだ。もし、ミセス・フェアバンクスが起きていて、こんなところを見たら……

ヒルダは急いで廊下に出ていった。だが、以前と違った点はなかった。カールトンのいびきは相変わらず聞こえている。廊下に沿って進んでいくと、スージーの部屋のドアが開いていた。スージーはけばけばしい表紙の雑誌を下に置き、ヒルダに視線を向けた。

「あら！」スージーは言った。「何かあったの？」

ヒルダはまじまじとスージーを見た。顔に塗ったコールドクリームがてかてかと光り、吸いかけの煙草を指に挟んでいた。

「この家に誰かがトリックを仕掛けているんです」ヒルダは言った。「わたしの妄想にすぎないとか、魔力だなんて言わないでください。こんなことやめさせなければいけません。わたしは患者のことを考えないといけないんです」

スージーはベッドに起き上がった。「どんなトリック？」興味を持った様子で尋ねた。

「奥さまは先ほどご主人のお部屋にいらっしゃいましたか、ミセス・フェアバンクス？」

スージーは眉を吊り上げてにやりと笑った。カールトンの部屋へ続くドアは開いていて、まさしく眠っている男のいびきが聞こえてくる。始めは低いが、だんだん大きくなって大音量になるいびきが。

「あれを聞いてみて」スージーは言った。「カールトンがその気になっているなんて、あなたが考えているとしたら……」

ヒルダは慌てて立ち去った。スージーの顔には依然としておもしろがるような微笑が浮かんでいた。ジャニスは疲れた子どものようにベッドで眠っていた。マリアンの部屋のドアには鍵が掛けてあった。ほかには家の中に誰もいなかった。ヒルダは冷たい怒りに駆られてスーツケースから銃を取り出し、持っていった。やはり腹立ちまぎれに衝立をたたんでしまったから、廊下全体を一切の妨げなしに見られるようになった。安っぽいトリックに引っかかったことへの憤りが収まらないまま、ミセス・フェアバンクスの部屋にそっと入っていき、今度は懐中電灯を使ってクローゼットをもう一度じっくりと調べた。漆喰壁にはひび一つなく、クローゼットの扉を開けてまた閉めるための装置のようなものもなかった。

ヒルダは当惑のこもった怒りを感じながら、その晩の残りを過ごした。患者は眠っていた。ドアからは音がまったく聞こえてこなかった。七時になると、使用人たちが裏階段を下りていく物音が聞こえ、それから間もなくアイダがコーヒーを運んできた。ヒルダは少しここにいてくれないかとアイダに頼んだ。

「ちょっと三階へ行ってきたいの」ヒルダは言った。「昨夜、誰かが三階にいるような音が聞こえたみたいだから」

アイダは驚いたようだった。「上には誰もいませんよ。屋敷の表に面した側にはいないです」

「とにかく見てきます」ヒルダは言い、階段を上っていった。

三階は二階と似たり寄ったりだった。表に面して大きな部屋が二つあり、カールトンの部屋の上に当たる狭いほうの部屋はまぎれもなく客用寝室だ。けれども長い間、使われていないらしい。家具やベッドには埃よけの布が掛けてあり、床も浴室もたまにしか掃除されていないようで、薄く埃が積もっていた。ヒルダは特にミセス・フェアバンクスの上の部屋に注意を払った。階下の部屋と同様に暖炉がしつらえられていたが、長いこと使用されていないのははっきりとわかった。炉床に積もった埃には手をつけた跡がなく、煙突の煙道はふさいであった。

下の部屋と同じようにクローゼットがあったので、ヒルダはそれを子細に調べ、その両側や床板をじっくりと観察した。だが、異常な点は見つからなかった。ヒルダは落胆して思った。結局のところ、幽霊説を取らなければならないのかと。

第八章

その日の朝、若いブルック医師は疲れた様子だった。ジャニスは遅くまで寝ていて、朝の往診に彼が現れたときもまだ起きてこなかった。ブルック医師は老婦人のベッドのそばに立ち、起き上がりたいという彼女を説き伏せていた。

「もう前みたいにお若くはありませんからね」彼は微笑してミセス・フェアバンクスを見ながら言った。「あなたがご自分の体に注意を払わないなら、ぼくたちが気をつけなければならないんですよ、ミセス・フェアバンクス」

「それならミス・アダムスがいますよ」彼女はそっけなく言い返した。「わたくしはあなたたちの誰一人、信用していません。それにミス・アダムスが蝙蝠を連れてきていないのは見ましたからね。ほかの人については確認できていないけれど」

ブルック医師はとても重々しい態度で、自分のかばんの中を見せようと申し出た。このいささかばかげた行動を老婦人はおもしろく思ったらしかった。

「ご冗談でしょう」ミセス・フェアバンクスは言った。「あなたがわたくしを殺したかったとしたら、毒をのんだときに、どうして吐き出させたの？」

かなり陰惨な問いだったが、ミセス・フェアバンクスは楽しんでいるようだった。だがドアの外に出ると、ブルック医師の職業的な陽気さは消えてしまった。彼はあたりを見回し、声を低めてヒルダに言った。

「ジャニスにぼくからだと伝えていただけませんか」彼は言った。「大丈夫だとだけおっしゃってください。彼女は理解してくれるでしょう」

「わたしには大丈夫だと思えませんけれどね、先生」

そのときヒルダはクローゼットの扉の件を報告した。ブルック医師は驚くというよりは困惑した表情になった。

「もちろん、このように古い家となると——」

「家の古さとは関係ないでしょう」ヒルダは厳しい口調で言った。「何者かが扉を開けて、また閉めたんです。わたしはそこにいました。この目で見たんです」

ブルック医師は答えなかった。かばんを取り上げ、ジャニスの部屋のほうを見やった。

「ジャニスに忘れずに伝えてください」彼は言った。「この家をうろついていた者はいなかったと。彼女は誰かが夜に家へ侵入するなんてばかげたことを考えているんです。とにかく、そんな者はいなかったと話してやってください。忍び込もうとする者もいなかったと」

「先生は一晩中、ここを見張っていらしたのですか？」

「あなたもぼくも見張っていたんですよ、ミス・アダムス」前のように職業的な態度に返って彼は言った。「あなたとぼくの二人とも」

ヒルダはクローゼットの扉の件を警視に報告すべきだと強く感じていた。何か邪悪な活動が進行中に違いない。ミセス・フェアバンクスの部屋に戻ると、最初の機会をとらえてクローゼットの扉を調べた。開けることはできそうだ。取っ手に紐でも結びつけて、廊下から引っ張ればいい。でも、ふたたび扉を閉める方法は思いつけなかった。

睡眠をとれるようにとジャニスが交替してくれても、ヒルダはベッドへ行かなかった。六月の昼間は明るくて暖かかったから、外をぶらついた。車庫の外ではエイモスが三台ある車の一つの修理をしており、ヒルダはそのほうへ歩いていった。

「おはよう」彼女は言った。「ここに馬がいた頃を覚えているわ」

「時代が変わっちまって残念だよ」エイモスは不機嫌そうに言った。

「ちょっと見て回ってもかまいませんか?」

エイモスが何やらつぶやいたので、ヒルダは車庫に入った。

かつては馬車があった部屋の後ろに馬具置き場があり、七頭か八頭の馬を繋ぐことができる上質で古びた仕切りがあった。今では空っぽで、エイモスの庭仕事の道具と長いゴムホースが二、三本あるきりだった。

エイモスは作業の手を止めて、ヒルダを眺めていた。熱心にこちらを探る強い視線をヒルダは意識した。けれども、彼女はホースにじっと目を据えていた。夜にこの車庫でモーターを動かし、長いホースを屋敷の中に、おそらく加熱炉にでも引き込んだとして、ミセス・フェアバンクスの部屋の窓が閉まっていたとしたら。屋敷のほかの者が眠る部屋の窓はすべて開いているが、老婦人の窓は……

エイモスはまだヒルダを観察していた。ヒルダは彼に穏やかな笑顔を向けた。「上へ行ってもかまわないかしら?」彼女は言った。「あの円屋根の塔から外を見たいとずっと思っていたのよ」

「上ではおれが暮らしているんだ」

「でも、塔で暮らしているわけではないでしょう?」

エイモスが自分を上に行かせたがっていないという強い印象をヒルダは受けた。それからエイモスは肩をすくめ、かすかに笑った。「いいとも」彼はうなるように言った。「だが、変わったものなんか見つかるまい」

とすると、エイモスはヒルダがここへ来た理由を勘づいていたのだ! ヒルダは落ち着かない思いに駆られながら階段を上り始めた。エイモスがあとをついてくるのに気づくと、ますます不安になった。けれども、エイモスは何も言わなかった。ただついてくるだけだ。だが、てっぺんに着くと、自分の部屋へ通じるドアの鍵にこれ見よがしに手を伸ばして閉めてしまった。だから入れる場所は古ぼけた干し草置場だけになり、その上には埃まみれで、明らかに何年も使われていない円屋根の塔があるだけだった。床には梯子が横たわっていたが、エイモスはそれを立てようともしなかった。

「上には何があるの?」ヒルダは尋ねた。

「何もありゃしないよ。前は鳩がいた。おれがそこに板を打ちつけたんだ。今は何もいない」

ヒルダは塔を調べるという思いつきをあきらめ、干し草置場をざっと見回した。暗かったが、屋敷の不用品でいっぱいなのは見て取れた。壊れた椅子や埃だらけの本の山、古ぼけた捕虫網、六個以上はありそうなぼろぼろのトランク、三本しか脚のないテーブルといったもの。何日か経ったあとで、ヒルダはあの朝にここをもっとよく見ておけばよかったと思うようになった。でも、そのときは不愛想で油断のない目で観察しているエイモスがいたのだ。ヒルダは詳しく調べるのを断念した。そして午後に起こったほかの出来事のせいで、車庫にあった不用品のことはきれいさっぱり忘れてしまったのだった。

退屈そうだったマリアンは母親をドライブに連れ出し、ジャニスは二人を見送ったあと、何やら謎めいた用事で外出した。ジャニスは出かける前、ベッドに入ろうとして服を脱いでいたヒルダの部屋をノックした。

「出かけてきます」ジャニスは言った。「母たちのほうが早く帰っても、わたしがいないことはどうか言わないでください。わたしはどうにかして家に入りますから」

ヒルダは窓から外を眺めていた。だが、ジャニスは若いブルック医師の診療所へ行ったのではなかった。ジャニスが曲がり角でバスに乗ったのを見届けると、ヒルダはようやくベッドに入った。そして五時まで眠った。昼食をとらなかったので、着替えて裏階段を下りていった。お茶を一杯もらおうと思ったのだ。すると、台所は興奮のるつぼと化していた。マギーは腹を立てて赤くなっていて、ウィリアムは守勢に立っており、アイダは蒼白な顔で黙っていた。

「いったいなんであの女を中に入れたのよ?」マギーは詰問した。

「仕方がなかっただろう?」ウィリアムは言った。「ジャニスさんが彼女を連れてきて、おばあさまに会わせたいと言ったんだ。大奥さまはまだドライブから戻らないとわたしが言ったら、ジャニスさんがあの女を図書室に入れた。具合が悪そうだった」

「あんな女はまるっきり関係ないんだよ」マギーが猛然と言った。「あれほどの騒ぎを起こしてさ! ここへ来るなんてたいした神経だよ。あたしに言えるのはそれだけだね」

そのとき、三人はヒルダに気づき、無表情な顔になった。

数分後、ヒルダは紅茶のカップを持って家の表のほうへ行った。しかし、どこもかしこもひっそりしていたので戸惑った。そのとき、何があったのかを知った。図書室のソファに横たわっている女が見えたのだ。帽子は脱げて床に落ち、彼女は目を閉じていた。だが、それが誰なのかヒルダはたちまちわかった。

ヒルダは図書室に入っていってカップを下に置き、女のだらりとした片手を持ち上げた。「具合が悪いのですか?」ヒルダは尋ねた。

アイリーンは目を開け、相手が誰か気づくと、いきなり手を引き抜いた。

「驚いたわ」アイリーンは言った。「ジャニスかと思ったのに」

ヒルダはアイリーンをじっくりと眺めた。蒼白な顔で、口紅を塗っていない唇は血の気がなかった。こうして強い昼の光の中で見ると、アイリーンは生気に欠け、さえない感じだった。腹を立ててもいるようだ。口元は引き結ばれていた。

「ジャニスがブランデーを取りに行ってくれているの」アイリーンは単調な声で言った。「わたしたちは——この近くで散歩していたのだけれど、急にわたしが具合悪くなって。できるだけ早く出ていきます。わたしがいるのを見たら、マリアンが発作を起こしてしまうかもしれないわ」

アイリーンは起き上がろうとしたが、ちょうどそのときジャニスがブランデーの小ぶりなグラスと水を持って入ってきた。心配そうな表情だったが、小さな頭を挑戦的に高く上げていた。「元気になるまで、出ていってはいけませんよ」ジャニスは言った。「さあ、これを飲んでください。効き目がありますから」

アイリーンはレディらしく少しずつすすりながらブランデーを飲み干した。ジャニスはヒルダに目を向けた。「すみませんが、ここはわたしに任せてください」彼女は言った。「この方を連れてブルック先生のところへ行ったのですが、先生はお留守で。そしてアイリーンさんは気絶なさったんです。

そういった事情なのです」

　そんなわけで追い払われたヒルダは階段を上っていった。マリアンとその母親が戻ってくる前にアイリーンが出ていきますようにと熱心に祈った。とにかくこの家族には解決しなければならない問題がいくつもある。ヒルダ自身も問題を抱えていた。今では存在を確信していたが、直接的にせよ間接的にせよ、ミセス・フェアバンクスを亡き者にしようとする者がいるのなら、あらゆる可能性を阻止する役目は自分に任されているのだ。予想どおり、クローゼットの扉には鍵が掛かっていた。ミセス・フェアバンクスのクローゼットの裏側にあるカールトンのクローゼットを注意深く調べたが、彼の服が整然とぶら下がり、靴が床にきちんと並んでいるだけだった。けれども、ミセス・フェアバンクスの部屋の床にはめ込まれた換気孔の格子が完全には閉まらないことがわかった。ヒルダは物置からねじ回しとボール紙を見つけ出してきた。ボール紙で格子の隙間をふさごうとしていると、車が私道に入ってくる音が耳に入った。そのあと、階下はしばらく静かだった。それからマリアンが階段を上ってくる音がして、一瞬後、ドアをバタンと閉めて鍵を掛ける音が聞こえた。

　ヒルダは肩をすくめた。確かに厄介だが、自分には関係ないことだ。換気孔の金網をねじで留めていたとき、外の廊下にジャニスが来た物音がした。

「お話ししなければならないことがあるんです、お母さま。ぜひとも」

　すぐには返事がなかった。それからマリアンの部屋のドアがいきなり開く音がして、怒りに震えた声が響いた。

「よくもこんなことができたものね、ジャニス？　よくもわたしにこんな仕打ちを」

「仕方なかったのよ、お母さま。彼女は具合が悪かったのだもの」

「具合が悪かった！　そんなこと信じられないわね」

「本当なの。ミス・アダムスに訊いてみてちょうだい。おばあさまにも」

「あの女はいつだって母をうまくだませるのよ。あなたときたら、いまだにあの女にまとわりついて――」

「そうじゃないのよ、お母さま。アイリーンから電話があったの。まだお父さまには知らせたくないと言っているのだけれど、でも――彼女は赤ちゃんができたのよ」

一瞬、驚愕したような沈黙があった。それからマリアンは声をあげて笑い出した。ぞっとするような笑い声だったので、ヒルダは思わず立ち上がった。だが、ヒルダがドアまでたどりつかないうちにマリアンは部屋に引っ込んでしまい、荒々しくてヒステリックな笑いはなおも聞こえていた。

ジャニスは廊下に立ちすくんでいた。震えている。ヒルダはジャニスの体に腕を回した。

「心配しないでください」ヒルダは言った。「大丈夫ですよ。お母さまは乗り越えられます」

「お母さまが気にするとは思わなかったわ」ジャニスは放心したように言い、また階段を下りていった。

その晩、六月十一日の水曜日、マリアンはかばんや荷物を持って家を出てしまった。荷物を運び下ろしたアイダ以外、マリアンが出ていくところを見た者はいなかった。マリアンは家族が夕食をとっている間に家を去った。どこへ行くつもりなのか、誰にも告げずに。

第九章

　ジャニスは母親の家出をひどく悲しんだ。夕食のあと、マリアンの部屋が空っぽになっていることに気づいたのだった。マリアンの部屋から出てきたジャニスを目にして、大変なショックを受けているらしいとヒルダは見抜いた。

「出ていってしまったわ」ジャニスは言った。「母が出ていったのよ。わたしには理解できない。どうして母はそんなことをしたのでしょう？」

「わたしだったら心配しませんよ。お母さまは帰ってらっしゃるでしょう」

「あなたは母をご存じないからそう言うのよ」ジャニスは言った。「母はアイリーンを憎んでいた。アイリーンのせいで母は、そして父もつらい思いをさせられたの。わたしは……」ジャニスは椅子に寄りかかって体を支えた。「わたしは怖いんです、ミス・アダムス」

　ヒルダはジャニスを寝かせようとした。けれども、彼女は拒んだ。その夜、ジャニスは町のホテルやマリアンが所有する田舎の家に問い合わせて、彼女の居場所を突き止めようとした。だが、マリアンの行方はまるでわからなかった。どこのホテルの帳簿にもマリアンのサインはなく、田舎の小さな所有地の管理人によれば、彼女から連絡は一切なかったという。とうとうお手上げになったジャニスは青ざめて悲痛な様子だった。

「まさか母はとんでもないことをしでかしませんよね？」ジャニスはヒルダに訊いた。「ひどく心を痛めていたんです」

「心配ないと思いますよ」ヒルダはぶっきらぼうに言った。「お母さまはショックを受けていらっしゃいました。それを乗り越えるでしょう」

老婦人はマリアンの失踪をなかなか冷静に受け止めた。「あの子は何を期待していたのかしらね？二人は結婚しているわけでしょう？　子どもが欲しかったなら……」

どちらかと言えば、ミセス・フェアバンクスは怒るというよりは喜んでいるようだとヒルダは思った。マリアンが当然の罰を受けているのだとばかりに。とにかく、ミセス・フェアバンクスはその晩、普段どおりの行動をとった。一時間ほど経つと、ドアに鍵を掛けてラジオをつけ、トランプの一人遊びをしたのだ。

その間にヒルダはカールトンが図書室にいるのを見つけ出し、前の晩のことを話した。物音がしたことや、クローゼットの扉が動いていたことを。

カールトンの反応にヒルダはかなり驚いた。彼は一人きりで夕刊を膝に載せていたが、視線は火の気のない暖炉に据えたままだった。ヒルダが話し終えると、彼は何も言わずに彼女を凝視した。それからバーテーブルへ行って自分に飲み物を注いだ。戻ってきたときはさっきよりも普通の態度になっていた。「ぼくは使用人たちの噂話になど耳を貸さないことにしているんだよ、ミス・アダムス」彼は言った。

「わたし自身が物音を聞いたんです。それに扉が動くのも目にしたんですよ、ミスター・フェアバンクス」

しまいにカールトンは母親の部屋へ上がっていった。だが、母親は息子をすぐには中に入れようとしなかった。入ってみると、部屋は常日頃と変わらない様子だった。暖炉前にはカードテーブルが置かれ、その上にトランプが散乱していた。しかし、ミセス・フェアバンクスは迷惑そうだった。

「なんですか、カールトン。こんな真夜中に」

「そんなに遅い時間じゃないよ、お母さん」

「わたくしはもう寝る時間でしたよ」

「ミス・アダムスが昨夜、ここで何かの音を聞いたそうなんだ。それが何だったのか、突き止めたいと思うんだよ」

その後、ミセス・フェアバンクスは厳しい顔でカールトンを眺めていたが、黙っていた。しぶしぶながらも金庫の入ったクローゼットをカールトンに調べさせたが、何も見つからなかった。そのあと、彼は暖炉を集中的に調べた。ヒルダの提案に従って、煙突に詰めてあった紙を取った。けれども、煤が雨のように降ってきただけだった。緩んでいた煉瓦もない。とうとうカールトンが埃で汚れた顔を母親に向けると、彼女は冷たい怒りを浮かべた表情をしていた。

「こうしてわたくしの部屋をめちゃくちゃにしたのだから、もう出ていってもらいましょうか」

「もしも誰かがお母さんを脅そうとしているなら――」

「わたくしを脅してこの家から追い出そうとしている者は誰でしょう？　ここを売りたがっているのは？　農場で暮らしたがっているのは誰？　マリアンじゃないわね。ジャニスでもない。言うまでもなく、使用人たちじゃありませんよ。だったら誰かしらね？」

カールトンは母親をじっと見つめた。埃やら何やらで汚れていても、彼には不思議な威厳があった。

「すまないね、お母さん」彼は言った。「ぼくはお母さんを守ろうとしているだけだよ。農場の件だが、もうあきらめた。だから、そのことを心配しないでほしい」

上着を持って出ていくカールトンをヒルダは見守っていた。穏やかで無力な彼を毒と結びつけては考えられないし、遠まわしにミセス・フェアバンクスを脅すさまざまな行為をしたとも思えなかった。実際のところ、家族の誰もそんな行動と結びつかなかったのだ。若くて明らかにコートニー・ブルック医師と愛し合っているジャニスも、陽気でのんきなスージーも、また、悩みを抱えているマリアンも。フランク・ガリソンとアイリーンですらそうだろう——老婦人の死によって、彼らが何を得るというのか？

その同じ水曜日の夜、フランクとアイリーンのことをヒルダに話してくれたのはスージーだった。次から次へと煙草を吸いながら嬉々として話したのだ。午前一時という時間に、スージーはシフォンの寝巻きの上に淡いブルーの化粧着を引っかけて、奇抜な毛織の古ぼけた室内履きを履いて廊下へぶらぶらと歩いてきた。

スージーは椅子を引っ張り出して座り、軽食のトレイからチキンサンドイッチを一つ取った。「まったくもう、たまらなく足が痛いわ！」彼女は言った。「ハイヒールで農場を歩き回ってごらんなさいよ。そうすれば、どんなものだかわかるから」

「わたしは試してみようと思いませんね」ヒルダは編み物を取り上げながら言った。「自分の足を大切にしたいんです」

スージーはマリアンの部屋のドアを見やった。「あの人が出ていったなんて妙よね」スージーは言った。「ねえ、あなたはまともな人みたいね。今日、アイリーン・ガリソンがここに来たことをどう思う？　なぜ、あの年老いた」――ここでスージーははっと気づいてにやりと笑った――「魔女はあんな女に会ったのかしらね？」

「わたしにはどんな状況なのかわかりません、ミセス・フェアバンクス。もちろん、アイリーンさんは具合が悪かったのでしょう」

「そう。あの人ったら、しょっちゅう気を失っているんだもの。家事なんかこれっぽっちもできないのよ。まあ、あの一家の暮らしぶりを見てみたらいいわ！」スージーはサンドイッチを食べ終わり、別の煙草に火をつけた。「まあね、あたしに言わせれば、途方もなく奇妙だと思うの。まず、義母は悪態をつきながらアイリーンをこの家から追い出したのよ――あたしを追い出そうとするのと同じように。もっとも、あたしは出ていかないけれどね。何年もの間、義母はアイリーンの名を口にせず、あたしたちが彼女のことを話題にするのも許さなかった。すると、ジャニスがアイリーンをこの家に連れてきたら、義母は話をしたというわけ。マリアンがわめいても不思議はないわよ。マリアンときたら、いまだにフランクにぞっこんなんだから。あたしにもその気持ちはよくわかる」

　ヒルダはちらっとスージーを見やった。「ご存じだと思いましたが。ミセス・ガリソンには赤ん坊ができたのです」

「あら、まあ！」スージーは言った。「それでわかったわ。間違いなく理由はわかった――マリアンが出ていったわけがね」

　途中になっていた話をヒルダがスージーに続けさせるにはやや時間がかかった。スージーは二つ目のサンドイッチを食べながら一人でにやにや笑っていたが、ヒルダが尋ねるとさっきの話に戻った。

「もし、マリアンさんがミスター・ガリソンに首ったけなら、どうして離婚したんですか？」

スージーはサンドイッチを食べ終わった。「どうして、ですって？　ほら、フェアバンクス家の人間には彼らなりの誇りというものがあるのよ。気づかなかった？　たぶん、マリアンはフランクがアイリーンの部屋にいるところを捕まえたんでしょうね。もしかしたら何でもなかったのかもしれないけれど、とにかくそういうことだったの。そんなわけで、マリアンはリノへ離婚の手続きに行き、哀れな間抜けのフランクはアイリーンと結婚しなければならないと思ったのね」

もちろん、それ以上の理由はあったのだろう。スージーは彼女自身の言葉によれば、貧しい家の出身らしかった。楽な暮らしじゃなかったのよ、とスージーは言った。彼女の父親は上着を脱いで食事することを好むような、小規模の商売をしている請負師だった。だが、アイリーンの家柄はさらに悪かったのだ。

「家族が悪いというんじゃないのよ」スージーは言った。「たぶんいい人たちだと思う。田舎に住んでいるの。でも、なんとかして家族はアイリーンに教育を受けさせたのね。だけど、アイリーンは職に就けなかったから、農場へ戻ったの。でね、本当の話なんだけれど」スージーはつけ加えた。「いったん都会へ出たことがある田舎の女くらい、始末に悪いものはないわね。アイリーンがいちばん嫌だったのは農場へ戻ることだった。だから彼女は自分のものになる男を捕まえようとした。それが無理だとなると、ほかの女の男を手に入れようとしたの。アイリーンはカールトンに手を出そうとしたけれど、あたしは彼女の顔をひっぱたいてやった。そのあと、アイリーンはカールトンをかまわなくなったの。でもフランクは、あのたいそうなお人よしは……」

スージーは煙草の火を消した。「そもそもアイリーンがどうやって入り込んできたかは知らないわね。たぶん義母は田舎娘を求めていたんでしょう。とにかくマリアンは最初からアイリーンに嫉妬していた。アイリーンはみんなに愛想よく振る舞ったのよ。使用人たちは彼女に好意を抱いたし、ジャニスにとってはもっとも母親に近い存在だったでしょうね。マリアンはあの頃、社交界にどっぷり浸かっていたから。でも、アイリーンは自分の地位を高めようと絶えず必死だった……さて、そろそろ失礼したほうがいいわね」

スージーは立ち上がって伸びをした。「あらあら」彼女は言った。「あたしったらあなたの夕食を全部食べてしまったのね！　下へ行ってもっとサンドイッチをもらってくるわ」

ヒルダは遠慮したが、スージーは階下へ行ってしまった。それから数分後、食料をいっぱい載せたトレイを持って階段をゆっくりと上ってきた。スージーは腹を立てた様子だった。

「あのウィリアムときたら、首にするべきよ」彼女は言った。「台所のドアに鍵を掛けていなかったの。朝になったら、たっぷりと言い聞かせてやらなくちゃ」

ヒルダは夕食をとったが、気分は落ち着かなかった。立ち上がると、階段に光を投げかけている窓辺へ行った。外では街灯のぼんやりした照明が隣家との境になっている木々や車庫となった厩を照らしていた。角にある〈ジョーの店〉は閉まっていて暗かったが、若いブルック医師の診療所がある家には小さな明かりがともっている。ヒルダの下には玄関の屋根があり、その向こうに車庫がぼんやりと見えていた。

そのとき、ヒルダは体をこわばらせた。車庫から屋敷のほうへとひそかに向かってくる人の姿があったのだ。何かかさばる物を運んでいるらしく、誰にせよ、このあたりをよく知っているようだった。私道を避けて芝生の上を歩いている。ヒルダが見守っていると、その人物は建物の背後を回り込んで使用人のいる一画のほうへ行ってしまった。

ヒルダはためらった。階下の真っ暗な広い部屋のことを思うと、どうにも気おくれした。でも、自分がこの屋敷にいるのはこういう場合のためではないか。ミセス・フェアバンクスの部屋のドアに鍵を掛けてその鍵を持つと、ヒルダは懐中電灯を取り上げ、急いで自分の部屋に戻った。そして自動拳銃を取り出すと、できるだけ音をたてないようにして裏階段を下りた。

誰かが台所のドアを開けようとしたことは疑いもなかった。ヒルダは懐中電灯をつけなかった。耳を澄ますと、食器室へ移動していく足音が聞こえた。窓をこじ開けようとしている者がいるのだ——ヒルダは拳銃を構え——その者の顔に懐中電灯の光を目いっぱい当てた。

カールトン・フェアバンクスだった。初めはあまりにも驚いて声が出ないらしかった。それからカールトンはどうにか立ち直った。「そのいまいましい明かりをどけてくれ」彼は憤慨した口調で叫んだ。「それに、誰が台所のドアに鍵を掛けたんだ?」

ヒルダも驚きから回復していた。「奥さまがそのドアが開いていることに気づいたんです。ぐるっと回っていらっしゃれば、中に入れて差し上げます。泥棒かと思いました」

ヒルダは台所の明かりをつけ、カールトンを中に入れた。彼はガウンを着てスリッパを履いていて、さっき運んでいるのが見えたものは持っていないようだった。カールトンはもう腹を立てていなかった。ただ戸惑って落ち着かない様子だ。ヒルダが手にした自動拳銃に目を留めたときはなおさらだった。

「しょっちゅうそんなものを持ち歩いているのかね?」

「あなたが車庫から出てくるのを見たとき、スーツケースから拳銃を取り出したんです」

カールトンはいくらか緊張を緩めたようだった。「怖がらせてしまったのなら、すまない」彼は言った。「煙草を切らしたんだが、車に少し置いてあったのでね。それにしても」疑いの響きのこもった声でつけ足した。「いったい家内はこんなところで何をしていたんだろう?」

ヒルダは説明した。カールトンは納得したようだったが、ヒルダを一人でそこに残そうとはしなかった。ヒルダが二階へ上がるのを見届けると、カールトンは台所へ引き返した。マッチを取ってこなければと言い訳して。マッチがどこにあったにしても、探すのにかなり時間がかかったらしい。二階へ戻ってくると、カールトンはぶっきらぼうにヒルダにお休みの挨拶をした。しかし、カールトンは自室のドアを完全には閉めなかった。ヒルダはその夜ずっと廊下で腰を下ろしたまま、彼が耳を澄ましてこちらをうかがいながら一睡もしないでいただろうと確信した。

翌朝、ヒルダはパットン警視に報告した。ヒルダが机の上に何の包みも載せなかったので、彼は見るからにほっとした様子だった。

「それで? 生き物はないのか?」

ヒルダは首を横に振った。きれいだな、とパットン警視は思った。だが、恐ろしく疲れてもいるようだ。「いえ。生き物はありません。でも、わたしは心配なの」

「そうらしいな。いったい何が起こっているんだ?」

「いろんなことが。クローゼットの扉を開け閉めする幽霊から、家族の口論までいろいろ。侵入事件もあるわね。もちろん、恋愛問題も」ヒルダは弱々しく微笑んだ。「すべてそろっているというわけよ」

「きみの恋愛問題じゃないかぎり、かまわないだろう。わたしは――わたしたちはきみに辞められたら困るからな」

とはいえ、ヒルダから話を聞いたパットン警視はとても深刻な顔になった。「昨夜、カールトンが運んでいたものの見当がつくかい？」

「いいえ。今朝、あたりを探したけれど、何も見つからなくて。あれが何だったにせよ、上へ行く前にカールトンが隠してしまったのでしょう」

「かさばっていたと言ったね？」

「おそらく高さが二フィートくらいで、横幅が一フィートくらいだったと思うの。ただの推測だけれど」

「重そうだったかな？」

「そうは思わないわね。カールトンは小柄な男性よ。もしもあれが――」

「きみはすべてのものが金庫に関係していると思うんだろう？　そうじゃないかい？」

「ミセス・フェアバンクスはあの中に何かを入れているに違いないのよ」ヒルダは言い張った。「彼女はわたしを部屋から追い払い、カードテーブルを置いてトランプの一人遊びをするふりをしている。でも、トランプなんかやっているはずはない」

「だったら、何をやっているんだ？」

「金庫から何かを取り出して見ているんでしょう。ミセス・フェアバンクスはわたしを部屋から閉め出してラジオをつけるの。でも、わたしはかなり耳がいいのよ。彼女が金庫まで行って扉を開けるのがわかる。扉の軋む音が聞こえるから。それから彼女は金庫とカードテーブルとの間を行ったり来たりするんでしょうね。一時間ほども」

パットン警視は口笛を吹いた。「隠された財宝というわけか！」彼は言った。「初めて納得がいく話が出てきたな。だとすると、きみが守ることになっているのは老婦人ではなくて、金ということだ」

「おそらく両方よ」ヒルダは言い、立ち上がった。

だが、パットン警視はそうすぐには解放してくれなかった。「家族の口論がどうとか言っていたな。なぜだい？　つまり——なぜ、マリアン・ガリソンは屋敷で暮らしていたんだ？　彼女は離婚手当だけで生活していけたんじゃないかな？　税抜きで年に一万ドルのはずだ。ガリソンの弁護士に連絡をとったんだ。それによると、あの気の毒なフランク・ガリソンは建築家なんだが、仕事がだめになって離婚手当を払うのがやっとらしい」

「年に一万ドルも！」ヒルダは仰天した様子だった。

「そのとおり。マリアンは毎月、厳しく手当を絞り取っている。離婚手当を払っている男どもは大変なんだ。裁判をやり直せば、手当を減らしてもらえるだろう。だが、ガリソンはそうしようとしないらしい。とはいえ、殺人の動機になりそうなものを探しているなら、ここにあるわけだよ、ミス・ピンカートン。結局、例の砒素はマリアンを狙ったものじゃないかな」

「じゃ、蝙蝠は？」

「やれやれ、ヒルダ」パットン警視はじれったそうに言った。「カールトンは屋敷を売ってアパートメントを建てたがっている。農場で暮らしたいんだ。もし、彼が母親を怖がらせて引っ越しさせようとしているなら、殺人はどう関係するんだね？」

「わたしもそれを知りたいのよ」ヒルダは小声で言い、屋敷へ帰っていった。

スージーが倒れたのはその晩だった。

昼間は特に変わったこともなく過ぎた。マリアンからは一切知らせがなく、青ざめて疲れた顔のジャニスはその午後に祖母とドライブに出かけた。ドライブから帰ってくると、ジャニスはヒルダの部屋へやってきた。ヒルダは制服に着替えている最中だったが、初めのうちジャニスはほとんど何も言わなかった。ただ窓辺に立って外を一心に見つめていた。ハストン街を隔てたところにあるブルック医師のみすぼらしい診療所を。こちらを振り返ったとき、彼女の若い顔には決然とした表情が浮かんでいた。

「わたしたちは変人の集まりみたいに見えるに違いありませんね、ミス・アダムス」ジャニスは言った。「たぶん、変わり者なんでしょう。誰も彼もが勝手なほうへ行こうとしているのですから。でも、わたしたちはお互いに愛し合っているし、みんな祖母を愛しています。だから、家族の誰かが祖母に害を加えるはずはないわ。そのことはぜひとも信じていただかなくては」

ヒルダは帽子をピンで留めていた。ややあってからヒルダは答えた。

「そうだといいですね」

「父は祖母に懸命に尽くしているの。ずっとそうだったわ」

「わかりますよ」ヒルダは静かに言った。

煙草に火をつけたジャニスの手が震えているのをヒルダは見て取った。ジャニスは一、二度、煙草をふかしてから言葉を続けた。

「だったら昨夜、父は塀の外で何をしていたのかしら？　ハストン街のところよ？　父はそこにいたの。ブルック先生が見たんです」

ジャニスは熱に浮かされたように話を続けた。ブルック医師は昨夜遅くに往診があったらしい。家に帰ってきたとき、医師は通りの向こうでコソコソ動く人影を見かけたのだ。ブルック医師は家の中に入ると、明かりをつけずに窓からその人影の動きを眺めていた。それはフランク・ガリソンだった。大柄な体は見間違えようがなかった。ときどき、車が通って明かりに照らされると、フランクは少し移動した。だが、真夜中から午前二時頃までその場を離れなかったという。それからとうとう、フランクは立ち去ったのだった。

ヒルダは急いで考えをめぐらした。それはカールトンが車庫から出てきた頃だろう。フランクはカールトンを見張っていたのか？　それとも、ほかに理由があった？　いったいどんなわけがあって、ベッドから出てきてフェアバンクス家の塀の外で二時間も過ごす必要があったのだろう？　しかし、ジャニスの話はまだ終わりではなかった。

「ほかにも妙なことがあるんです」ジャニスは言った。「ブルック先生の話によると、それと同じ頃に誰かが懐中電灯を持って車庫の屋根裏をうろついていたらしいの。もちろん、エイモスだったと思うけれど。エイモスは眠りが浅いんです」

「エイモスには訊いてみたの？」

「ええ。車庫には自分しかいなかったと言っています。誰かがいたら物音を聞いたはずだと。それにわたしは車庫の屋根裏に行ってみました。普段と変わったところなどなかったわ」

「たぶん何もかも、ごく単純な説明がつくことでしょう」ヒルダはひそかに幸運を祈りながら言った。「お父さまにお会いしたときに尋ねてごらんなさい」

ジャニスは物思わしげにヒルダを見た。「まさか父が母に会いたかったのだとは思いませんよね？　たぶん父は母が外出していたと思ったのかも。帰ってくるのを待っていたのかもしれません。自分がこの家にいたことをアイリーンが父に話したとしたら……」

「そんなことはわたしにはわかりません」ヒルダはきっぱりと言い、患者のほうへ向かった。

まったく、ここの人たちときたら、とヒルダは憤然として考えた。複雑に絡み合った関係を持ち、愛し合ったり憎み合ったりしてばかり——小柄な老女の身の安全のために何をしているというの？ 彼らを支配しているとはいえ、少なくとも家を提供してくれる老婦人なのよ？ 彼らはこの状況を混乱させているだけだ。スージーのことで何かいらだっていて、まる一日、彼女と口もきかなかったカールトン。激しい嫉妬と憤りに駆られてどこかに一人でいるマリアン。そして今度はフランク・ガリソンだ。おそらくアイリーンが屋敷を訪れたことを聞き、真夜中過ぎにマリアンをなだめに来たのだろう。

その夜の十一時、スージーが気を失った。

トランプのジンラミーが行われなかった晩だった。カールトンは早い時間にベッドへ行ってしまった。ジャニスは若いブルック医師と出かけていた。ミセス・フェアバンクスさえ、早いうちにベッドに入った。静寂を破るのはカールトンの規則正しいいびきだけだった。ヒルダは『看護の方法』を取り上げて無作為にページをめくった。

「緊急事態が発生したときは」ヒルダは読んだ。「看護婦は事態を見きわめ、明確に考え、迅速に行動し、何をどうするべきかを知らなければならない」

そのとき、スージーが悲鳴をあげて気絶したのだった。駆け戻ったヒルダは仰向けに床に倒れているスージーを発見した。自分の部屋と夫の部屋との境の戸口だった。完全に意識がなかった。ヒルダがスージーにかがみ込むと、カールトンがベッドから出てくる音がした。

「どうしたんだ？」カールトンは不明瞭な声で訊いた。「誰が叫んだんだ？」それから妻に気づき、信じられないといった表情で彼女を見つめた。「スージー！」カールトンは言った。「なんてことだ。何があったんだ？」

「気絶しただけですよ」

「水を持ってこい」彼は取り乱した声で叫んだ。「枕もだ。医者を呼べ。何とかしろ」

「ああ、お願いですから騒がないでください」ヒルダは固い口調で言った。「奥さまは大丈夫です。静かに寝かせて一人にさせてあげましょう。大丈夫ですから」

けれどもカールトンはひざまずき、妻の大柄な体を抱き締めようとした。「すまなかったな、おまえ」かすれた声で言った。「もういいんだな？　ぼくがおまえを愛していることは知っているだろう？　おまえに夢中なんだ。心配いらないよ、おまえ」

スージーは目を開けた。戸惑った様子だった。「あたし、どうしたの？」

「気絶なさったのです」ヒルダはてきぱきと言った。「悲鳴をあげて倒れたんです。何に驚いたんですか？」

だが、スージーは目を閉じてしまった。「覚えていない」そう言って彼女は身を震わせた。

第十章

　ミセス・フェアバンクスが殺害されたのは六月十四日、土曜日の夜だった。というよりはむしろ、日曜の早朝と言ったほうがいいだろう。マリアンは水曜の夜から帰ってこないままで、一言の連絡もなかった。彼女が出ていってから十四日までの間はわりと平穏だった。屋敷内には何の騒動もなかった。金曜日、ヒルダは睡眠不足の埋め合わせをし、またもや愛情深い夫に戻ったカールトンはスージーのベッドの傍らで長い時間を過ごしていた。スージーはベッドからまだ出ないほうがいいとカールトンが主張したのだ。

　けれども、スージーはあまり口をきかなかった。少なくともヒルダには。金曜の夜、スージーは不機嫌なまなざしで夕食のトレイを見やった。「そんな流動食はあっちへやって、まともな食事を持ってきてちょうだい」彼女は言った。「あたしは病気じゃないのよ。頭を打っただけで――」

「どうしてあんなことになったのですか、奥さま？　なぜ、気絶なさったのでしょう？」

「どうして人は気絶するのだと思う？」

「奥さまは何かに驚かれたんでしょう。消防車みたいに大きな声をあげていらっしゃいました」

「そうだった？」スージーは言った。「あたしが本気で悲鳴をあげたときの声をぜひ聞くべきよ」

　だが、スージーの目には慎重な色が浮かんでいた。スージーが要求したローストビーフやら何やらを載せたトレイを持って戻ってきたとき、ヒルダはカールトンが四つん這いになってゴルフクラブをベッドの下に差し入れているのを目にした。彼女が部屋に入っていくと、カールトンは恥ずかしそうな顔で立ち上がった。

「この部屋に鼠がいると、家内が思っているものでね」カールトンは慎重な口ぶりで説明した。

「鼠ですって!」スージーが言った。「あたしは言ったはずよ、何度も何度も……」

スージーはそこで口をつぐんだ。この屋敷の誰もが沈黙を申し合わせているんじゃないかと、ヒルダは戸惑いながら思った。

土曜までには、マリアンの不在は別として、屋敷はふたたび元の落ち着きを取り戻したようだった。スージーは起き上がって動き回っていた。その夜の夕食の席で、スージーは映画に連れていってほしいとカールトンにせがみ、二人は八時に外出した。八時半にブルック医師がやってきて、みんなに言った。診療所で三ドル稼いだので、コカコーラでもライ麦パンのハムサンドでも、なんならビール一杯でもみなさんにおごれますよ、と。

ミセス・フェアバンクスはくすくす笑った。「もし、そんなふうにしてわたくしの孫娘を養うつもりなら――」彼女は言いかけた。

「ぼくが?」ブルック医師は言った。「ぼくがお孫さんを養うつもりだと? だったらお孫さんが餓死しかけているとき、奥さまはどうなさるおつもりですか?」

ようやくブルック医師が暇を告げて階下へ行ったとき、ミセス・フェアバンクスはヒルダがこれまで見たことがないほど陽気だった。下ではジャニスが待っていて、ブルック医師を図書室へ連れていった。

のちにその夜を振り返ると、ヒルダは特に意味のあることを見いだせなかった。ミセス・フェアバンクスは十時になると自室のドアに鍵を掛け、例の謎めいた活動を十一時まで続けていたようだった。ヒルダはその暇な時間の一部と、カールトン夫妻の留守を利用して、彼の部屋とスージーの部屋を注意深く調べた。だが、特にこれといったものは見つからなかった。階下からかすかに聞こえてくるジャニスとブルック医師の話し声と、遠くで鳴っている雷鳴を別にすれば、屋敷は静かだった。驚くほど暑い夜で、やっとミセス・フェアバンクスをベッドに入れる時間になると、ヒルダは窓を開けた。

「空気を入れたほうがいいですよ」ヒルダは言った。「わたしは部屋のすぐ外にいますから」

ヒルダは哀れみを感じながら年老いた痩せた体に毛布を掛けた。年を重ねても、この人は安らぎも美しさも、愛すらも得られなかったのだ。

「ぐっすりお休みください」ヒルダは優しく言い、ドアを後ろ手に閉めて部屋から出ていった。

十一時十五分に玄関の呼び鈴が鳴り、ジャニスが応えた。たちまち階下にジャニスと誰かの甲高くヒステリックな声が響き渡った。一瞬後、ヒルダはそれがアイリーンだと気づいた。

「そんなわけでわたしはここへ来たのよ、ジャニス。ほかに行くところがなかったものだから。明日、出ていくわ」アイリーンは慌ててつけ加えた。「ちゃんとうちに帰るわよ。でも、今夜は……」

ヒルダは階下を眺めた。蒼白な顔で震えているアイリーンが玄関ホールにいて、その横にはスーツケースが置いてあった。ジャニスはアイリーンをまじまじと見ていた。

「信じられないわ」ジャニスはゆっくりと言った。「どうして父はあなたを置いていったんでしょう、アイリーン？」

「先日、わたしがここへ来たから、彼はひどく腹を立てていたのよ。あれ以来、ろくに口をきこうともしなかったの」

「でも、それにしたって――」

「あのね、あの人は家を出ていったの。荷造りして飛び出したのよ。お別れの挨拶もしないで」

ジャニスは戸惑った様子だった。アイリーンは玄関ホールの椅子に座って手袋を脱いだ。今ではヒステリーも収まっていた。彼女はどうあってもとどまるつもりらしかった。

「ホテルへ行くわけにはいかないのよ」アイリーンは言った。「お金がないの。とにかく、困ったときには知らせてくれって、あなたのおばあさまはおっしゃったのよ。先日、そう言ってくださったの。あなただってその話を聞いたでしょう、ジャニス」

ヒルダはアイリーンをじっくりと観察した。具合が悪そうだ。顔が紅潮し、息遣いが速くなっていた。そのとき、カールトンとスージーが帰ってきた。二人は立ちすくみ、目の前の光景をにらんでいる。

最初に口を開いたのはスージーだった。「いったいどうしたの、アイリーン？　フランクがあなたを捨ててほかの女に走ったってこと？」

その瞬間、アイリーンは爆弾発言をした。「知りたいなら教えてあげるわ。夫はどこかでマリアンと一緒にいると思うの」

ジャニスは急に幼くなり、気分が悪くなったように見えた。「そんなこと、嘘だってわかっているでしょう、アイリーン」そう言うと、ジャニスはくるりと向きを変え、体をこわばらせて階段を上っていってしまった。

それからあとはどんなことがあっただろうか？　ヒルダは頭の中で整理しようとした。カールトンが母親と相談するために二階へ行き、ミセス・フェアバンクスの部屋からは言い争う大声が聞こえたのだった。アイリーンは椅子の背にもたれて目を閉じていた。スージーは煙草を吸い、玄関ホールのテーブルに載った花瓶の中へ灰を無造作に落とした。そしてブルック医師が図書室から出てくると、アイリーンの脈を測り、できるだけ早く横になったほうがいいと言った。

「明日のことは明日考えるとして、ともかく今は休まれることが必要ですよ」

アイリーンは目を開けた。「どなたか存じませんが、ありがとうございます」弱々しい声だった。「もしも今夜、わたしの以前の部屋に泊まらせてもらえれば――」

意外なことに、スージーが声をあげて笑った。「今夜はだめなのよ、ダーリン」彼女は言った。「あそこでは今、カールトンが寝ているの。カールトンが一人きりでね」

そのあと、当のカールトンが階下へ現れた。いらだたしげな表情だが、慇懃な態度だった。「母の考えによれば、あなたは今夜ここに泊まったほうがいいとのことだ」彼は言った。「マリアンの部屋を使ったらどうかと母は言っている。使える状態だから。こんな時間に使用人たちの手を煩わせたくないと母は思っている」

スージーはくすくす笑ったが、ほかに笑う者はいなかった。

それから何があったっけ？　二階へ上がっていく人たちが行列を作ったのだった。アイリーンを支える医師に、スーツケースを運ぶカールトン、おもしろがるような笑みを浮かべて続くスージー。そのときはジャニスを除けば、特に変わったことは起こっていなかった。無言だが憮然とした顔のジャニスが母親の部屋の外で待っていた。部屋の明かりをつけはしたが、彼女がやったことはそれだけだった。ベッドの用意はされていなかった。

アイリーンは立ち止まってジャニスを見つめた。「ごめんなさいね、ジャニス」アイリーンは言った。「あんなことを言うべきじゃなかったわ。わたしったら興奮していたものだから」

「かまいません」ジャニスはぎこちなく言った。そして、ふいに向きを変えると廊下を歩いて自室へ戻り、ドアを閉めてしまった。

ほかにどんなことが起こったっけ？　ヒルダは思い返そうとした。アイリーンがスーツケースを開けて寝間着を取り出した。でも、荷解きを手伝おうとヒルダが申し出たら、そっけなく断ったのだった。

「わたしは朝になれば出ていくし、とにかく、自分のものを他人に探られるのが大嫌いなの」

すべてがあっという間に進んだ。アイリーンが身を落ち着け、医師がジャニスと話すために戻った。相変わらず冷笑を浮かべていたスージーはベッドへ行った。ヒルダはミセス・フェアバンクスの部屋へ入っていったが、老婦人はベッドに起き上がっていた。興奮で目をきらめかせながら。

「じゃ、フランクはとうとうあの女を捨てたのね！」

「そういう話ですが」

「本当だといいけれどね。でも、フランクが彼女を捨てたはずはないでしょう。今は特にね。わたくしが話をしたがっているとアイリーンに伝えて。この件の真相を探らなくては」

老婦人のところへ行くことにはしたものの、アイリーンは全然急ぐ様子を見せなかった。ベッドの端に腰かけて大きなあくびをしながら足を室内履きに突っ込んだ。そしてクローゼットから取り出したマリアンのガウンを羽織り、鏡で自分の姿を点検した。

「わたしがこれを着たなんてマリアンに言ってはだめよ」アイリーンは言った。「このことを知ったら、マリアンはガウンを焼いてしまうでしょうからね」

　そう考えて、アイリーンは愉快になったらしかった。アイリーンはガウンをつまみあげると――彼女にはちょっと長かったのだ――ミセス・フェアバンクスの部屋へ入っていった。老婦人の口調は手厳しかった。

「ドアを閉めてこっちへ来なさい」ミセス・フェアバンクスは言った。「このばか騒ぎはいったいどういうことなのですか？」

　アイリーンは三十分ほど部屋にいた。ヒルダには声が聞こえた。アイリーンの柔らかな声と、ミセス・フェアバンクスの甲高くていらだっている声が。それから話し声がつかの間途絶えたときがあり、クローゼットの扉の軋んだ音が聞こえた。部屋から出てきたアイリーンは腹を立てた様子だった。彼女はドアを閉めてもたれた。

「あの老いぼれ悪魔」低い声でアイリーンは言った。「あのばあさんはわたしを金で片づけようとしたのよ！　ねえ、そのコーヒーをちょっともらえない？　飲まなくては」

「飲んだら眠れないですよ」

「どっちみち眠れるはずないわ。あの部屋ではね」

　ふたたびヒルダが行ってみると、ミセス・フェアバンクスは興奮していたが、まぎれもなく生き生きしていた。ミセス・フェアバンクスはフランクがマリアンと一緒だという、あのでたらめな話をアイリーンがした理由を問い詰め、朝になったらここから出ていくように告げたと言った。ヒルダはミセス・フェアバンクスを落ち着かせるのに苦労した。彼女は眠くないと言い、明かりが消えたあとにラジオをつけた。

「朝になったら、あの女を家から追い出しなさい」ミセス・フェアバンクスは言った。「追い出さなくては。さもないと、彼女を誰かが殺すかもしれませんよ」

それは真夜中のことだった。アイリーンは物音もたてず、部屋の明かりは消えていた。ブルック医師はまだジャニスと一緒だった。スージーは部屋のドアを開けたままベッドで読書をしていて、カールトンは図書室へ戻っていた。たぶん、いつものハイボールを飲んで神経をなだめているのだろう。

十二時十五分、ミセス・フェアバンクスはラジオを消し、それから間もなく、心配そうな表情のブルック医師がジャニスの部屋を出て、慎重な足取りで廊下を歩いてきた。

「ジャニスは今回のことをとても気に病んでいます」彼は言った。「ジャニスが言うには、父が妻のもとを去るはずなんてあり得ないと。身ごもっているなら、なおさらそんなはずはないと言うんです。ジャニスは父親に何かあったんじゃないかと不安がっている。ぼくはしばらくここにいようと思います。ミスター・フェアバンクスはどこですか?」

「まだ上には来ていません。たぶん、図書室にいらっしゃるかと」

ブルック医師はあたりを見て、ヒルダのトレイや彼女を隙間風から守っている衝立や、座り心地のいい椅子に目をやった。ポケットに両手を突っ込み、廊下を一、二度、行きつ戻りつした。

「ジャニスの父親はどんな人ですか?」出し抜けに彼は言った。「もちろん、彼を知らないわけではない。みんなが知っています。裁判所の設計をした人ですよね? だが、どんな性質なんだろう?

ジャニスはたいそう父親に忠実で――」

「彼には一度か二度しかお会いしていません」

「まだ最初の奥さんを愛しているんだろうか?」

「そのこともわたしにはわかりません」ヒルダは取り澄ました口調で言った。「窮地に陥ったら、窓から飛び出すような男ですか？　それとも、自分の頭に銃弾を撃ち込むような男？」

「どちらでもないと思いますよ。たしか、あの人は戦争で手柄を立てたはずです。勇気がないとは思いません」

ヒルダはその点をじっくりと考えた。

「いやはや！」ブルック医師は荒々しく言った。「自殺するには相当の勇気が必要ですよ」

そのあと、ブルック医師はまだ両手をポケットに突っ込んだまま、何か考えるようにうつむいて階段を下りていった。長身でひょろっとした、心配そうな若い男。指を差し込んでかきたてたように髪の毛は逆立っていた。これまで見たことがあるインターンたちとそっくりね、とヒルダは思った。でも、なぜか感じがいい。ブルック医師はヒルダが見習いだった頃に病院にいたインターンの一人を思い出させた。そのインターンはかつてリンネル用戸棚でヒルダにキスをしたことがあった。もちろん、それには何の意味もなかった。春のことで、どの窓も開け放してあった。ヒルダは彼の頬をひっぱたいたのだった。

ヒルダは深々と息を吸い込み、日誌に記録し始めた。

その後、屋敷は静寂に包まれていた。階下の遠いところから二人の男の話し声がかすかに聞こえた。ラジオは止まっていた。ヒルダは腕時計を見た。真夜中をとっくに過ぎていた。そのとき、仰天するようなことが起こった。

めったに使われることはないが、廊下にはシャンデリアが一つあった。古めかしい真鍮とガラス製のペンダントがついたものだが、今やそのガラス製の垂れた飾り部分がチリンチリンと鳴っていたのだ。ヒルダは目を凝らした。ペンダントは揺れ動き、互いにぶつかって小型のベルのような音をたてている。ヒルダは慎重に立ち上がった。誰かが三階でこっそり動き回っているのだろう。一瞬後、ヒルダはまたどきりとするようなものを見た。

階段の下から、ぼんやりした人の姿が目に入ったのだ。それは瞬く間に音もなく消えてしまった。ヒルダが三階の廊下に着いたときには人影などなかった。明かりをつけようと手探りしたが、見つからない。いくつかある客用寝室へのドアは相変わらず閉まっていたし、使用人のいる一画へ通じる長い廊下は真っ暗なトンネルのようだった。とうとうまた下へ行ったヒルダは何もかもがさっきのままだと気づいた。驚いたことに、両膝ががくがくと震えている。腰を下ろしてトレイからコーヒーをカップに注いだ。きっと使用人の誰かが、わたしが何をしているのかと興味を持ったのだろうと、ヒルダは思った。または、やっぱりこの屋敷は幽霊に憑りつかれているのかもしれない。ヒルダはクローゼットの扉が開いたり閉まったりしたことを思い出し、いつの間にかまた震えていた。ばかげているわよ！　もしかしたら、わたしには眼鏡が必要なのかも。でも、シャンデリアが揺れたのを見間違えるだろうか？

あとになってヒルダは持ち場を離れた時間を測ってみた。警察にストップウオッチで行動を測ってもらったのだ。ほぼ三分間だった。老婦人の痩せた胸にナイフを突き立てるには充分な時間だが、その部屋に行って犯罪を決行し、逃げ出すにはとうてい足りない。それにヒルダが三階に行くことが犯人にわかっていたはずはないだろう。アイリーンはうとうとしていたか、眠っていたかで、彼女の部屋のドアは閉まって明かりは消えていた。スージーとジャニスは廊下のもっと離れた部屋にいたし、男二人は階下の図書室にいたのだ。

でも、そのときか、もっとあとで……

十二時半にアイリーンがドアを開けた。取り乱した様子だった。「痛いのよ」彼女は言った。「どこか悪いのかしら?」

「どんな痛みですか?」

アイリーンが症状を話すと、ヒルダは立ち上がった。「まだお医者さまがいらっしゃるんですよ」ヒルダは言った。「連れてきましょう」

けれども、アイリーンは聞いていなかった。体を二つに折って自分を抱き締めるようにしていた。ヒルダは彼女をベッドへ連れ戻した。アイリーンが低くうめきながらベッドに寝ている間にヒルダは階下へ行った。男二人はまだ図書室にいた。ハイボールを手にしたカールトンは緊張した様子だった。ブルック医師は電話に出ていた。ヒルダがアイリーンのことを話すと、医師は受話器を置き、すばやく立ち上がった。

「様子を見に行ったほうがよさそうですね」ブルック医師は言った。「流産などされたら困る。とにかくここでは」

「そうとも。そんなことにならないうちに、なんとしても彼女には出ていってもらわねば。マリアンが戻ってこないうちにな」カールトンは警戒した表情だった。

ヒルダたちが入っていくと、アイリーンはドアをじっと見つめていた。擦り切れたガウンを着て痛みに顔をしかめているアイリーンは哀れな様子だった。

「ご迷惑をかけてすみません」アイリーンは言った。「たぶん興奮したせいだと思います。それにスーツケースが重かったものだから。バスに乗るまで運んでいたの」

医師は彼女をざっと診察して体を起こした。「何も問題ありませんよ。皮下注射を一本打ちましょう」彼は言った。「お湯を少し沸かしてもらえませんか、ミス・アダムス？」

ブルック医師はヒルダのあとを追って廊下に出た。カールトンは二階に上がってきていた。アイリーンの様子をちょっと尋ねると、カールトンは自分の部屋へ行ってしまった。ヒルダはためらった。

「わたしは絶対にミセス・フェアバンクスを一人で残していかないことにしています」ヒルダは言った。「残していくときは部屋に鍵を掛けるんです。でも、先生が見張っていてくださるなら――」

ブルック医師はにやりと笑った。「黄泉（よみ）の世界の番犬もぼくにはかないませんよ」彼は言った。「ぼくがいちばん大切な患者の身に何か起こるようなことをさせると思いますか？」

「でも、大変なことが起こったじゃありませんか。前に一度」

そう言うとヒルダはブルック医師を残して立ち去った。彼はテーブルに載せたかばんを開け、皮下注射器の入ったケースと硫酸モルヒネの筒を捜し回っていた。とはいえ、快活な態度は消えていた。ブルック医師の表情は物思わしげで、重々しいとさえ言えた。

屋敷の一階は真っ暗で、薄汚れた広い台所はヒルダが明かりをつけても不気味に見えた。一時十五分前だということが、台所の時計でわかった。ヒルダはそこにしばらくいた。コンロの火は弱く、小さなアルミニウムの深鍋に湯を沸かして二階へ運んでいくまで、おそらく十五分はかかっただろう。

ブルック医師はさっきヒルダが去ったときと同じ場所にいた。魔法瓶からコーヒーをカップに注いだものを持っている。しかし、飲んではいなかった。コーヒーが皿にいくらかこぼれており、彼は三階の踊り場をにらみつけていた。だが、ブルック医師は何も言わなかった。医師は注射器を用意してアイリーンのところへ行き、まだベッドでうめいている彼女に注射した。

「流産するようなことにはならないと思いますよ」ブルック医師はアイリーンに言った。「なんといっても、まだ妊娠して二、三カ月でしょう？　大丈夫ですよ。ただ、少し眠らなくては。一日か二日すれば、元気になります」

「ここにはいられないんです、先生」

「帰れるようになるまではいなければなりません」

ブルック医師はすぐには帰らなかった。あやふやで落ち着かなそうな表情を浮かべ、廊下に立ってコーヒーを飲み干した。医師はぎょっとしてカップを置いたとたん、ミセス・フェアバンクスのラジオが出し抜けに鳴り出した。医師はカップを落としかけた。

「いつもこんな時間に彼女はラジオをつけるんですか？」

「眠れないときにはつけます。たぶん、今夜は興奮なさったんでしょう」

「家族のほかの者には迷惑なんじゃないかな？」

「彼女は少しも気にしていませんよ」ヒルダは皮肉な口調で言った。

ブルック医師は帰る前にアイリーンの部屋へ行った。彼女はまだ目を覚ましていたが、痛みはさっきよりも楽になったと言った。もう眠れそうだ、と。ヒルダはアイリーンのために、玄関の屋根に面した窓を開けてやった。そして彼女の体に寝具をたくしこんだ。マリアンの頭文字入りのシーツ、マリアンの贅沢な柔らかい毛布を。さわってみると、アイリーンの手は氷のように冷たかった。

「明日、ここから出ていくわ」アイリーンは言った。「心配いらないとみなさんに言って。そう長くはご迷惑をおかけしないからと」

ヒルダが廊下に出ると、まだラジオの音が聞こえた。ブルック医師はかばんを取り上げて帰ろうとしていた。若くて疲れた感じに見えた。

「心配ないとジャニスに伝えてください」彼は言った。「ぼくが気をつけているからと。だが、こんな異常な家からジャニスを連れ出したくてたまりませんよ」

第十一章

そのあとに起こったことはヒルダもはっきりと覚えていた。医師がまだ屋敷から帰らないうちにカールトンの部屋のドアが勢いよく開いたのだ。カールトンはガウンを体に巻きつけながら廊下に出てきた。髪はぼさぼさで顔をしかめていた。「ああ、まったく！」彼は言った。「あのラジオを消したらどうだ？」

「お母さまは眠れないときにラジオをつけておきたがるんです」

「とにかく、家族の者を寝かせてくれてもいいだろう」カールトンは言い、荒々しくヒルダを押しのけた。

ドアが開くと、度肝を抜かれるほどの騒音が廊下に流れ出した。カールトンがドアを閉めても、一インチか二インチの隙間があいていた。彼は「お母さん」と言ったが、ヒルダには返事が聞こえなかった。ふいにラジオの音が消え、ぎょっとするほどの静寂が広がった。けれども、カールトンはすぐには部屋から出てこなかった。あとになってヒルダはそのことを尋ねられた。

「カールトンはどれくらい部屋にいたんだ？　一分？　二分？」

「長くても、せいぜい二分といったところでしょう」

「しかし、ベッドを回り込んでラジオを消すだけの時間よりも長かったんだな？」

ヒルダは情けないくらい気まずい思いだった。「さあ、わからないわ。何かが軋む音が聞こえて、カールトンがクローゼットの扉の一つを開けたんじゃないかと思ったの。その中にミセス・フェアバンクスの金庫が入っている。クローゼットの扉はいつだって軋むのよ」

警察はヒルダの言うとおりか、時間を測った。警官の一人がミセス・フェアバンクスの部屋に入っていってラジオのスイッチを操作し、戻ってきた。

「これよりも長い時間だったかな?」

「ええ。たぶん――そうだったと。わたしが魔法瓶の蓋を開けてコーヒーを少し注ぎ、一口か二口飲んだあとでカールトンが戻ってきたから」

「彼はどんな様子だった?」

「まともにはあの人の顔を見ていないの。カールトンはドアを閉めて、母親が眠っていると言った。それから間もなく、カールトンも眠ったに違いないのよ。いびきが聞こえてきたもの」

カールトンが自室に帰ったあとで雨が降り始めたのだった。夏の嵐で、激しい雷鳴と稲光を伴っていた。どしゃ降りだった。滝のような雨で、風も吹きすさび、外の木々が猛烈に揺れていた。どこかで何かをしきりに叩く音が聞こえた。ドアを叩く音ではなかった。ノックの音にしては軽すぎた。ヒルダは確かめに行こうかと思ったが、考え直した。

ヒルダは機械的に夕食をとった。ラジオは鳴らないままで、腕時計は午前二時を指していた。彼女は夕食を終え、朝になったら持っていってもらえるように、裏階段の踊り場までトレイを運んでいった。

持ち場に戻ると、さっきの何かを打つ音は相変わらず聞こえていた。すると、もう終わったと考えたほど長く音がしなくなった。と思うと、また風が吹くのと同時に音が聞こえ始めた。

ヒルダがその音に耳を澄ましていたとき、裏階段からガシャンという音が聞こえ、仰天したような口調で「痛い」という声がした。疑いもなく女性の声だった。ヒルダが踊り場まで行ってドアを開けると、スージーが立っていた。髪はびしょ濡れで、みすぼらしい寝間着の上から濡れたレインコートを着ている。スージーは片足立ちし、もう一方の足を心配そうに調べていた。

「どうして、こんな場所にトレイを置きっぱなしにしたのよ?」スージーは激した声で問い詰めた。

「危うく爪先を切り落としてしまうところだった」

固い表情のヒルダは玄関から入ってくる明かりで、濡れそぼった金髪から室内履きにいたるまでスージーを観察した。室内履きの片方をスージーは手に持っていた。片方の爪先からは血が流れ、トレイの上には壊れたカップの破片が散乱している。

「ヨード剤をちょっと塗ってあげましょう」ヒルダは言った。「いったい、どこにいらしてたんですか?」

「車庫よ。車の中に煙草を忘れてきたから」

「それって、ここのみなさんの習慣みたいですね」ヒルダは冷ややかに言った。「昨夜か一昨日の夜、ご主人が同じことをしていましたよ。あなたに閉め出されたときですけれど」

スージーは青い目で鋭くヒルダを見つめていた。「ああ」彼女は言った。「じゃ、カールトンもそんなことを言ったのね?」ふいに彼女はくすくす笑った。「あたしたちって、ありきたりなのね?」

スージーは片足を引きずって前進し、ヒルダは彼女を椅子に座らせてピンク色に腫れあがった爪先に包帯を巻いた。だが、スージーはすぐにベッドへ行こうとはしなかった。煙草を取り出そうともしない。あとでヒルダは知ったのだが、その晩、スージーは大変なことをしでかしていたのだった。それですっかり怯えて度を失ってしまい、階段を駆け上がったというわけだ。けれども、今やスージーは自分を取り戻していた。

スージーはアイリーンがいる部屋のドアをちらっと見て笑い声をあげた。「まったくね」彼女は言った。「自分のベッドにアイリーンが寝ているのを見たら、マリアンはどうするかしらね！」

ヒルダはこれ見よがしに編み物を取った。スージーに対してはカムフラージュがいらない気がしたが、試しても害はないだろうと思った。「きっとマリアンさんはお気に召さないでしょうね」編み目を数えながらさりげなく言った。

「お気に召さないですって！　マリアンを見くびってはだめよ、ミス・アダムス。怒ったときの彼女は虎並みなんだから。なんだってやってのけるのよ。あの音はいったい何？」

またしても何かを打つ音がしていた。今やアイリーンの部屋から聞こえてくるようだ。スージーに観察されながら、ヒルダはドアを用心深く開けた。アイリーンは穏やかな表情で静かに眠っていたが、ヒルダが先刻開けた、玄関の屋根の上にある窓の網戸が外れていた。それは揺れて外へ開き、ちょっと止まって内側へ戻ってくると、小さいけれども鋭い音をたてた。雨が降り込んできてカーテンを濡らしている。ヒルダは網戸の掛け金を止め、慎重に窓を閉めた。

スージーは元の場所から動いていなかった。足元に目を向けている。「何だったの？」彼女は尋ねた。

「窓の網戸でした」

「おかしいわね。マリアンは決まって網戸の鍵を掛けているのよ。泥棒が入らないかと怖がっているから。外のあの屋根から――」

　ふいに何かを思い出したかのようにスージーは言葉を切った。「アイリーンはどうしているの？

眠っているの？」

「彼女は注射してもらったんです。ぐっすり眠っていらっしゃいます」

「アイリーンが網戸を開けられたはずないわね？」

「ここ一、二時間は無理だったでしょう。とにかく、どうしてアイリーンさんが開けるんですか？」

　しかし、開いていた網戸がヒルダは気になった。ヒルダは懐中電灯を持ってアイリーンの部屋に戻った。さっき見たときのままだった。床にはスーツケースがあり、窓は閉まっていて、アイリーンは相変わらず眠っていた。ヒルダは窓へ寄って網戸を調べた。外から掛け鍵を開けることもできそうだった。ナイフの刃で開けられるだろう。だが、下の屋根に何らかの跡がついていたとしても、雨に洗い流されたに違いない。けれども、一つだけ不思議なことがあった。古めかしい外の鎧戸の一つから細いロープの切れ端がぶら下がっていることだった。ときどき風で揺れるロープの端が窓を叩いていたのだ。もう一方の端は見えなかった。何のために結びつけられたのかはわからないが、長年そこにあったものに違いない。

　ヒルダは窓から離れて浴室のドアを開けた。浴室には何もなく、マリアンの衣装戸棚にあるのも、並んで吊るされている服くらいだった。廊下に戻ると、スージーはまだそこにいた。

「何か見つかったの？」

「いいえ。玄関の屋根の上の鎧戸に結びつけられているロープはどれくらい前からあったのですか？」

「ロープ？」スージーはぽかんとした顔で言った。「ロープって、どんな？」

ヒルダは心配になっていた。その夜、誰もミセス・フェアバンクスの部屋へ入れなかったはずだと自分に言い聞かせても無駄だった。自分がやったあらゆる用心を思い出しても意味がなかった。日頃は天使さながらに穏やかなヒルダの表情が今は変わっていた。不安なテリアのような顔になっていたのだ。

「大奥さまの様子を見てきます」ヒルダは言った。「せいぜい叱られるくらいでしょう」

ヒルダはドアを開けて部屋に入った。室内はひんやりして暗かったが、外の風向きが変わってカーテンが部屋の中へとはためいていた。窓を下ろして振り返り、ベッドに目をやった。あとになって、ヒルダがぼんやりと思い出せたのはスージーが戸口に立っていたことだけだった。そのときに稲妻が鮮やかに光ったこと、スージーが突然ベッドを指さして悲鳴をあげたことを。屋敷中に響くほどの、耳をつんざかんばかりの金切り声だった。

ヒルダはベッドの上の小柄で年老いた体しか意識しなかった。瘦せた胸からありふれた台所用のナイフの柄が突き出している体。

最初に駆けつけたのはカールトンだった。パジャマのまま部屋を飛び出してきた彼は、口に片手を当てるという単純な手段でスージーの悲鳴を抑えた。

「黙るんだ」カールトンは荒々しく言った。「頭がおかしくなったのか？　どうしたんだ？」

スージーはわめくのをやめた。その代わりに泣き始めた。ベッドの裾のほうに身じろぎもせずに立っていたヒルダに、カールトンは困ったような視線を向けた。

「お気の毒です、ミスター・フェアバンクス」ヒルダは言った。「大奥さまは――」

「母に何があったんだ？」

「おそらく」ヒルダは言った。自分の声がはるか遠くから聞こえてくるような気がした。「おそらく大奥さまは殺されたのだと思います」

カールトンはスージーを押しのけて照明のスイッチを入れ、部屋へ入っていった。彼は無言だった。恐怖で麻痺した人のようにベッドを見下ろして突っ立っている。だが、外からジャニスの声が聞こえたとたん、カールトンは動いた。

「ジャニスを中に入れるな」カールトンはかすれた声で言った。「誰も入ってはだめだ。警察を呼ぶんだ」そしてふいに叫んだ。「母さん、お母さん！」

カールトンはベッドの横にひざまずき、掛け布団に顔をうずめた。

やがて立ち上がったカールトンはさっきよりも落ち着いていた。パジャマ姿のカールトンは特に取り柄のない小柄な男に見えたが、威厳を持つこともできたのだ。

「ぼくは妻を見てやったほうがいいだろう」彼は言った。「妻はショックを受けている。どうか――警察に連絡してくれないか？　それから医者にも。もっとも、医者を呼んでも――」

カールトンは最後まで言わなかった。彼は玄関に出ていき、部屋にはヒルダ一人が残された。

ヒルダはすぐには階下へ行かなかった。ベッドへ寄って、瘦せて年老いた腕と手に触れた。すでに冷たくなっていた。死後一時間ほどだろうと思った。もしかしたらもっと経っているかもしれない。ヒルダがここの外に座って夕食をとっている間、この部屋には、そしてこの体にはもう死が訪れていたのだ。

ヒルダは無意識に腕時計に目をやった。二時十五分。それからまだぼうっとしている目で部屋を観察した。変化があったものは一つもなかった。火の気のない暖炉のそばにはカードテーブルと揺り椅子があった。金庫が入ったクローゼットの扉は一インチか二インチだけ開いている。ヒルダが取っ手にさわらないように注意しながらそばに寄ると、金庫は閉まっていた。窓の網戸がいじられた形跡はなかった。しっかりと閉まっている。それでもその夜、この閉ざされて守られた部屋に誰かが侵入して老婦人を殺害したのだ。

廊下へ出てきたとき、ヒルダの顔は真っ青だった。家の者が集まっている最中だった。急いで着替えたらしいウィリアムとマギーが裏の廊下から歩いてくる。アイダは三階の階段を下りてくるところで、手すりをきつくつかんで前をにらみながら口をぽかんと開けていた。ジャニスは寝間着の上にガウンを羽織った姿で立っており、ぞっとしたように目を見開いている。そしてスージーはカールトンに付き添われた状態で椅子に腰を下ろし、頬には涙が伝わっていた。

ヒルダは彼らをじっくりと観察した。それから後ろ手にドアを閉めると、鍵を差し込んで回し、それを抜き取った。

「すみませんが」ヒルダは言った。「警察が来るまでどなたも中に入れません。今、警察に電話します」

けれども、ヒルダはすぐに電話をかけたわけではなかった。薬のせいで眠り込んでいたアイリーンが起きて部屋のドアを開けたのだ。彼女は片手をドア枠に置き、体を揺らしながら立っていた。

「いったいどうしたの?」ぼんやりした様子でアイリーンは尋ねた。「何かあったのかしら?」

返事をしたのはカールトンだった。もはや哀れみも愛も、怒りさえも感じなくなったように感情のこもらない目で彼女を見て答えた。「母が死んだ」彼は言った。「殺されたんだ」

アイリーンはとても静かに立っていた。服用した薬のせいで反応が鈍くなったみたいに。アイリーンはカールトンを見ていなかった。家族の誰のことも見ていないらしい。それからドア枠をつかんでいた手が緩んだかと思うと、気を失って滑るように床に倒れた。

第十二章

ヒルダはアイリーンにかがみ込んだジャニスとアイダに彼女の世話を任せた。ひどく疲れていた。丈夫な体で自立した人生を送ってきたヒルダは初めて無力さや不甲斐なさを味わっていたのだ。失敗してしまった。家の者から信頼されていたのに、失敗したのだ。ショックを受けたジャニスの顔や、うつろなカールトンの顔に、スージーの涙。アイリーンの失神すら、どれほどひどい失敗を自分がしたかをヒルダに告げていた。

それに、何をするにももう遅すぎた。医者を呼んだところで——どんな医者にしても——どうなるというのだろう？　警察さえ、呼んでも意味がない。警察ができるのはせいぜい正義を突き止めることぐらいだ。小柄な老婦人を生き返らせることはできない。どんな欠点があったにせよ、キッチンナイフを心臓に突き立てられて二階に横たわっているべきではない老婦人を。

ヒルダは図書室の机の前にぐったりと座っていたが、電話を取り上げた。ここですら物事はうまくいかなかった。やや時間がかかってから、やっとブルック医師の診察室につながった。すると、前にヒルダが会ったと思われる若い娘が憤然とした口調で電話に出た。

「服を着る時間くらいはくれてもいいじゃない」彼女はきつい口調で言った。「何なの？」

「お医者さまと話したいのですが」

「ここにはいません。外出中です」

ようやく聞き出した話によると、街角でバスにひかれた女がいて、ブルック医師は彼女に付き添って病院へ行ったという。どこの病院なのかはわからないそうだ。

「先生が戻ってらしたら伝えてください」ヒルダはぴしゃりと言った。「年老いたミセス・フェアバンクスが殺害されたので、すぐにこちらへ来てくれと」

「あら大変」娘は言った。「家賃が払えなくなっちゃう」

ヒルダは不愉快な気持ちで電話を切った。

そのあと、自宅にいるパットン警視に電話した。その頃にはヒルダの手の震えは収まっていたが、声はまだ震えを帯びていた。すぐに電話に応えてもらえたのでほっとした。

「もしもし?」

「ヒルダ・アダムスです、警視」

「やあ、探偵さんか。どうしたんだ?　今度は金魚を見つけたとか言わないでくれよ!」

ヒルダはつばをのみ込んだ。「ミセス・フェアバンクスが亡くなったの」彼女は言った。「ナイフで刺されて。そんなことは起こるはずがなかったのに、起こってしまった」

パットン警視の口調が変化した。非難の響きはなかったが、冷ややかで事務的だった。「しっかりするんだ、ヒルダ。部屋に鍵を掛けて、わたしが行くまで何にも手をつけるなよ。家族の者が入り込まないようにしろ」

「そうしました。わたしは――」

だが、すでに電話は切れていた。

ヒルダはゆっくりと二階へ行った。アイダとマギーがアイリーンをベッドに入れて、部屋のドアを開けたまま、彼女を見つめて立っていた。廊下にいた者たちはさっきと同じ状態だった。ただ、カールトンだけは今や椅子に腰かけて、両手で頭を抱えていた。

「警察に連絡しました」ヒルダは言った。「お医者さまは外出中です。ほかの医者に連絡してほしいのでしたら――」

カールトンは顔を上げた。「医者が何の役に立つんだ?」彼は言った。「母は亡くなった。そうだろう?　それから部屋の鍵を欲しいんだがな、ミス・アダムス。きみはもうこの件と関わりがない。ぼくの母親が亡くなったのだし、いまは一人きりだ。そばについていてやりたい」

カールトンは毅然とした表情で立ち上がり、片手を差し出した。

「部屋には誰も入ってはいけません」ヒルダは言った。「パットン警視が言うには――」

「パットン警視なんかどうでもいい」

面倒なことになりそうだった。カールトンがヒルダのほうへ進んだとき、もの悲しいサイレンを鳴らしながらパトカーが私道に入ってきた。するとスージーが言った。

「ばかな真似はしないで、カールトン。警察が来たわよ」

ウィリアムが階段を下りていった。年老いて腰が曲がったように見える。引きずっている古ぼけたバスローブからむき出しの足首がのぞいていた。戻ってきたとき、ウィリアムのすぐあとに制服姿の若い警官が二人いた。彼らはあたりを見回し、ベッドに寝ているアイリーンに気づくと、そちらに進み始めた。ヒルダは警官たちをさえぎった。

「そこじゃありません」ヒルダは言った。「こちらの部屋の中です。ドアには鍵を掛けてあります」

ヒルダが鍵を渡すと、警官たちは鍵を開けて部屋に入った。かと思うと、すぐさま出てきた。警官の一人はドアの外で見張りに立ち、廊下にいる家の者たちを無表情な顔でじろじろ見ていた。もう一人の警官は電話をかけるために階下へ行った。彼が去ると、あらゆるものが動かなくなった。凍りついたように停止している。そのとき、ジャニスが行動を起こした。

「こんなの耐えられないわ」彼女は途切れ途切れに言った。「どうしておばあさまにあんなことをした人がいるの？　年寄りだったのよ。おばあさまは誰のことも傷つけたりしなかったのに。おばあさまは……」

ジャニスは衝立にもたれ、悲嘆に暮れた様子で泣き始めた。氷さながらの静寂を破ったのがその泣き声だった。小さいけれども、明らかにさまざまな動きが起きた。カールトンは頭を上げ、蒼白な顔とうつろな目が現れた。スージーは引きずっているレインコートのポケットに手を入れて煙草を探ったが、考え直したようだった。ヒルダは気を取り直し、アイリーンの様子を見に部屋へ入った。彼女は意識があったが、脈は弱々しくて不規則だった。ヒルダは芳香アンモニア精を水と混ぜたものをアイリーンに嗅がせた。

アイリーンはヒルダを見上げた。「ここから出してちょうだい」あえぐように言う。「わたしは大丈夫よ。家に帰りたいの」

「朝まで待ったほうがよろしいですよ、ミセス・ガリソン。あなたはショックを受けていらっしゃいます。とにかく動き回ってはいけません。それはおわかりでしょう」

アイリーンのまなざしは興奮の色を帯びていた。彼女はマギーからアイダへ、そしてヒルダへと視線を向けた。「怖いわ」彼女はあえいだ。「どうにかしてここから出してちょうだい」アイリーンはべッドに起き上がろうとしたが、ヒルダは押さえつけた。

「それは無理だと思いますよ」ヒルダはアイリーンに言った。「警察がここにいるんです。あなたの話を聞きたがるでしょう」

「でも、わたしは何も知らないのよ」アイリーンは息を切らして言った。「ぐっすり眠り込んでいたのだもの。わかっているでしょう」

「もちろんわかっていますよ」ヒルダは優しく言った。「警察にそれほど煩わされることはないでしょう。わたしから警察に話しておきます」

アイリーンは緊張を解いた。枕に背中をもたせ掛けた彼女の目は開いていたが、モルヒネの影響で瞳孔はかなり収縮している。「ミセス・フェアバンクスはどんなふうに殺されたの？」彼女は訊いた。

「そんなことは気にしないで。お休みになってください」

電話をかけにいった警官が二階へ上がってきており、遠くから別のサイレンの音が聞こえてきた。ヒルダは玄関の屋根を見下ろす窓へ寄って外を眺めた。雨はほぼやんでいた。上の屋根からは滴が落ちていたが、風は収まっている。部屋の中はむっとして蒸し暑かった。窓を押し上げて外を覗いた。

ヒルダが掛け金を掛けたはずの網戸がふたたび開いていた。蝶番を中心にしてかすかな風に小さく揺れていたが、窓にぶつかるほどの勢いはもうなかった。

ヒルダは網戸の掛け金を留めようとはしなかった。ベッドへ戻ると、アイリーンは目を閉じ、くつろいだ様子で半ば眠りかけていた。「お休みのところすみませんが、ミセス・ガリソン」ヒルダは言った。「今夜、窓を開けましたか？　または網戸を」

「網戸って？」アイリーンはぼんやりと言った。「何も開けはしなかったわ」

アイダが立ち上がった。彼女はベッドのそばでずっと座っていたのだ。「休ませて差し上げるほうがいいですよ」アイダは言った。「なぜ、アイリーンさんが網戸を開けるというんです?」

廊下はまたしてもたちまち人でいっぱいになった。そのうちの数人は制服姿だった。警官たちは足音をたてずに階段を上がってきたが、不気味な仕事のためのさまざまな道具を持ってくることは避けられなかった。カメラマン、指紋係、それにソフト帽をかぶって抜け目のない険しいまなざしをした刑事もいた。てきぱきとした若い警部補が場を取り仕切っているのは明らかだった。

警部補はカールトンに会釈した。「災難でしたね」警部補は言った。「ここにいる人たちを下の階に連れていってくれませんか? 差し支えなければ、一部屋に集めてください」

カールトンは大勢の人間を前にして困った様子だった。「ちょっと着替えたいのですがね」彼は言った。

「かまわなければ、まだそのままでいてください。もうすぐ警視が到着するはずなんです。みなさん全員の話を聞きたがるでしょうから」

家族の者たちは警官に従ってぎこちなく階段を下りていった。三人の使用人にスージー、ジャニス、そしてカールトン。アイリーンとヒルダだけがあとに残った。ヒルダは戸口に立っていた。警部補は制服姿のヒルダに目をやり、その向こうの部屋に視線を向けた。

「そこにいるのは誰ですか?」

「ミセス・ガリソンです。彼女を動かすわけにはいきません。わたしは彼女の世話をしています」

警部補はうなずき、刑事の二人に合図して亡くなった老婦人の部屋に入っていくと、ドアを閉めた。ほかの職員たちは歩き回って待っていた。カメラマンは煙草に火をつけたかと思うと、消した。一度か二度あくびをする。ヒルダはアイリーンの部屋のドアを閉め、そこにもたれたが、彼女に興味を示す者はいなかった。少なくとも、パットン警視が階段を上がってくるまでは。

パットン警視はヒルダを一目見るなり、連れてきた制服姿の警官のほうを向いた。「この家にブランデーがないか、ちょっと探してきてくれ」彼は言った。「座るんだ、ヒルダ。誰か、椅子を持ってこい」

すると、みんながヒルダに注目した。彼女をじろじろ見ている男たちで廊下はいっぱいだった。彼らの顔がぼやけて見えた。ヒルダがこんなふうに感じたのは初めて手術室に入ったとき以来だった。マスクをした人たちが彼女を見て、誰かが言っていた。「その見習い看護婦を支えてやれ。気絶するぞ」今、ヒルダは必死に自分を励まして無理やり目の焦点を合わせた。

「気絶なんかしません」頑なに言い張った。

「だったら、気絶しそうなふりが恐ろしくうまいということだな」パットン警視は言った。「座りたまえ。ばかな真似はやめるんだ。きみが必要だからな」

ブランデーは役に立った。やっと目の焦点が合ったとき、パットン警視がいなくなっていることにヒルダは気づいた。でも、まだ廊下に大勢いる部下たちが興味津々の様子で彼女を眺めていたのだ。ヒルダはおぼつかない足取りで立ち上がり、アイリーンの部屋へ入っていった。驚いたことにアイリーンはベッドから出ている。なんとか服を着ようとしており、こちらへ向けた顔は血の気がなく、絶望的な表情が浮かんでいた。

「帰らなくちゃ」アイリーンは言った。「フランクが帰宅してわたしがいないことに気づいたら――こんなところへ来るなんて、きっと頭がどうかしていたんだわ」

「よかったら、わたしが電話してあげましょうか。もちろん、あなたは今帰るわけにいきません。誰一人としてこの屋敷を離れることを警察は許しませんから」

「つまり——わたしたちは囚われの身だということ？」

急にヒルダはカッとなった。「いいですか」彼女は言った。「この家では殺人が起こったんですよ。言うまでもなく、あなたは囚人じゃありません。でも、ベッドへ戻ってお休みになってください。わたしが警官を連れてきてあなたを押さえ込まないうちにね」

そのときドアにノックの音がした。パットン警視に呼ばれているとわかり、ヒルダは部屋を出ていった。

老婦人の部屋は相変わらずさっきまでと同じ状態だった。刑事たちがいるという違いはあったが、何一つ触れられてはいなかった。パットン警視はヒルダのほうへうなずいた。

「よし」彼は言った。「さあ、この部屋を見てくれ。きみはミセス・フェアバンクスがベッドへ入ったとき、ここがどんなふうだったか知っているだろう。変わったところはあるかな？　動かされたものはあるだろうか？　じっくりと考えてほしい。慌てなくていい」

ヒルダはまわりに視線を走らせた。すべてが変わってしまったのに、すべてが同じだった。彼女は首を横に振った。

「もう一度やってみてくれ」パットン警視は言い張った。「テーブルの上のものは何も動いていないか？　カーテンに変化した点はないかい？」

ヒルダはもう一度試した。ベッドに静かに横たわった姿から目をそらして。「あのクローゼットの扉を閉めたのはミセス・フェアバンクスだと思うけれど」とうとう彼女は言った。

「確信はないんだな?」

「確かに彼女が閉めたのよ。いつもそうしていたから。あれは金庫が入っているクローゼットよ。でも、あの夜、ミセス・フェアバンクスが扉を開けたと思うの。理由はわからないけれど」

パットン警視はハンカチを取り出し、それを使って扉を開けた。金庫をじっくりと調べたが、鍵が掛かって閉まっていた。「この屋敷でほかに金庫に触れていい者はいるのか?」

「知りません。金庫に関して、ミセス・フェアバンクスはかなり妙な態度をとっていたの。クローゼットに誰かが近づくのをひどく嫌っていたし、外出するときは鍵を掛けていたのよ」

「このクローゼットが例の――」

「そう」

パットン警視はまだ老婦人の胸に刺さったままのナイフをヒルダに指し示した。彼女は無理やりそれに目を向けたが、震えていた。

「これを前に見たことはあるかな?」

「あるかもしれないわ。わからない。ありふれた台所用のナイフに見えるわね」

「たとえば、二階のどこかにこんなナイフはなかったかな? こういうものが転がっていなかったかい?」

ヒルダは首を横に振った。パットン警視はあとで話そうと言って、ヒルダを解放した。彼女が出ていくと、廊下に集まっていた男たちがどっと部屋に入ってきた。写真を撮るために、または家具やナイフに指紋採取のための粉を振りかけるために。老婦人が五十年も暮らしてきた個人的な場を冒瀆するようなものだ、とヒルダは悲しい気持ちで考えた。なぜ、こんなことに? この屋敷の誰が、年老いた女を殺そうなどとしたのだろうか？　今夜、ここの家族を見た者は、全員が悲しんでいるわけではないとしてもショックを受けていることは否定できなかったはずだ。家族が犯人でないなら、誰がこんなことを？

今やヒルダの頭はさっきよりも冴えていた。ブルック医師が帰るまでラジオは鳴っていたから、そのときまでミセス・フェアバンクスは生きていたはず。殺したのは誰？　カールトン？　彼は部屋に入ってラジオのスイッチを切った。ガウンのポケットにナイフを忍ばせていた可能性もある。でも――途方もなく芝居がうまいのでないかぎり――彼は母親の死に打ちのめされそうだったではないか。ベッドの脇にひざまずいていた。彼は……

ほかに誰が？　マリアンは家にいなかった。ジャニスは問題外だ。アイリーンは具合が悪くて皮下注射を打たれていた。スージー？　でも、スージーがどうやって部屋に入り込めたというのか？　そもそもあの部屋に入れた人などいただろうか？

ヒルダはその夜のことを注意深くさかのぼって考えてみた。真夜中にアイリーンがミセス・フェアバンクスの部屋を出て、ヒルダは老婦人をベッドに入れた。十二時十五分、ミセス・フェアバンクスはラジオを消して眠りについたらしかった。十二時半頃、ブルック医師がカールトンと一杯飲むために階段を下りて図書室へ行き、それから間もなくアイリーンが痛みを訴えた。

その間ヒルダがミセス・フェアバンクスの部屋のドアの前を離れたのは、三階のてっぺんへちょっと行ってトレイを裏の階段口へ持っていったときと、そのあとでスージーがトレイにぶつかったときだけだ。しばらく台所へ行ったときがあったのは事実だが、そのあともミセス・フェアバンクスは生きていた。それはラジオで証明される。

ヒルダの頭はめまぐるしく回転していた。自分は一度か二度、アイリーンの部屋に行ったが、ごくわずかの間だけだった。とにかくミセス・フェアバンクスの部屋のドアは見えていたし、外で何か動きがあればわかったはずだ。スージーが犯人なのか？　でも、アイリーンの部屋の網戸を閉めるためにスージーを廊下に置き去りにしたときよりも前に、老婦人は死んでいたに違いない。少なくとも死後一時間は経っていた。いや、もっと時間が過ぎていたかもしれない。

ヒルダは椅子の背にもたれた。テーブルには夜を過ごすために持ってきた持ち物がまだ並んでいた。分厚い教科書、編み物の入った袋、ケース入りの体温計、懐中電灯、体温表やカルテなどが。アイリーンが来たあとで最後に書いた記録が見えた。「患者は興奮している。眠ろうとしない。鎮静剤を拒む」ヒルダはまたしても気分が悪くなった。

閉まったドアの向こうから男たちが動き回っているくぐもった音が聞こえ、カメラマンがフラッシュをたくときの小さな音がする。階下で車が止まる音がして、呼び鈴が鳴った。かばんを持った男が一人、階段を上がってきた。検死官だとヒルダは気づいた。でも、彼が何を見つけられるというの？小柄な老婦人が両腕を伸ばし、胸にナイフを突き立てられて仰向けに寝ているだけだ。

検死官は口髭をたくわえた、きびきびした若手だった。警視が出迎えると、検死官は趣味の悪いユーモアを披露した。「機甲師団でも編成しないかぎり、あなたがたが動けないのが残念だな」彼は言った。「ここまで来るのにえらく時間がかかりましたよ」

「とにかく、そう長くはお引き止めしません」パットン警視は言った。「胸に刺し傷がある。それだけです」

「それだけだと、なぜわかりますか？」

「そう見えますからな」

検死官はヒルダを無視した。彼が部屋に入っていき、そのあとにパットン警視が続いた。部屋にいたのは五分間だった。出てきたとき、検死官は相変わらずきびきびしていたが、いらだった様子は消えていた。彼は落ち込んでいるように見えた。

「じゃ、年寄りのイライザ・フェアバンクスの最後があれというわけですね」検死官は口髭を引っ張りながら言った。「誰がやったんでしょう? 彼女が自分でやったんじゃないことは間違いないな」

「いかにも」パットン警視は言った。「そう、自殺だとは思いませんよ。どのくらい前だと思いますか?」

検死官は腕時計を見た。「今、三時半ですね」彼は言った。「たぶん二時間前でしょう。もっと前かもしれない。おそらく一時から二時の間でしょう。遺体の体温からすれば、一時に近いかもしれません。もちろん、正確なところはわかりませんが。暖かいときは遺体の硬直が早く始まります。遺体解剖が済めば、もっと確かなことがわかるでしょう。彼女が最後の食事をしたのは何時でした?」検死官はヒルダに視線を向けた。

「七時半に夕食のトレイに手をつけられました」彼女は言った。「ミセス・フェアバンクスは階下へは食事にいらっしゃらなかったので。ポーチドエッグと野菜サラダと果物を少しです。一時を少し回った頃はまだ生きてらしたかと」

「なぜ、それがわかるんですか?」検死官は鋭い口調で尋ねた。「彼女を見たのかな?」

「いいえ。ミセス・フェアバンクスはラジオをつけたんです」

検死官は依然としてきびきびした足取りで階段を下りた。これが彼の仕事だった。検死官はベッドへ行くとき、すぐ着られるように服を置き、カフスボタンはシャツにつけたままにして、靴と靴下をベッド脇に脱いで、ネクタイを化粧台の上に載せておくのが習慣になっている。車さえ、一晩中通りに止めておく許可をもらっている。自分の生活は消防士のそれに近い、と検死官は言うだろう。しかし、今の彼はいささかショックを受けていた。検死官が呼び出されるのは貧民街の場合が多かった。それが今度はフェアバンクス家の屋敷で殺人が起きたのだ。これだけでもひどい話なのに、誰かが年老いたイライザの胸にナイフを突き立てた。だから彼は二重のショックを受けたのだった。

パットン警視は検死官が階段を下りるのを眺めていた。それから背もたれのまっすぐな椅子に腰を下ろしてヒルダと向かい合った。彼の顔には微塵も穏やかさが見られなかった。腹を立てているような厳しい顔。情け容赦のない表情だった。

「よし」彼は言った。「さて、この件について話すとしようか。行儀よくしたほうが身のためだぞ。こんなことが起こるはずはなかったなどと言っても無駄だ。実際に起こってしまったんだからな」

ヒルダは身構えた。彼女は失敗したし、パットン警視はそのことを知っていた。言い訳など聞きたがらないだろう。警視が求めるのは事実に関する話なのだから、ヒルダは疲労した頭が許すかぎり理路整然と説明した。アイリーンが来たことやその経緯、それに続いて彼女が倒れてしまったこと。ミセス・フェアバンクスがアイリーンに会いたいと言ったこと、そのあとにヒルダが老婦人にいつもの夜のように寝る準備をさせたこと。それからアイリーンが苦痛を訴え、ヒルダが二回、階下へ行ったこと――一回目は医師を呼びに、もう一回は医師に見張っていてもらう間に湯を沸かすために――と、その後、アイリーンの部屋の網戸が開いていて風で煽られて音をたてているのを発見したこと。けれども、パットン警視がもっとも時間をかけて尋ねたのは、雨に濡れた姿で現れたスージーの様子についてだった。

「このスージーというのはどうなんだ？」彼は訊いた。「老婦人に尽くしていたとかだったのかい？」

ヒルダは思わず微笑した。「あまり尽くしていたとは言えないわね。ミセス・フェアバンクスは彼女を好きじゃなかったし、スージーのほうは——そう、義母をいらいらさせようとしているみたいだった。でも、それだけの話よ」

「スージーが出かけたという話はどうなんだ？　雨の中、煙草のために出かけたというのは？　その話を信じるかい？」

「本当のことかもしれないわ。スージーはかなり煙草を吸うの」

「だが、きみはそれが本当の話だと思っていないんだな？」

「思っていないわね。スージーが特に良心的な人だとは思えないけれど、誰かを殺すとは考えられない。彼女と夫はここを離れて農場を買いたがっていた。ミセス・フェアバンクスは反対していて。だからって、そんなことが殺人の動機になるとは——」

「スージーが玄関の屋根の上にある網戸の掛け金を外したことはあり得るかい？　夜の早いうちに」

「スージーは夕食後には二階へ来なかったわ。夫と映画を見に出かけたの」

「そのあとはどうかな？　ガリソンという女性が来てからはどうだい？」

「スージーはアイリーンのいる部屋には全然入らなかった。彼女はアイリーン・ガリソンを毒物並みに嫌っているのよ」

「スージーはどんな女性かな？　力は強いかい？　筋骨たくましいタイプか？」

「かなり強そうに見えるわね。大柄な女性よ」

パットン警視は廊下を見渡した。普段はヒルダの椅子を隠している衝立がたたんで壁に立てかけてあったので、何にも邪魔されずに廊下を眺められた。「スージーの部屋はどこだ?」

ヒルダが場所を教えると、パットン警視はそこへ戻ってドアから裏の階段までじっくりと観察した。

「スージーが出ていくところは見なかったんだな?」

「ええ。衝立でさえぎられていたから」

「となると」パットン警視は物思わしげに言った。「スージーがどれくらい長く外にいたのかは誰も知らないわけだ。彼女は梯子を扱えるくらいに大柄で、義母と折り合いはよくなかった。もっと動機がなさそうなのに電気椅子送りになった者はいるんだよ!」

出し抜けにヒルダはスージーを弁護したい気持ちに駆られた。スージーはあまりにも真っすぐで率直すぎる。彼女は——そう、彼女はただスージーらしいというだけだ。

「スージーがアイリーンの部屋に入り込んだと思っているのね? アイリーン・ガリソンがいたのよ。彼女は皮下注射を打たれるまで目を覚ましていた。彼女が眠ったあとだって、スージーがどうやってミセス・フェアバンクスの部屋に入れるというの? わたしがここにいたのよ。この椅子に。二時半に遺体として発見されたとき、ミセス・フェアバンクスはすでに——冷たくなっていた」

それにもかかわらず、パットン警視は警官に梯子を探させた。家の中か外にあるかと。できれば濡れた梯子が見つかるのが望ましかった。その後、パットン警視は腰を下ろそうとしなかった。何か考えるように顔をしかめてじっと立っていたのだ。

「ラジオのことはどうなんだろう?」突然、パットン警視は訊いた。「老婦人が自分でつけたのは確かなんだな? 誰かが遠隔操作でスイッチを入れたのかもしれないぞ。六十フィート離れていても操作できるそうだからな」

「ケーブルとか、そういったものを使って?」

「別に新しい方法でもないだろう」

警察から来た男たちはもう部屋を出ていた。パットン警視は何人かを警察署に帰し、二人の刑事を引き留めた。

「この家の部屋を全部調べたい」彼は刑事たちに言った。「遠隔操作でラジオをつけられる装置がないか探してくれ。それから蓄音機も探してほしい。言うまでもないが、怪しいものは何でも見つけてくれ。ミス・アダムスが表側の部屋を調べてくれる。そこに病気の女がいるんだ」

彼らは音もなく事務的に立ち去った。図書室からは少しも物音が聞こえず、下の私道からは鑑識課の男たちやカメラマンが帰っていく車の音が聞こえてきた。ヒルダはそこで身を寄せ合っている人たちを想像できた。打撃を受け、放心状態になっているのだろう。彼女は立ち上がった。

「もう始めますか?」

「準備できたのなら」

ヒルダはアイリーンの部屋に入っていった。アイリーンは眠っていたが、ヒルダが入ってきたので目を覚ました。

「いったい何なの?」アイリーンは不機嫌に言った。

「すみません。この部屋を調べなければならないんです。屋敷中を調べるんだとか。面倒はおかけしません」

「やってちょうだい。警察は何を探しているの?」

けれども、結局のところ何の成果もなかった。スーツケースには服が一、二着と下着が少し入っているのみで、ほとんどはかなり着古したものだった。マリアンの贅沢な衣類が下がったクローゼットはアイリーンの服と酷なほど対照的だったが、それだけのことだ。アイリーンはあくびをして退屈で無関心に見えた。

「早く出ていって、わたしを眠らせてほしいわ」

「ご気分はいかがですか？」

「いいはずないでしょう？」

ヒルダが部屋を出ていくとき、アイリーンは半ば眠りに落ちていた。

彼女はドアを後ろ手に閉めたが、屋敷内の調査はまだ続いていた。刑事の一人は三階へ行くところだった。これまで何も見つかっていないのだろうとヒルダは推測した。ミセス・フェアバンクスの部屋の外には制服姿の警官が番をしており、中では二人の白衣の男が柳編みの長いバスケットをベッド脇に引き寄せていた。

では、イライザ・フェアバンクスは花嫁としてやってきた屋敷を、バスケットに入って去るというわけか。盛大に花を飾られたり、静かな音楽を流されたりすることもなく。死者の威厳すらないし、心から嘆き悲しんでくれる人もいない。

ヒルダは廊下に立ったまま、小声でひそかに誓った。この殺人犯に復讐するため、警察の力になろう。誰にせよ、こんなことをした者を死に至らしめようと。「ですから、神さま、わたしをお助けください」

第十三章

ヒルダが階下へ行くと、家族の者と使用人はまだ図書室にいた。彼らはヒルダにまったく注意を払わなかった。今ではセロファンに包まれて警視のポケットに納められている例のナイフが、彼らを通常の営みから、生活のまともな習慣から切り離してしまったかのようだ。ヒルダが図書室に入っていったとき、顔を上げたのはジャニスだけだった。目を腫らし、湿ったハンカチを握り締めていた。

「終わったんですか?」

「いえ、まだです」

「でも、こんなのひどいわ。わたしたちは囚人じゃないのよ。わたしたちの誰一人、おばあさまを傷つけるはずがないじゃない」

「誰にせよ、どうやってあんなことができたのか、わかりません」

カールトンが振り返り、血走った目でヒルダを見た。ハイボールのグラスを手にしていたが、これが一杯目でないことは明白だった。

「きみはどこにいたんだ?」彼は詰問した。「きみの仕事は母を守ることだったと思ったが。きみのことを我々は何も知らない。きみが母を殺したんじゃないと、我々にわかるはずがあるかい?」

「ああ、うるさくしないでよ、カールトン」スージーが疲れたように言った。「この人が殺す理由なんてないでしょう?」

全員を見張っていてくれ、とパットン警視は言ったのだった。彼らは今や本気で戦うだろう。カールトンから目を離すな。妻も見張っていろ。使用人たちも監視しなければだめだ。何かを知っているかもしれない。奴らに梯子や網戸のことを話してみろ。そうすれば、驚くかもしれない。

ヒルダは腰を下ろした。使用人たちは一隅に固まっていた。マギーは激怒した様子で、アイダは両手を膝の上で握り合わせたまま宙を見つめ、ウィリアムは椅子の端に腰かけて老人みたいに頭を左右に振っている。

「誰かが外から侵入したのかもしれません」ヒルダは言った。「ミセス・ガリソンの部屋の網戸が開いていました。警察は今、梯子を探しています」

そう聞いてカールトンの体から力が抜けたようだとヒルダは思った。ハイボールを一口すすりさえした。「梯子ならたくさんあるよ」彼は言った。「結局、警察も多少はものがわかるというわけだな」

ジャニスだけが手厳しい反応を示した。彼女はしゃんと座り直し、きついまなざしでヒルダを見た。「ばかげているわ」ジャニスは言った。「そんなことをしたがる人なんていますか? 仮に家の中へ忍び込んだ人がいたとしても、祖母の部屋には入れなかったでしょう。いつだってミス・アダムスが廊下に陣取っていたのですから」

ヒルダはジャニスをじっくりと観察した。ジャニスは怯えているだけではない。何かを知っているのだ。スージーもジャニスを凝視していた。

「そんなに真剣に受け取ることはないわよ、ジャニス」スージーはゆったりした口調で言った。「警察はあらゆることを試さなければならないのよ。ヒステリーを起こしてもなんにもならないの。そんなことをしても役に立たない」

まるで警告するような言い方だった。またしてもヒルダは彼らの間になんらかの共謀めいたものがあるのではないかと疑った。沈黙していようという申し合わせがあるのかもしれないと。かつてはばらばらだったとしても、今ではみんなが結託しているかのように。でも、それ以上のことはわからなかった。外で救急車の走り去る音が聞こえ、それから間もなくパットン警視が戸口に現れた。

「みなさんとお話ししたいのですが」パットン警視は室内の誰にともなく言った。「はっきりさせなければならないことがいくつかあります。一度に一人ずつ、みなさんと話せるような部屋があれば……」

カールトンが立ち上がった。また喧嘩腰の表情になっており、ウイスキーの酔いが回っていた。

「お話ししたほうがいいだろう」カールトンは不明瞭な声で言った。「このアダムスという女がすでに話を聞いたと思いますがね。ぼくは今夜、母の部屋にいました。ラジオを消すために入っていった。だが、母には触れもしませんでしたよ。母が眠っていると思った。ぼくは――」

「そのことはあとで話しましょう。あなたはたぶん、ミスター・フェアバンクスですね？」

「そうだ」

「ばかな真似はしないでよ」ふいにスージーが口を挟んだ。「夫は義母を殺していません。どうしてだかわからないけれど、夫は母親を愛していたんです。とにかく、殺しなんてできるだけの度胸がない人です。この人を見てごらんなさい！」

スージーの口調は半ば軽蔑するような、半ば必死に弁護するようなものだった。警視は彼女を無視した。

「部屋があれば、そこで話しましょう、ミスター・フェアバンクス。それから一緒に来てくれないかな、ミス・アダムス。いくつか事実を確認してほしいんだ」

「この女の前で話すつもりはない」カールトンはぴしりと言った。

「ミス・アダムスはわたしのもっとも有能な助手の一人なんですよ、ミスター・フェアバンクス。警察署に行くほうがいいとおっしゃるなら……」

けれども、カールトンは戦意を喪失していた。彼はヒルダを見て肩をすくめた。「わかりましたよ。どうせ隠すことなど何もない。こちらへどうぞ」

カールトンは図書室の後ろにある狭い居間に先に立って入っていった。警視はそれに続いてドアを閉めた。


カールトンから引き出した話は何ら新しい情報を提供するものではなかった。彼がベッドで寝ていたとき、母親のラジオが聞こえてきた。大音量だったので目が覚めてしまった。カールトンは母親の部屋へ入っていってラジオのスイッチを切った。部屋は暗かった。母親の体の輪郭しか見えなかったが、動いていなかったという。

「あなたはすぐに部屋から出たんですね?」

「そうです」

「確かですか?　部屋にいた間、クローゼットの扉を開けはしませんでしたか?」

その質問はカールトンのふいを突いた。彼は落ち着かない様子だった。「クローゼットの扉を閉めました」そう言った。「開いていたので」

「それはちょっと興味深いですな？　つまり、なぜ、そんなことをしたのですか？」

「母はクローゼットを閉めておくのが好きでした。金庫がそこに入っていたので」

「あなたは金庫を調べようと立ち止まったのではありませんか？」

カールトンはためらった。「えー、ちょっと覗きました」そう言ってヒルダをちらっと見た。「ぼくはミス・アダムスについて何も知りませんでしたから。ただ怪訝に思って……」彼は微笑もうとしたが、うまくいかなかった。「母はいろんな意味でかなり変わっていました。ぼくは金庫の中を一度も見たことがなかった。でも、もしも母がそこに金を入れているなら……」彼の声はふたたび尻すぼみに消えた。

「ぼくは母の頭がどうかしていると思ったんだ」カールトンは激しい口調で言った。「蝙蝠だのなんだのと騒ぎ立てていたこととか。だが、もっとよくわかっているべきだった。この春、誰かが母に毒をのませようとしたんです。その話はご存じでしょう？」

「はい。それに蝙蝠のことはお母さまから聞きましたよ」

カールトンは驚いた表情だった。「母が警察へ行ったんですか？」

「そうです。先週の月曜にお会いし、お母さまの求めに応じてミス・アダムスを差し向けたわけです。お母さまはこの家の誰かが自分を怖がらせて心臓発作を起こさせようとしていると信じていましたよ――殺そうとしているとね」

「そんなばかな話が」カールトンは震える指で煙草に火をつけた。「そんなことを試みる者がいるはずはない。どう考えてもばかげている」

とはいえ、カールトンはおおいに衝撃を受けたようだった。観察していたヒルダは、カールトンが本当に心配そうな様子を初めて見たと思った。けれども、パットン警視は次の話題に移った。

「あなたは金庫を開ける組み合わせ番号をご存じですか？」

「いいえ」

「ミセス・フェアバンクスの死によって利益を得るのは誰でしょうか？」

「それが厄介なんだ。全員が利益を得ます」

「使用人たちも？」

「よくわかりません。母の遺言状を見たことがなくてね。母の弁護士であるチャールズ・ウィルスが持っています。使用人もちょっとしたものをもらうかもしれないな。問題にするほどの額ではないでしょう」

「遺産がどれくらいか、おわかりにならないんですか？」

そう話題を変えられて、カールトンの顔がやや紅潮した。彼は煙草の火を消して背筋を伸ばした。

「知らないというのが事実です」苦々しげな口調だった。「父は三百万ドルほど遺しました。母はずいぶん遺したに違いありません。ぼくは母に信用されていなかった。税金だのなんだのといったことを母と話そうとしたが、耳を傾けてくれませんでした。ぼくがお金については愚か者だと、母はいつも思っていたんだ。だが、最近の母は支払いを切り詰めていました。理由はわかりませんよ。母に充分な収入があるとよかったんですが」

「充分な、というのはどれくらいですか？」

「ああ、年に四、五万ドルですかね」

パットン警視はかすかに微笑んだ。その金額は彼にとって収入ではなく、資産を意味していたのだ。

しばし沈黙があった。ヒルダは腕時計を見やった。四時半。六月の初旬で、夜明けの光がすでに窓の外の木々の輪郭を浮かび上がらせていた。ふたたび口を開いたとき、パットン警視の顔はいかめしかった。

「検死官によると死亡時刻は一時から二時の間だそうです。一時に近いほうだというのが検死官の考えです。解剖が済めば、もっと正確な死亡時刻を教えてもらえるでしょう。その時刻にミセス・フェアバンクスの部屋に入ったことが知られている唯一の人間はあなたなのですよ、ミスター・フェアバンクス」

カールトンはさっと立ち上がった。「ぼくは母に一切触れていない」甲高い声で言った。「母が眠っていると思ったんだ。ミス・アダムスに訊いてください。ぼくが部屋にいたのはほんの一、二分です」

今やカールトンは恐ろしいほど真剣になり、完全に酔いが覚めていた。ヒルダは彼が気の毒になった。家族の中では、ジャニスは別としてカールトンだけが老婦人にいくばくかの愛情を持っていたのだとヒルダは思った。マリアンは母親を腹立たしく思い、結婚が失敗したことを彼女のせいにしていた。スージーがミセス・フェアバンクスを軽蔑していたのは明白だった。アイリーンすら彼女を老いぼれ悪魔と呼んでいたのだ。

「あなたは部屋に入っていってベッドの足元を回り込んでラジオのスイッチを切り、戻ってきてクローゼットの扉を閉めた。それで正しいですか？」

「そのとおりです」

カールトンは自分の話を変えようとせず、ついに部屋を出ることを許された。パットン警視はヒルダを見やった。「本当のことを言っているのか、それとも嘘だろうか？」彼は言った。

「とにかく一部は本当でしょう。彼がクローゼットの扉を閉めたとしたら、開けたのは誰だったのでしょう？　カールトンは何かを隠しています。決して言おうとしないでしょうね」

「それが何か見当がつくかい？」

「さっぱりわかりません。もっとも、妻が雨の中を外出していたことをカールトンが知っていたなら、話は別ですけれど。あの人は奥さんをとても愛しているんです」

パットン警視はセロファンに包まれたままのナイフを取り出して、自分の横のテーブルに置いた。

「これをマギーに見せてみよう」彼は言った。

しかし、相当な興奮状態にあったマギーはナイフを一目見るなり、きっぱりと否定した。「これはあたしのものじゃありません」彼女は言った。「それに、このお屋敷で二十年間働いてきたけど、こんなものは一度も見たことが――」

「わかりました」パットン警視は言った。「帰ってかまいません。執事と、もう一人のアイダという女性を呼んできてください。それとコーヒーをお願いします。コーヒーを飲ませたい部下もいるので」

マギーはすっかり気が抜けた感じで出ていき、ウィリアムとアイダが部屋に入ってきた。どちらもナイフに見覚えはないと言った。二人ともベッドに寝ていたときにスージーの悲鳴で目が覚めたそうだ。そして二人とも――彼らが出ていったあとでパットン警視が意見を述べたところによると――吹き溜まりの雪のように清廉潔白で、胎児さながらに無垢らしかった。

「しかし、使用人というものは」彼はにこりともせずに言った。「災難があったとき、家族よりもはるかに感情的になるのが普通だ。しばらく彼らを見張っていてくれ」

この言葉を証明することになったのは、次に呼びにやられたスージーだった。のんびりと入ってきた彼女はかすかにおもしろがるような表情を浮かべ、指に煙草を挟んでいた。引きずられて汚れたガウンの上にはまだレインコートを着ている。

「厄介な仕事が始まったみたいね」彼女は言い、ナイフを気にもせずにテーブルの端に腰かけた。「あたしはミセス・フェアバンクスが好きじゃありませんでした。カールトンの事業が失敗してからというもの、あたしは彼女のお恵みに預かって、侮辱に耐えなければならなかった。彼女を老いぼれの意地悪女だと思ったし、そう口に出したこともあります。だから、あたしはいちばんの容疑者なんでしょうね」

パットン警視はスージーを観察した。ガウンに、汚れた室内履き。髪はまだ湿ってカールが取れていた。「そうとは限りません」彼は冷ややかに言った。「今夜、あなたが外に出ていかれた理由をうかがいたいのですが」

「お友達の看護婦さんから聞いたんじゃないの？　車から煙草を持ってくるために外へ行ったのよ。そうしたらひどい嵐に遭ってしまって」

「煙草なら部屋中にあったでしょう、ミセス・フェアバンクス。あるのを見ましたよ。あなたが外出していた理由は煙草じゃありませんね」

スージーはパットン警視をにらんだ。「だったらどうだというの？」スージーは挑戦的に言った。「知りたいなら話してあげますけれど、あたしは義母を殺していない」

「しかし、彼女に好意を持っていなかったことは認めますね」

「あらあら！　あたしはあなたにも好意を持っていないけれど、だからといって喉をかき切ったりしないわよ」

「それはよかった」パットン警視は重々しい口ぶりで言った。「あなたがお義母さんを殺したと責めているわけではありませんよ。今夜、ミセス・ガリソンの部屋にいらしたかどうかを知りたいだけです」

スージーは心底から驚いたように見えた。「アイリーンの部屋ってこと？　いたはずないでしょう。あたしはミス・アダムスが彼女の部屋の網戸を閉めていた間、廊下の椅子に座っていたのよ。ありがたいことにアイリーンは眠っていた。あれほどアイリーンのそばに寄ったときはなかったわね。あんなに近づきたくなかったほどよ」

「アイリーンのことも好きではないんですね？」

「あの女もあばずれよ」スージーは実感のこもった口調で言った。

だが、それからあとは曖昧な返事しかしなかった。スージーを観察していたヒルダは彼女が怯えていると確信した。自信ありげな様子は、パニックに陥りそうな気持ちを隠すためなのだ。とはいえ、スージーは自分の話を変えなかった。煙草を取りに外出して嵐に遭ったのだ、と。車庫には鍵が掛かり、エイモスのいる部屋に通じる階段へのドアも施錠されていた。スージーは車庫の軒下にかなりの間立っていたという。それから屋敷まで駆け出したらしい。

「それだけですか？」

「それだけです」スージーは反抗的に言った。

パットン警視はポケットから紙きれを取り出して広げた。

「『二時五分前』」と彼は読んだ。「『女が一人、おれの窓の下で悲鳴をあげた。おれは窓を持ち上げて外を覗いた。彼女はまだそこに立っていたが、誰か別の人間が垣根の壊れたところから出てきた。男だったと思う。女のほうはミセス・カールトン・フェアバンクス。彼女は腕をさすっていた。おれは彼女が家の中に入るまでずっと見ていた』」

スージーの威勢のよさが消えてしまった。彼女は豊かな髪をかきあげた。「エイモスったら！　あの小汚いスカンクじじい！」彼女は言った。「いいわ、どうせたいした話じゃないんだから。でも、あなたがたの役には立てないわよ。確かにあそこには男がいた。階段へ通じるドアを開けようとしていたとき、その人に腕をつかまれたの。あたしが悲鳴をあげると、男は逃げた。でも、それが誰だったかはわからないの」

スージーはその話に固執した。腕をつかまれたとき、男は自分の後ろにいたのだと。男は一言も話さなかったし、雨はどしゃ降りだった。わかっているのは、叫んだときに男が彼女を放して逃げたことだけだという。ミス・アダムスにはその話をしなかった。徹夜で見張りをする女を怖がらせても無意味だからだった。とはいえ、スージーはショックを受けていた。すぐにベッドへ行く気になれなかった。そこで廊下で腰を下ろしているうちに、ミセス・フェアバンクスが殺されていることがわかったというわけだった。

スージーはレインコートの袖をまくって前腕を見せた。「あたしを信じないなら、ちょっとこれを見て」スージーは言った。

腕には指でつけられたような二つか三つの小さな痣があり、すでに紫色に変わっていた。「あたしは痣ができやすいのよ」スージーは言った。

スージーは頑なに同じ話を繰り返した。外に日が昇って小鳥たちがさえずりだした頃、ようやくスージーは解放された。だが、こんな警告つきでだった。

「その男が誰だったか、あなたはご存じじゃないかと思いますがね、ミセス・フェアバンクス」パットン警視は冷静に言った。「よく考え直してください。こんな事件では何かを隠しだてすることはためになりませんよ」

スージーが出ていくと、パットン警視はヒルダを見やった。

「さてさて、ミス・ピンカートン」彼は言った。「今のはどう思うかい？」

「彼女は演技がうまいし、かなり嘘が上手ね」ヒルダは言った。「誰かをかばっているんでしょう」ヒルダはためらった。「もしかしたら、ブルック先生をかばっているのかも。彼はハストン街を横切ったところに住んでいるし、垣根に開いた穴をいつも通っているの。でも、何でもないんじゃないかしらね。あのお医者さんはジャニス・ガリソンを愛している。彼はジャニスに会おうとしていたのかも。あるいは」――彼女はかすかに微笑した――「ジャニスの窓を下から覗こうとしたのかもね。恋をしている人はそんな行動をとるものよ」

けれども、パットン警視はいきなり立ち上がった。「医者か！」彼は言った。「あの医者はジャニスを愛している。彼女は遺言で遺産をもらうことになっているし、彼は十五分か二十分の間、ミセス・フェアバンクスの部屋の外に一人きりだったんだ。いったいあいつはどこにいる？」

「怪我をした女性を病院へ連れていったの。もう家に帰っているかもしれない。でも、あの人が犯人のはずはないのよ。ラジオが――」

「ああ、いまいましいラジオめ」パットン警視は言った。

彼は廊下に出ていき、コートニー・ブルックの家へ行けと警官に命じた。それからジャニスを呼びにやった。ジャニスはゆっくりした足取りで部屋に入ってきた。目はまだ真っ赤で、ヒルダは彼女への同情がこみ上げるのを感じた。ベッドに入る前に長い髪の端をカーラーで巻いたらしく、そのせいでジャニスはいっそう子どもっぽく無邪気に見えた。パットン警視さえ、優しい口調で言った。

「お座りなさい、ミス・ガリソン」彼は言った。「こういった事件の場合、我々がありとあらゆる質問をしなければならないことはおわかりですね。怖がらなくていいんです。我々が知りたいのは真実だけですよ」

「わたしは何も知りません」

「それはそうでしょう。事件が起きたとき、あなたは眠っていたんですね?」

「いつ事件が起こったのかは知りませんが、スージーの悲鳴が聞こえたとき、わたしは眠っていませんでした。眠くなかったですし、祖母のラジオが大音量で鳴っていましたから」

「外出するつもりだったんじゃありませんか? つまり、外へ行く気だったのでは?」

ジャニスは怪訝そうな顔つきだった。「外へ? いいえ。なぜ、外出するつもりだったと?」

「たとえば、誰かと会うためとか?」

ジャニスはふいを突かれたようだった。まじまじとパットン警視を見つめる。それから恐怖の表情を浮かべた。ジャニスはやみくもに部屋を見回した。ヒルダに視線を向け、ドアに目をやる。椅子から立ち上がりかけさえした。

「おっしゃる意味がわかりません」ジャニスはどうにかあえぎ声で言った。

パットン警視の声は相変わらず穏やかだった。

「車庫のそばで誰かと会うつもりだったのでは。それから雨が降ったので、あなたは行かなかった。無理もありませんね？　彼は来たが、あなたは行かなかったというわけです」

「誰も来ませんでした。何をおっしゃっているのかわかりません」

「今夜、車庫のそばでブルック医師と会う約束などなかったと誓えますか？」

ジャニスは戸惑った顔をしただけだった。「ブルック先生ですって！」彼女は言った。「もちろん、違います。先生はいつでも望むときにわたしに会えますもの。この家で」

パットン警視はジャニスを解放した。出ていく彼女を見ている顔には怪訝そうな表情が浮かんでいた。「うーん、なぜあの娘は怯えていたのかな？」彼は強い口調で言った。「わたしが怖そうに見えたのか、それとも――とにかく、このエイモスという男はどんな奴なんだ？　信用できる人間かい？」

「彼は人を困らせるタイプだし、頑固で狡猾ね。でも、正直さに不足はないでしょう」

「『正直さに不足はない』とはどういう意味だ？」パットン警視はいぶかしげに訊いた。

けれども、ヒルダは考え事をしていた。一日か二日前の夜、コートニー・ブルックが父親を垣根の外で見かけたというジャニスの話を思い出していたのだ。さっきジャニスが怯えていたのはそのせいに違いない。でも、ほかにもたくさんの問題があり、ヒルダはめまいがしそうだった。この一両日ほどカールトンとスージーの仲が冷えていたこと。スージーが気を失ったこと。煙草を取りに車庫へ行ったというスージーのばかげた話。今週の初めに何かを車庫から運び出して家から閉め出されたカールトン。ミセス・フェアバンクスの部屋に現れた蝙蝠などの生き物。そしてひとりでに開いたり閉まったりするクローゼットの扉。

そういったものは何らかのパターンを作っているに違いない。見張りがいる密室の中でナイフで刺された老婦人の死とそれらがどう関係するのだろう?

ブルック医師が到着する少し前、二階から刑事の一人が下りてきて戸口に現れた。なんだか浮かない表情だった。

「老婦人がいた部屋に蝙蝠が一匹いました」刑事は言った。「カーテンからぶら下がって大暴れしています」

「そんなことは知るか」パットン警視は言い、ため息をついた。

すっかり明るくなった頃、ブルック医師が到着した。疲れて困惑した様子だった。スージーと同様に、いかにも嵐に遭ったような格好をしていた。カラーは皺くちゃで、ネクタイはだらりと紐さながらに垂れていたのだ。

「いったい何があったんですか?」ブルック医師は訊いた。「ぼくは病院から戻ってきたところなんです。ミセス・フェアバンクスは――」

「ミセス・フェアバンクスは死んだ」パットン警視はそっけなく言った。「昨夜、殺されたんですよ」

医師は身を固くし、目を見開いてヒルダに視線を向けた。「殺されたって! ぼくが夫人に処方したのは眠れないときのための睡眠薬だけですよ。もし、ほかのものをのんだとしたら――」

「彼女はナイフで刺されたんです。毒殺されたわけではない」

その言葉に医師は打ちのめされたらしかった。彼は立っていられなくなったかのように椅子に腰を下ろした。

「昨夜のあなたの行動を説明していただきたいんですが、先生」パットン警視は滑らかに言った。「まずは、よろしければ、ミセス・ガリソンの具合が悪くなったことからうかがいたい。あなたが呼びにやられたときのことです。あなたは彼女に皮下注射を打とうと決めたのですよね。それからどうしました？」

ブルック医師は懸命に自分を取り戻した。「時間についてはよく覚えていません。ミセス・ガリソンは痛みを訴えていました。流産しないかと恐れていたのです。ぼくはここにいる看護婦さんに殺菌した水を持ってくるようにと頼みました。彼女は一階へ行きました。いくらか時間がかかったので、ぼくは――」

「あなたはその間ずっとミセス・フェアバンクスの部屋の外にいたんですね？」

ブルック医師は暗い表情だった。「それがですね、そうだとも言えるし、そうでないとも言えるんです」彼は言った。「ぼくは戻ってきてジャニス・ガリソンと話しました。彼女はずっと父親のことを心配していたんです。ジャニスの義母は夫に捨てられたと言ったのですが、彼女はそれを信じなかった。父親に何かが起こったのだと思っていたんです」

「あなたは廊下にいたのですか？　それとも、ジャニスさんの部屋へ入ったのですか？」

「部屋へ入りました。そこにいたのはほんの一、二分です。ジャニスを安心させるだけでしたので」

「ドアを見張ってくれるとおっしゃいましたよね」ヒルダが言った。「黄泉の世界の番犬のように見張っている、と。覚えていらっしゃるでしょう？」

「まあ、考えてもみてください」ブルック医師は落ち着いた口調で言った。「家にいたのは家族の者だけだったのですよ。外から何者かが侵入する時間などなかった。それに、ミセス・フェアバンクスが恐れていたのは毒をのまされないかということでした。ナイフで刺されるなんてことは――考えていなかったんです」ふいに医師は自分の身なりを意識したようだった。片手をカラーに当てて言う。

「こんな格好ですみません」

パットン警視はブルック医師を見やった。「格好などどうでもかまいません。パーティじゃないですからな。殺人事件を調べているんです」パットン警視は咳払いした。「話はそれだけですか？　あなたはジャニスさんの部屋に入っていって、ふたたび出てきた。そういうことですね？」

「そこにいたのは五分くらいだったかもしれません」ブルック医師は認めた。「彼女のために電話をかけてやって、それから――」

「何か役立ちそうなものを目にしなかったですか？　動き回っている人を見かけませんでしたか？」

一瞬、ブルック医師はためらったようだった。ヒルダはコーヒーが受け皿の上にこぼれていたことや、自分が階段を上がっていったときにブルック医師の表情が奇妙だったことを思い出した。だが、ブルック医師は首を横に振った。

「何もありません」彼は言った。

アイリーンに皮下注射をしたあと、自宅へ帰ったとブルック医師は言った。少し雨が降っていて、車庫のそばの近道を通って垣根の穴を抜けて帰った、と。あたりをうろついている人間などには会わなかったという。ベッドで眠っていたとき、〈ジョーの店〉の男が呼び鈴を鳴らし、街角で事故に遭った女がいるので来てくれと言われたらしい。

「それは何時でしたか？」

二時頃だったと思いますよ、とブルック医師は言った。その頃には嵐がひどくなっていた。医師は電話で救急車を呼び、診察用のかばんを持って街角へ行った。事故に遭った女は舗道に横たわり、そばには一人か二人の人間がいた。女の怪我はかなりひどかった。ブルック医師はできるだけ手を尽くすと、彼女に付き添って救急車に乗って病院へ行ったのだった。

「ぼくは彼女が手術を受けている間、病院にいました」ブルック医師は言った。「そこは以前にぼくが勤めていた病院でした。マウント・ホープ病院です。だから職員のみんなに顔を知られていますよ」

「二時十分前に、あなたはベッドにいましたか?」

「呼び鈴が鳴るまではベッドにいました。窓を開けると、〈ジョーの店〉の男が来てくれと言ったのです」

「あなたは服を脱いでいましたか?」

ブルック医師はにやりと笑った。「そうでしたね。今もそれほどは着ていませんよ。このスーツの下にはね」

「二時五分前に、車庫でスージーさんにばったり会って、腕をつかみませんでしたか?」

ブルック医師は驚いたようだった。「まさか、そんな! ぼくがそんなことをするはずないでしょう?」

けれども、そのあと、ブルック医師はあまり話さなくなった。彼は警戒しているようだった。型どおりの質問がされる間、さっきよりも慎重な態度で答えた。とうとうパットン警視は肩をすくめ、帰っていいと言った。とはいえ、パットン警視はいらだっている様子だった。

「どう思うかい?」警視は不機嫌そうにヒルダに言った。「あの男は何かを知っているらしい。ここのみんなが何かを知っているようだ――わたしを除いてね。たぶん、きみですら何かを知っているんだろう」彼はヒルダを鋭く見やった。「きみなら、わたしをだましかねないからな。前にもわたしに隠し事をした」

「必要に迫られたときだけよ」ヒルダは言い、そっと彼に笑いかけた。

しかし、パットン警視はもうたくさんだと思った。抱えきれないほどの問題があるのだ。立ち上がってテーブルを叩いた。「ちくしょう、ヒルダ」彼はどなった。「もし、きみがここで何かの生き物をひそかに飼っていたら、わたしは――きみを懲らしめてやるからな」

第十四章

朝の八時には、アイリーンも起きて尋問を受けられるくらいになった。髭を剃っておらず、まだちゃんと服も着ていないままのカールトンは妹のマリアンの行方を電話で問い合わせていた。スージーがコーヒーを持ってきたが、そばに置かれたカップに手をつけようともしなかった。

「もしもし。ブランシュさんですか？　お騒がせしてすまない。マリアンからどこかへ立ち寄るとかいうことを訊いていませんか？　急ぎの用があるんですよ」

カールトンは一、二分話してから受話器を置き、電話帳を大慌てでめくると、また同じような電話を始めた。

図書室の隣の居間ではコートニー・ブルックがジャニスをなだめようとしていたが、彼女は長椅子に顔を伏せて横たわり、慰めを受けつけなかった。長くて真っすぐな髪の端に巻いたカーラーの一つが緩んでいて、ブルック医師は柔らかいカールを指に巻いてもてあそびながら座っていた。

「信じてくれ、ダーリン。大丈夫だよ。いつまでもそうしていたらいけない。きみを見ているとたまらないよ」

「おばあさまが亡くなってしまったのよ」ジャニスの声はくぐもっていた。「その事実は何をもってしても変えられないわ」

「ひどい話だよ、ジャニス。それはわかる。不安なことにではなく、ありのままのことだけに目を向けよう。きみは公平じゃないよ。警察だってちゃんとした事実をつかむまでは、有罪だと誰にも言わないじゃないか」

「わたしは彼と会ったのよ。話をしたの」ジャニスは寝返りを打って起き上がった。恐怖心をたたえた目を見開いている。「きっと何もかも知られてしまうわ、コートニー。おばあさまはあれを金庫に入れていたのよ。わたしにそう言ったもの。警察は金庫を開けるでしょう。そうしたら――わかってしまうわ」

「殺人犯が誰にせよ、金庫は開けていなかった。だから、あれはまだ金庫にあるよ、いとしい人」

立ち上がったジャニスをブルック医師は支えた。なんて痩せているのだろうと彼は思った。この女性はどれほどつらい人生に翻弄されてきたのかと。ブルック医師はジャニスをきつく抱き締めた。

「もしも、あれがまだあそこにあるなら」ジャニスは興奮した声で言った。「わたしたちが手に入れられると思う？　ああ、コートニー。あれを手に入れられないかしら？　おばあさまはどこかに金庫を開ける組み合わせ番号を書き残しているはずよ。ご自分の記憶力を信用していなかったから」

「とにかくやってみよう。二階へは行けるのかな？」

「役に立つのなら、空だって飛んでみせるわ」

長い階段を上がっていく彼らは哀れな格好の二人組だった。ジャニスの目はまだ腫れていたし、皺くちゃの寝間着はバスローブの下から垂れ下がり、相変わらず素足だったのだ。ブルック医師のほうもそれよりましとは言えず、雨でぐしょ濡れのスーツを着た姿はみすぼらしかった。髪はあらゆる方向に勢いよく突っ立ち、首のまわりのカラーは折れている。一階の廊下にいた、無表情な顔で警備についていた制服姿の警官に気づかなかった二人は望みを抱いていたが、それも二階へ着くまでの話だった。ミセス・フェアバンクスの部屋の外に警官が立ち、こっそりと煙草を吸っているところに出くわしたのだ。

慌てて煙草の火を消したため、警官はジャニスたちの顔に浮かんだ落胆の表情に気づかなかった。そのあと間もなく、ブルック医師は帰っていった。アイリーンはまだ眠っていた。屋敷には物音もしなかった。だが、外の敷地では一人か二人の男が玄関の柱や屋根をひそかに調べていた。そして私服の刑事が前かがみになり、車庫のまわりや生垣の近くの地面を注意深く検(あらた)めていたのだ。

ブルック医師がそばに寄ると、刑事は目を上げた。「この家を離れてもいいという許可はもらいましたか？」

「ぼくは医師です」ブルック医師はこわばった口調で言った。「診療所が通りの向かいにあります。何か問題でも？」

彼は喧嘩腰だったが、刑事はにやっと笑っただけだった。「何も問題ありませんよ。まったくね。ただ、ちょっと足を見せてください。それだけです」

「ぼくの足があなたに何の関係があるんですか？」

「関係はないですよ。あなたが両足をなくしたって、わたしは涙一滴も流しやしません。さあ、ちょっと靴を見せてください、先生」

ブルック医師は腹が煮えくり返っていたが、彼の靴を、とりわけ踵を一瞥すると、刑事は肩をすくめただけだった。

「雨が降り出したあと、この家から出ていきましたね？」刑事は言った。「結構。それでわかります。

じゃ、またあとで。その靴をちょっと調べなければなりませんから」

ブルック医師はまだ怒りが収まらないまま、通りを渡り始めた。彼は近所の人々がどれほど興奮しているかに初めて気づいた。グローブ街へ通じる私道の入り口あたりには人だかりができ、通りの両側の家々の窓という窓からシャツ姿の男や、急いで服を着たらしい、あるいはちゃんと着替えてもいない女たちが覗いていた。さらにブルック医師の怒りを煽ったのは、彼の診療所がある家から出てきただらしない身なりの娘が石段に座り、笑い声をあげる少年たちに囲まれていたことだ。

ブルック医師は少年の一人をつかんで揺すった。「ここから出ていけ」彼は言った。「出ていって、ここへは近づくな。おまえたち全員だ」医師は娘をぐいっと引っ張って立たせた。「中に入って、たまにはちゃんと仕事をしろ」そう命じた。「もしも今度こんなところを見つけたら……」

そんなことを言っても無駄だとブルック医師は知っていた。こういうことがあらゆる悲劇の醜い一面なのだ。ひそかに悲嘆する権利すら奪ってしまう、異常な好奇心や貪欲な関心が。だが、それには対抗できなかった。彼は二階へ行き、不快感を洗い流すかのように風呂に入った。

フェアバンクス家のダイニングルームではパットン警視がソーセージやパンケーキといった、たっぷりした日曜の朝の食事をとっていた。殺人捜査課の長身でひょろっとした警部は警視に遅れまいとして食べている。食べることなんてとても無理だったヒルダは彼らを腹立たしい思いで見ていた。男ってこんなものなのね、と彼女は思った。女のように相手の立場になってみることはない。今度の事件はただの出来事、単なる仕事にすぎないのだろう。ある家族がばらばらに引き裂かれようが、家族の一員が死刑宣告を受けようが、どうでもいいのでしょうね。

ちょうどウィリアムがパンケーキの追加分を持ってきたとき、エイモスがダイニングルームに入ってきた。エイモスのずる賢そうな小さな目は光っていた。

「庭にいるおまわりさんが足跡を見つけたって伝えてくれと言うんでさ」エイモスは言った。「オークの大木の下です。おまわりさんはその上に石鹸箱をかぶせていましたよ」

警部が立ち上がり、残念そうに最後のパンケーキを一瞥した。「あなたの勝ちだと思いますよ、警視」彼は言った。「十三対十一で、わたしの負けです。きっと足跡の型が必要ですね」

警部は出ていき、パットン警視は最後にコーヒーを飲んでナプキンを置いた。「これで元気が出たようだ」そう言った。「眠気を追い払うには食べるのがいちばんだよ」

「これから一カ月は眠らなくても大丈夫そうね」ヒルダは辛辣な口調で言った。

パットン警視は立ち上がって煙草に火をつけた。「意地悪を言わないでくれ」彼は言った。「きみらしくもない。きみは救いの天使で、人々から悩みを相談されながら編み物をしているご婦人なんだ。それで思い出したが、アイリーンはどんな具合かな？　彼女に会わなければならない。あの女をどう思う？」

「容疑者としてってこと？　わたしに言えるのは、流産の危険があってモルヒネを打たれているとき、普通の女なら殺人なんかしないということだけね」

「そうかい？」パットン警視は興味深そうにヒルダを見た。「まあ、きみならよく知っているだろうよ！　だが、きみでも驚くだろうな、ヒルダ。思いもかけないようなことをやれる女もいると知ったらね」

パットン警視を外に残したまま、ヒルダが部屋に入っていったとき、アイリーンはまだ薬の影響で眠っていた。起こすのはなかなか大変で、ようやく目を覚まさせたとき、アイリーンは自分がどこにいるのかわからないようだった。アイリーンはベッドに起き上がり、ぼうっとした目であたりを見ていた。

「いったいどうして、わたしはここにいるのかしら?」アイリーンは明かりに目をパチパチさせながら問いただした。

「昨夜、ここにいらしたんですよ。覚えていらっしゃいませんか?」

アイリーンは伸びをしてあくびをした。それからいたずらっぽく微笑した。「ああ、そうね、覚えているわ!」彼女は言った。「あの人たちの顔ったらなかったわね?」

けれども、パットン警視が入ってくると、アイリーンの顔から笑みが消えた。彼女は起き上がり、上掛けを体のまわりに引き寄せて疑わしげな目で彼をじっと見た。「どなたですの?」アイリーンは言った。「お会いしたことはありませんよね?」

パットン警視はアイリーンを見下ろした。ひどく神経過敏になっているなと思った。それに死ぬほど怯えている。神経質になっている女からは離れていたいところだが。

「すみません、ミセス・ガリソン。わたしは警察の者です。いくつかお尋ねしたいことがありましてね」

しかし、パットン警視はすぐには質問しなかった。今や記憶がしっかり蘇ってきて、アイリーンはすっかりショックを受けているように見えた。実際、また気を失いかねない様子で、ついには仰向けになり、上掛けの下で震えて何も言えないようだった。

「スージーが悲鳴をあげていたことを覚えています。わたしは起き上がってドアへ行きました。ミセス・フェアバンクスが亡くなったと誰かが言っていて——殺されたと。そのあと、わたしは気を失ったんだと思います」

「昨夜、この部屋に誰かがいたらしい物音を聞きませんでしたか？　事件が起こる前ですが」

「事件がいつ起こったか知りませんもの」アイリーンは不機嫌な口調で言った。「ここにはアイダがいました。お医者さまも。それにもちろん、看護婦さんもいましたわ」

「窓の網戸の掛け金を外しましたか？　何か目的があって」

アイリーンの顔は蒼白になった。「網戸？」彼女は言った。「それって、つまり――？」

「網戸が開いていたんですよ。網戸が窓に打ちつける音をミス・アダムスが聞きました。彼女はここへ入ってそれを閉めたんです」

アイリーンはいきなり起き上がった。目を大きく見開き、怯えた様子だった。「ここを出ていきたいわ」彼女は言った。「わたしは病気だし、この件については何も知りません。ほかに行く場所があれば、こんなところには来なかったわ。ここの人たちは、できればわたしに殺人の罪を着せようとするでしょうね。みんなわたしを嫌っているのだもの」

「誰が嫌っているというのですか？」

「誰も彼もよ」アイリーンは荒々しい口調で言い、大声でヒステリックに泣き始めた。

パットン警視がそれ以上の質問をするまでいくらか時間がかかった。だが、アイリーンはラジオの音など聞こえもしなかったと主張した。話したとき、ミセス・フェアバンクスはいつもどおりだったとも。

「ミセス・フェアバンクスは神経質になっていたようでもないし、不安がってもいなかったのですね？」

「彼女は不機嫌そうでした。わたしを気に入ってくれたことはなかったんです。でも、面倒は見ると約束してくれました。わたしの――赤ちゃんが生まれたときには」

指紋を取りたいのだがとパットン警視が言ったとき、アイリーンは異議を唱えなかった。「お決まりの手順の一つでして」警視はアイリーンに言った。彼女が黙って枕に頭を載せて横たわっている間、パットン警視は指を一本ずつカードに押しつけて指紋を取った。だが、もう一日か二日ここにいてほしいと彼が頼んだときは、アイリーンも黙っていなかった。

「もう具合がよくなりました」彼女は言った。「大丈夫です。お医者さまの話では――」

「できるだけ早く出られるようにしてあげましょう」パットン警視はアイリーンに言い、部屋を出ていった。

部屋の外の廊下に出たとき、ヒルダは三階の階段のてっぺんにいた人影のことを思い出した。

パットン警視はパイプに火をつけかけていた。マッチの炎を吹き消し、まじまじと彼女を見つめた。

「いったいなぜ、そのことをもっと早く話さなかったんだ?」彼は憤然として言った。

ヒルダは真っ赤になった。「殺人事件のことや、ヒステリーになっている人で手いっぱいだったのよ。つい忘れてしまって」

しかし、パットン警視の怒りは解けないらしかった。彼は階段を上っていき、ヒルダもあとに続いた。だが、特に変わったものはなかった。ブラインドが引き下ろされた客室は前にヒルダが見たとおりだった。使用人が居住している区域に通じる廊下には人気(ひとけ)がなく、異常な点もなかった。簡単に調べてみたが、窓はすべて閉まって鍵が掛けてあった。汚れた両手をハンカチで拭っているパットン警視は半信半疑というふうだった。

「きみが夢を見ていたわけじゃないのは確かかい？」

「わたしはここへ上ってきて、あたりを見たの。使用人たちの部屋へ誰かが戻っていく時間はなかった。ミセス・ガリソンに興味を持ったマギーかアイダがいたのかと思ったのだけれど」

「それはいつのことだ？」

「皮下注射器のために湯を沸かそうと一階へ行く前よ。わたしがここにいたのはほんの一分か二分で、階段のてっぺんからは離れなかった」

奥まで廊下を歩いていく間もパットン警視はまだいらだっていた。奥にはシーダー材を使った部屋やトランクをしまってある部屋といった、小部屋がいくつかあった。どれもきちんと片づいていたが埃が積もり、最近、隠れ場所として使われた形跡のある部屋はなかった。パットン警視はマッチを擦って床を調べ、相変わらずヒルダを無視して使用人たちの部屋へ進んでいった。屋敷のほかの部屋と比べると、使用人部屋はかび臭かった。六月なのに閉め切りにしてあって、窓は一つも開いておらず、階下からかすかに漂ってくる料理のにおいや着古した服のにおい、整えられていないベッドのにおいがした。

使用人部屋のうちの二つは不在だったが、アイダは自室にいた。ヒルダが入っていったとき、アイダは窓辺に腰を下ろし、膝の上に両手を組み合わせて細面の顔に奇妙な表情を浮かべていた。「わたしは神経が参っていたので、マギーさんに部屋へ行けと言われたんです」アイダは言った。「でも、ベッドへ入ってもしょうがないんですよ。眠れないんですから」

とはいえ、アイダを心底から怯えさせたのはパットン警視の登場だった。アイダは唇まで蒼白になった。立ち上がろうとしたものの、椅子にぐったりと沈み込んでしまった。

「何でしょうか？」アイダは尋ねた。「何も知りません。わたしにどうしろと言うんですか？　少しばかり休むのもだめなんですか？」

ヒルダはアイダをなだめようとした。「ミセス・フェアバンクスが亡くなったこととは何の関係もないのよ、アイダ」ヒルダは言った。「わたしは昨夜、誰かが上の階段にいるのを見たように思ったの。あの前――あの事件が起こる前にね。あそこにいたのがあなただったら、それでかまわないの。わたしたちはただちょっと確認しているだけなのよ」

アイダは首を横に振った。「わたしではありません」

「じゃ、あれはウィリアムだったのかしら？　それともマギー？」

アイダはさっきよりも落ち着いていた。「そのことはわかりません。みんな普段は死んだようにぐっすり眠るんです」

だが、ヒルダには思い出したことがあった。スージーが悲鳴をあげたあと、家中の者が集まってきたのを見たが、たしかマギーとウィリアムは二階の奥の廊下から現れた。でも、アイダは三階へ上る表階段に身動きもせずに立ち、下を見ていたのだった。そのことにアイダは触れなかった。アイダはメイドだから、おそらく表の階段を家族と同じように使う習慣があったのだろう。けれども、ヒルダはその記憶をしまい込んだ。誰かに話すべきだったかと、あとになって思った。もしも話していたら、その後の避けられなかったさまざまな出来事に違いがあったかもしれない。

パットン警視もヒルダもアイダの話を変えることはできなかった。アイダは仕事で荒れた両手を膝の上でくねらせながら座っているだけだった。自分はずっとベッドにいたと、アイダは言った。誰の姿も見ていないし、大奥さまには好意を抱いていたと。できるだけ大奥さまのお世話はしてきました、とアイダは言った。アイダの目には涙が浮かび、パットン警視は彼女を残して部屋から出るとぶつぶつ独り言を言った。

「まったく、泣く女って奴は困るよ」彼は言った。「もううんざりだ」

パットン警視がヒルダに時間を測らせたのはそのときだった。廊下にある椅子から離れて三階へ行き、電気のスイッチを探って、ふたたび二階へ戻ってくる。パットン警視は懐中時計をポケットにしまうと、険しい顔でヒルダを見た。「三分間だ」彼は言った。「三分もあれば、たくさんのことが起こり得る」

パットン警視が帰ったのは九時だった。制服姿の運転手の車で帰っていった。敷地のあちこちにいた男たちは姿を消していたが、巡査の一人がハドソン街の生垣の壊れた場所の横で見張りに立っていた。もう一人の巡査は門の付近にいるやじ馬たちを制していて、二人の巡査がまだ屋敷内に残っていた。ヒルダは警視の車が群衆のせいでなかなか進めない様子を見守っていた。

「うんざりしますね」ヒルダは一階の廊下で見張りについている若い長身の警官に言った。「あのやじ馬たちは恥ずかしいと思うべきよ」

警官は仕方ありませんといったふうに微笑した。「あいつらはちょっとした刺激を求めているんですよ」彼は言った。「外には記者もたくさんいます。今朝早く、牛乳配達のふりをして入り込もうとした奴を捕まえました」

ヒルダは二階へ上がりながら、まだ図書室で電話をかけているカールトンの声を耳にした。

「もしもし、ジョージ。マリアンの行方を探しているんだが。町を出てどこかへ行ってしまったんだ。きみや奥さんのネルのところへマリアンから何か連絡がなかったかい？」

第十五章

ヒルダは疲労困憊していた。アイリーンの部屋を覗くと、アイダが床の敷物を掃除しているところだった。アイリーンは髪を梳かしてもらって、リネンのシーツを取り換えられたベッドに寝ていた。相変わらず顔色は悪かったが、前よりも具合がよくなったように見えた。

「かまわなければ、仮眠を一、二時間取りたいのですが、ミセス・ガリソン」ヒルダは言った。「この頃、あまり眠っていないので」

「わたしなら問題ないわ。あの間抜けなおまわりさんにそう言ったのに、こっちの話を聞こうとしないのよ」

ヒルダは自室に戻った。だが、ベッドに入ったわけではなかった。マギーがジャニスの部屋にトレイを運んでいたので、あとについていった。ジャニスはきちんと着替えて窓のそばに立っていた。彼女はトレイを見やり、首を横に振った。

「食べられないと思うわ」ジャニスは言った。「でも、ありがとう。コーヒーをいただくわね」

マギーはきっぱりした態度でトレイを置いた。「召し上がってください」彼女は言った。「誰かがこの家を切り回していかなくちゃだめなんです」彼女は口調をやわらげた。「とにかく、食べられないか試してくださいよ、嬢ちゃん」そう言った。「大奥さまがお年だったことを忘れちゃいけません。

どっちみち、そう長くは生きられませんでしたよ」

ジャニスの顎が震えた。「おばあさまは生きることを気に入っていたわ」

「まあ、あたしたちはみんなそうでしょう」マギーは達観したように言った。「だからって、いつまでも生きられるわけじゃないですよ」そして彼女は出ていった。

ジャニスはヒルダに視線を向けた。「わたしはずっと考えようとしていたんです。どうやって母にこのことを知らせたらいいのかと。新聞には出ていませんよね？」

「そう思いますよ。時間がさほどありませんでしたから」

「それに今夜は夕刊がないのよ」ジャニスは絶望したように言った。「明日まで母は事件のことを耳にしないかもしれないわ。母はここにいるべきなのに。カールトン伯父さまは実際的なことが苦手だし、スージーは寝ているの。部屋に入っていったのだけれど、スージーは死んだように眠っていたわ。話をしたかったのに。わたしは……」

ジャニスの声は尻すぼみに消えた。コーヒーを注ごうとする両手がわなわなと震えている。ヒルダは彼女から小ぶりのポットを取ると、コーヒーを注いでやった。

「スージーさんを起こしたらいいじゃありませんか？」ヒルダは静かに言った。「何といっても、重要なことなのですから――」

「重要ですって！」ジャニスの声は苦々しいものに変わった。「あなたもスージーに会ったでしょう。話も聞いたはずよ。あの人が祖母を憎んでいたことはわかるでしょう。彼女は祖母とこの家に暮らすのが大嫌いだった。カールトン伯父さまは農場を欲しがっていたし、スージーは彼を崇めているんです。あの二人はもう農場を持てるわね」ジャニスは力なくつけ足した。「祖母のお金が手に入るから。

スージーは初め、祖母を死ぬほど怖がらせようとしたけれど、うまくいかなかったので——」

「どういう意味でおっしゃっているのですか？」ヒルダは鋭い声で詰問した。「死ぬほど怖がらせたというのは」

「あの蝙蝠やら何やらのことよ。ああいった動物が勝手に中に入ってきたとは思いませんよね！」ジャニスは軽蔑するように言った。「いかにもスージーが思いつきそうなことよ。おばあさまを怖がらせて家から追い出そうとしたんだわ。または心臓発作を起こさせるか。スージーは気にもしなかったでしょうね？」

ヒルダは考えていた。ある意味でジャニスの言うとおりだった。スージーなら、ああいったことをやりかねない。スージーの悪趣味なユーモアのセンスに合いそうだ。でも、殺人は話が違う。スージーが老婦人の砂糖に砒素を入れたり、胸にナイフを突き立てたりする姿をヒルダは想像できなかった。

「昨夜、スージーにはチャンスもありました」ジャニスは話を続けた。「あなたが一階に行った間、コートニーがわたしのところへ来たことも彼女には聞こえていたでしょう。カールトン伯父さまの部屋を通り抜けて、衝立を回り込むこともできたはず。誰にも見られずにやれたでしょう」

ジャニスはぎょっとした様子で話をやめた。スージーが入り口にいたのだ。片手に煙草を持ち、きついブルーの瞳をぎらぎらさせながら。

「じゃ、あたしがやったというのね！」スージーは言った。「このばかな小娘、昨夜、あなたのためにとんでもない嘘をついてやったのに」スージーはドレッシングガウンの袖をまくり上げて腕を見せた。「こんなことをしたのが誰か、知っているんでしょう？　あなたの大事なお父さまが昨夜ここの敷地にいたことをあたしが警察に話したらどうなるかしら？　そして家の中にいた彼の妻が玄関の上の網戸を開けてやったと話したら？　すべてはアイリーンがこの屋敷に入り込んで、フランク・ガリソンを中に入れられるようにするための策略だったと、あたしが言ったらどうなるかしらね？」

ヒルダは鋭いブルーの目で彼らを観察していた。ジャニスもスージーもヒルダがそこにいることを意識していないようだった。ジャニスは今にも倒れそうだ。

「父がおばあさまを殺すはずないわ。絶対に。あなただってわかっているでしょう。心の奥では父がそんなことをしないとご存じのはずよ」

スージーはジャニスをにらんだ。そして肩をすくめた。「じゃ、いいわ、お嬢ちゃん」スージーは言った。「あたしは警察に話していないの。話すつもりもない。あたしが犯人だとあなたがわめきまわらないかぎりは。またはカールトンがやったなんて言いふらさないのならね」ふいにスージーは驚いたようなまなざしをヒルダに向けた。「あらまあ。忘れていた。あなたは警察の人だったのよね？」

「いつもそうだというわけではありません。わたしも人間ですから」ヒルダはかすかな微笑を浮かべた。

「とにかく忘れてちょうだい」スージーは言った。「根拠のないことをしゃべっていただけよ。このお嬢ちゃんにあんまり腹が立ったものだから。たぶんフランクはアイリーンがここにいると思ったのかも。それを確かめに来たのかもね」

スージーが部屋に帰ると、ジャニスはヒルダの腕をつかんだ。「父が来たのはそれが理由だと思います」彼女は絶望的な口調で言った。「間違いありません。何に誓ってもいいわ。わたしの部屋の窓が開いていて、父が外から呼んだんです。父はこう言いました。『ジャニス、アイリーンがどこへ行ったか知らないかい？　うちにいないんだ』アイリーンがこの家にいることをわたしが話して、しかも具合が悪いと言うと、父は心配そうな顔をしました。でも、家に入ってこようとはしなかったんです。雨が降る中をまた去っていきました。雨の中を」ジャニスは繰り返した。その事実に心を痛めたというように。「わたしは父に電話もかけられなかった」彼女は話を続けた。「カールトン伯父さまがずっと電話を使っていたから。もしも警察がこのことを知ったら――」

「どうしてそんなことを心配するんですか？　お父さまにはあなたのおばあさまを亡き者にしたがる理由なんてなかったでしょう?」

「もちろん、そうです」ジャニスは煙草に火をつけ、しきりに吸った。「父は祖母に尽くしていました。でも、父は何があったかを知らないんです。知らせてあげなくては。父が自分の身を守れるように。そうだわ」ジャニスは煙草を置いた。「父に知らせていただけませんか？　家に行って、伝えてください。そうしたからって何の問題もないでしょう。父は逃げられませんもの。わたしの願いはそれだけなんです――何があったかを父に知らせることです」

ヒルダはなかなか承諾できなかったが、ジャニスの青ざめた顔や家族を心から案じている様子を見てとうとう決意した。おまけに好奇心もあった。今回の一連の事件の裏には何かがある。取り乱した夫が行方不明の妻を真夜中に探そうとしただけではない何かが。アイリーンが体調不良だとわかったとき、なぜ彼は家に入ってこなかったのか？　普通なら、家に入って妻と会うはずだろう。

時間がほとんどないとヒルダにはわかっていた。警察はオークの木の下で見つけた足跡の型を取った。今頃はそれに取り組んでいるだろう。この家の男たちの靴を調べて寸法を測り、写真を撮るかもしれない。それにもし、話したよりも多くのことをエイモスが知っていたとしたら……

ヒルダは着替えるために自分の部屋へ急いだ。ドアを開けたとたん、何かが床をすばやく横切った気がした。それが何だったにせよ、見つからなかった。ヒルダは慌てて着替えて階段を下りた。そこにいた警官はヒルダを家から出すなという命令を受けていないらしかった。にっこりしてドアを開けてくれたからだ。

「散歩ですか？」

「ちょっと外の空気が吸いたいの」ヒルダはさりげなく言った。

けれども、玄関の屋根の下で彼女は立ち止まった。舗道には相変わらずやじ馬がひしめいていて、見張りの警官に制止されており、カメラを構えているカメラマンもいた。ヒルダは急いで向きを変え、車庫と壊れた生垣のほうを目指した。エイモスの姿は見えなかったが、五十フィートほど離れたオークの木の下に石鹸箱が横倒しに置いてあった。ヒルダは生垣の壊れたところへ急いだが、カメラのレンズに鉢合わせして立ち止まった。にやにや笑っている若い男が礼を言った。ヒルダはカメラをひったくろうと荒々しく飛びついたが、男はうまく逃げた。

「だめだよ、そんなことしちゃ」彼は言った。「パパにお仕置きされるよ。さてさて、あなたのお名前は？」

「名前はありません」ヒルダはすごい剣幕で言った。

「それじゃ不便なときがあるだろう。誰かがあなたを呼ぶときはどうするんだい？『おい、あんた』とか？」

ヒルダがやめさせるよりも早く、男は彼女の怒った顔の写真をさらに撮った。大急ぎで角のほうへ向かったとき、大勢の人がこちらへやってくることに気づいた。速くはないが、有無を言わせぬ足取りで進んでくる。まるで目に見えない力で後ろから押されているかのように。大人たちの前には幼い男の子が五、六人走っていた。

「あの人、看護婦さんだよ！」男の子の一人が叫んだ。「看護婦さんの帽子を脱いでるけど、ぼく、あの人を知ってるんだ」

「やあ、看護婦さん！　あっちで何があったんですか？」

群衆の先頭に立っていたのは新聞記者たちだった。あっという間にヒルダは熱心な表情を浮かべた若者に囲まれていた。乗るはずのバスが一ブロック先に見え、ヒルダは傲慢な態度で黙って立ったままだった。乱暴な野良犬の群れに囲まれた、小さくてこぎれいなペキニーズ犬みたいに。「お願いですよ、看護婦さん」「ねえ、ちょっと、老婦人はどんなふうに殺されたんですか？」「逮捕された者はいますか？」

ヒルダは破れかぶれになって口を開いた。「お話しすることは何もありません」記者たちに言った。「わたしについてきても、制服の替えを持ってきたり、カナリアの世話をしたりするところしか見られませんよ」

記者たちは声をあげて笑ったが、バスが来てヒルダが乗るまでその場を離れなかった。ヒルダが振り返ると、記者たちが見えた。落胆した様子で元の持ち場に引き返し、何か好機が訪れないかと待つために。おそらくこの事件に新しい視点を得られるものを手に入れて、昇給につなげられないかと思っているのだろう。ヒルダは自分が彼らを失望させたように、すまない気持ちがして後ろめたかった。もちろん、そのとおりだったのだ。

十時に、ヒルダはガリソンのアパートメントに到着した。誰も呼び鈴に応えず、とうとうヒルダはドアが開かないかと試してみた。鍵が掛かっていなかったので、中に足を踏み入れた。そこは黒と白の大理石を敷き詰めた長い廊下だった。突き当たりには古いものの、立派なタペストリーが掛かっていた。それを見たヒルダは意外に思ったたし、客間を目にしたときも驚きの念を禁じ得なかった。念入りに家具をしつらえられた豪華な部屋だが、どこを見ても甚だしく放置されていたのだ。朝の光の中でグランドピアノに埃が積もっているのがわかった。錦織のカーテンはねじれて、窓は汚れ、床の敷物は曲がっている。古い雑誌や新聞があちこちに散らばり、テーブルに載った花瓶には何日も前にしおれたらしい花が挿されたまま枯れていた。

きれい好きのヒルダの心が反乱を起こした。女に去られた男が汚れた環境や無秩序状態にあるのは不思議でもない。けれども、そこにフランク・ガリソンの姿はなかった。あたりはひっそりして、見るからにがらんとしていた。だが、アパートメントをほぼ探索し尽くしたあと、フランクを発見した。廊下のいちばん端にある狭い部屋の中だった。彼は深い椅子に座ってぐっすりと眠っていた。

ヒルダが何を予想していたにせよ、こんなことではなかった。フランクをじっくりと観察する。彼はパジャマを着てバスローブを羽織っていた。新聞の日曜版がまわりに散乱している。傍らには散らかった灰皿と空になったコーヒーカップがあった。前の晩は少ししか寝なかったか、あるいは一睡もしなかったかのように疲労し、髭も剃っていない男の姿だった。

ヒルダが肩に手を置くと、フランクはぎくりとして目を覚ました。しかし、完全に目覚めたわけではなかった。「すまない」彼はぼそぼそと言った。「眠ってしまったらしい」彼はヒルダを見上げ、目をぱちくりさせた。

「てっきり家内だと思っていた」彼は言った。「失礼しました」フランクはゆっくりと立ち上がったが、大柄な体は眠っていたせいでまだ動きがぎこちなかった。すると、彼は相手が誰だか気づいたようだった。不安そうな表情になる。

「ミス・アダムス！　何か起こったのですか？　ジャニスが――」

「ジャニスさんは大丈夫です」ヒルダは椅子に腰を下ろした。「ほかの知らせをお伝えしにきたのです、ミスター・ガリソン。もうご存じかもしれませんが。ジャニスさんに頼まれて知らせにまいりました。ミセス・フェアバンクスがお亡くなりになったのです」

フランクは驚愕したようだった。「亡くなった！」彼は言った。「急な話だな！　ジャニスはつらいだろう。とはいえ、意外な話でもないが」フランクはパジャマ姿の自分を見下ろした。「着替えてから行ったほうがいいな。誰かが訪ねてくるとは思わなかった。どうして亡くなったんですか？　おそらく心臓発作でしょう？」

「いいえ」ヒルダは言った。

「違うんですか？　とすると――」

「大奥さまは殺されたのですよ、ミスター・ガリソン」

フランクはまじまじとヒルダを見た。彼は煙草を一本取り上げようとしていた。今や煙草の箱の上で手が凍りついたように止まっている。信じられないという表情は気分が悪くなりそうなほどの恐怖へと変わった。「殺された！」かすれた声で言う。「理解できない。また毒を盛られたんですか？」

「刺されたのです。ナイフで」

フランクはまだ話がのみこめないようだった。「理解できない」そう繰り返した。「誰が彼女を殺したんだろう？　そんなに長くは生きなかっただろうに。それに誰からも憎まれていなかった。使用人たちからでさえ……」

フランクは途中で言葉を切った。立ち上がって窓辺へ行った。「ジャニスは大丈夫ですか？」振り返りもせずに尋ねた。

「心配していますよ、ミスター・ガリソン」

フランクはくるりとこちらを向いた。「心配だって！　それはどういう意味ですか？　心配とは」

「あなたは昨夜、屋敷の外にいらっしゃいましたよね。ミセス・カールトン・フェアバンクスはそのことを知っています」

「スージーが！　じゃ、あれはスージーだったのか！」フランクは言い、短く笑い声をあげた。「彼女には死ぬほど驚かされたよ」

「ジャニスはあなたが状況を知っているべきだと思ったのです」ヒルダは辛抱強い口調で言った。「もしかしたら面倒なことになるかもしれません。警察がある足跡を見つけました。たぶんあなたのものでしょう。わたしは警察がここへ来る前にあなたに知らせるとジャニスに約束しました――警察が来るとしたらですが。スージーは何も話さないでしょうが、エイモスは話すかもしれません。エイモスは窓の外を見ていたのです。あなたに気づいたかもしれません」

フランクは自分の立場の深刻さがわかり始めたようだった。けれども、彼の話は首尾一貫して明快だった。水曜の夜、フランクの言うところによればアイリーンとの間に意見の食い違いがあったらしい。フランクは荷造りをしてクラブに行き、土曜の朝に飛行機でワシントンへ行ったという。

「この頃いろいろなことがうまくいっていなかった」フランクは言った。「わたしは仕事が必要だったし、政府が住宅を建てているから何か仕事があるかもしれないと考えた。わたしは建築士なのでね。しかし、行ったのは土曜だったし、しかも夏だ」――フランクは微笑した――「政府機関が六月の週末に開いているはずはない」

　フランクは昨夜の真夜中にアパートメントへ帰ったが、アイリーンがスーツケースを持って出ていったことを知った。メイドには暇を出してしまったし、アイリーンに何が起こったのか、フランクにはわからなかったらしい。

「ジャニスが知っているかもしれないと思ったんですよ」フランクは言った。「だが、彼女に電話して家の者を起こしたくはなかった。だから出かけていった。ここを出たのは一時頃かな。前にもそんなことをしたことはあった——つまり、夜にジャニスと話したということだが。どしゃ降りだったが、部屋の窓が開いていたので、ジャニスを呼んだ。ジャニスの話によれば、家内は屋敷にいるとのことだったから、わたしはここへ戻ってきた」

「途中でスージーさんに会いましたか？」

「途中で会いましたよ」彼は言い、ふたたび微笑した。「スージーはけたたましい悲鳴をあげましたね」

　ヒルダはこの話を考えてみた。事実を言っているらしい。とはいえ、すべてが事実でもないとも考えられた。

「あなたはまた戻りませんでしたか？　屋敷へということですけれど？」

　フランクは奇妙な顔つきでヒルダを見た。「さて」彼は言った。「どういうことかな？　わたしが老婦人を殺したと思われているんじゃないでしょう？」

「誰かが大奥さまを殺したのです」ヒルダはそっけなく言い、立ち上がった。

　フランクは埃やら明らかな乱雑ぶりやらを謝りながらヒルダを見送った。このアパートメントはフランクのものだという。けれども運悪く、ここを売ることができなかった。近頃では誰も何も売ることができない。タペストリーすら売れないんだ、と彼は言った。しかし、ヒルダはこういった話の裏に、フランクの自信ありげな態度や美形の顔に浮かんだ冷静な表情の裏に何かがあると感じた。彼の心は激しく揺れながら、はるか遠くに飛んでいるようだった。

角でバスを待っていたとき、ヒルダはパットン警視の車がアパートメントのある建物の入り口に乗りつけるのを見た。車が止まると、男が二、三人出てきた。とすると、結局エイモスは窓から見たものについて話したのだろう。

フェアバンクス家に戻ったヒルダは、警察がアイリーンの部屋の窓から網戸を持ち去ったことをウィリアムから聞いても驚かなかった。だが、モーニングコートにストライプ柄のズボンを穿いて黒いネクタイを締めたカールトンが、金槌と釘をいっぱいに詰めた古い葉巻の箱を持って二階をうろつき回っているのを見たときは仰天した。

「ほかの網戸をすべて釘づけにしようと思うんだ」カールトンは曖昧に言った。「誰も屋敷に入ってこられないように。危なくて仕方ない」

その場に合わないほどめかし込んだカールトンはアイリーンの部屋へ入っていき、ヒルダもあとに続いた。アイリーンはベッドに起き上がっていた。相変わらず顔色は悪かったが、前よりも体調がよさそうだった。何をしているのかをカールトンが話すと、アイリーンは皮肉な笑みを浮かべた。

「今さらそんなことをしても、ちょっと遅すぎませんか?」アイリーンは言った。

「まだ生きていたいと思う者も我々の中にはいるんだよ、アイリーン」

「あなたはもう生きられるんじゃないの?」アイリーンは意地悪い口調で言った。「お好きなように生きられるでしょう。ほかの男がいない農場へ無事にスージーを連れていって豚を育てて、間違いなく楽しめることをやれるはずよ」

カールトンは身をこわばらせた。「そんなことを言われる筋合いはない。きみが病気の女でなかったら——」

「病気の女でなかったら、わたしはここにいないわ」

カールトンは網戸に釘を打ち終えた。あとでヒルダがその日のことを思い返してみると、部屋から部屋へとカールトンが動き回って釘を打つ音が聞こえたものだった。釘づけした痕を彼がきれいに塗り隠したパテや白いペンキのにおいさえも思い出された。

カールトンは十一時半に作業を終えた。ちょうどその頃パットン警視と部下たちがフランク・ガリソンの家をあとにした。フランクは整然と語ったが、パットン警視は彼の話に納得しなかった。警視は長い大理石の床に立ち、ぐいっと帽子をかぶった。

「町を離れないようにお願いします」パットン警視は言った。「もちろん、それ以外のことはご自由に。最初の奥さまがどちらにいらっしゃるか、見当はつかないでしょうか？　彼女を見つけたいのですよ」

「わたしは彼女に信用されていませんからね」フランクは固い口調で言った。「彼女の行き先がいちばんわからないのはわたしでしょう」

第十六章

警察本部
差出人：第十七区署長
宛先：検死官
主題：グローブ街十番、イライザ・ダグラス・フェアバンクス死亡の件
一．六月十五日、午前二時二十分、イライザ・ダグラス・フェアバンクス（七十二歳）が胸部を刺された結果、ベッドで死亡しているところを発見されたというパットン警視からの報告を受諾。
二．本件はただちにパットン警視によって報告され、正規の手続きが取られた。本件の担当は殺人課のパットン警視とヘンダーソン警部。

その日の正午、パットン警視はこの報告書の前に座っていた。人生の悲劇がこれほどまで短い文面で報告されるのか、と彼は思った。男や女が暴力行為で死んだ。悲劇が家庭を壊した。憎悪や貪欲さや復讐心が大きな被害を与えた。こういったどれもが百語にも満たない、お役所的な報告で語られてしまうのだ。
検死報告書のほうがより人間味のあるものというわけでもなかった。一人の老婦人が残酷にも、不

必要な死を遂げた。侵入はほぼ不可能なドアの閉まった部屋の中で。哀れを誘う彼女の年齢や減少していた体重、頭や脇腹や胸部といった少しも役に立たない部分の検査についての記録のあと、検死報告書には死因が記録してあるだけだった。死因は二インチ半の切り傷で、慎重に調べたら心臓まで達しているとか。それにおおよその死亡時刻が書いてあり、十二時半から午前一時半の間だということだった。

パットン警視は検死報告書を置いた。結局、殺人というものは非人間的なのだと彼は思った。もう一度、机の上に積み重なっていた各種の報告書や自分の覚え書きに目を通し始める。その日が日曜だということを考慮すると、報告書はかなり広範囲に及ぶものだった。

家：玄関の屋根から犯人が侵入した形跡なし。窓の網戸に不鮮明な指紋が数点あり、一つは看護婦のミス・アダムスのものと判明。屋敷内に梯子は三つあるが、雨の中で使用されたと思われるものは見当たらず。柱に何者かが登った形跡なし。一階のドアも窓も全部閉められ、鍵が掛けられていた。蓄音機およびラジオを遠隔操作する装置も発見されず。凶器のナイフは屋敷の台所に属するものではなかった（料理人のマーガレット・オニールの証言による）。犯行現場で発見された指紋は、椅子の背にあったミセス・アイリーン・ガリソンのものも含め、被害者と使用人および家族のものしか発見されず。ミセス・カールトン・フェアバンクスの指紋はなし。ベッドの足元とクローゼットの扉にカールトン・フェアバンクスの指紋あり。金庫にあったのは老婦人の指紋のみで、ほかの者の指紋はなし。

犯行時の屋敷内の人々に関するパットン警視の覚え書きは短く、ほとんどは自分の手で書いたものだった。

カールトン・フェアバンクス：被害者の息子。一九三〇年まで業績が好調な証券会社の社員だった。この会社は徐々に衰退し、一九三八年に事業を清算した。一九三〇年にスーザン・メアリー・ケリーと結婚。一九三八年に母親との同居を開始。妻はミセス・フェアバンクスからもその娘のマリアンからも好意を持たれなかった。カールトン・フェアバンクスも妻も屋敷を離れて農場を購入したいと切望。カールトンは妹および姪のジャニス・ガリソンとともに、遺言によって遺産を相続すると思われる。一時十五分にラジオを消すために部屋に入ったことを認めている。

スーザン・メアリー・フェアバンクス：前項参照。例の夜、厩兼車庫へ行った理由は不明。ガリソンにばったり会って怯えて逃げたため、車庫に入らず。夜に出かけた理由としてあげたが、彼女の車に煙草はなし。義母への嫌悪を隠そうともしていない。父親は小規模の建設業者。一家は平凡だが、きちんとした界隈のサウス・ストリート一四〇番地に居住。スーザンと家族の仲は良好。遺言による財産分与はないと思われるが、夫の取り分を共有することになるだろう。

マリアン・ガリソン：六月十一日の水曜の夜、母親と喧嘩して家出。現在の居場所は不明。年齢は三十八歳でほっそりして髪が黒く、黒の服を着ていることが多い。マリアンが呼んだタクシーはペンシルバニア駅まで彼女を運んだという。それ以上の情報なし。使用人の話によると、夫の再婚に関してかなりの恨みを抱いているらしい。一人にされるのを母親が拒んだため、一九二一年の結婚以来、グローブ街の屋敷で暮らしている。一九三四年、ネバダ州のリノで離婚。

ジャニス・ガリソン：十九歳。遺言によって遺産をもらうものと思われる。父親やその再婚相手との折り合いはいい。明らかに祖母に献身的だった。金銭以外に殺害の動機なし。コートニー・ブルック医師に関心を抱いていると思われる。

コートニー・アレン・ブルック医学博士：二十八歳。ハストン街十三番地に診療所および家がある。ハーバード医学校を卒業。マウント・ホープ病院で二年間、インターンを務める。開業して一年。小規模の診療所で儲けはほとんどなし。初めて被害者の往診をしたのは三月十日で、砒素による症状の治療をした。それ以来、ときどき被害者の診療に当たった。犯行があった時刻に屋敷にいたことは間違いなく、流産の恐れがあったミセス・アイリーン・ガリソンを治療していた。ヒルダ・アダムス看護婦は、ブルック医師が帰る前に被害者の老婦人がラジオをつけたとして、彼のアリバイを提供。

アイリーン・ガリソン：三十五歳。一九三四年、フランシス・J・ガリソンが離婚後に彼と結婚。ジャニス・ガリソンの元家庭教師。小柄で金髪、神経質な性格。町から三十マイル離れたテンプルトンの近くの農場で生まれ、両親はまだそこで暮らしている。ジャニス・ガリソンは依然として好意を抱いてくれるが、フェアバンクス家の者からは好かれていない。遺言による遺産相続は期待薄。事件当時は屋敷にいたが、具合が悪く、一時頃に投与されたモルヒネが効いていた。

フランシス・ジャーヴィス・ガリソン：著名な建築家。四十二歳。遺産を相続。一九二九年までは裕福だったと思われる。それ以来、かなりの財産を失う。元妻に非課税で年に一万ドルの離婚手当を払っている。広いアパートメントを所有しているが、修繕費に手が回らない状態。一九三四年に離婚。その後まもなく娘の家庭教師と結婚した。土曜日にワシントンまでの飛行機に乗ったことを証明するチケットの半券を提出している。犯行のあった晩に屋敷の敷地にいたことを認めており、妻の居場所を知るために娘と話したと主張。時間は不明確。午前一時半から二時の間と思われる。スージー・フェアバンクスと遭遇したのはまったくの偶然だろう。彼は足跡が自分のものだと認めている。遺言による遺産相続は期待できない。

使用人たちについての短い報告書もあったが、パットン警視はざっと目を通しただけだった。アイダの報告書だけは取り上げてじっくりと読んだ。

アイダ・ミラー：ラファイエット郡生まれの田舎出の女。四十歳。フェアバンクス家に勤務して十年。殺人が起きて以来、ヒステリックになっている。知っていることをすべて話していない可能性あり。

まだその報告書を彼が見ていたとき、警察本部長が部屋に入ってきた。ゴルフの誘いに来た本部長はたちの悪い冗談を言った。警視に勧められた椅子に座ったが、同様に勧められた葉巻は断った。

「葉巻は吸わない主義でね」本部長は言った。「とにかく、どういうことかな？　フェアバンクス家を見張らせるために、きみのところの女性を送り込んだはずだと思ったが」

「フェアバンクス家というわけではありません」パットン警視は礼儀正しく答えた。「ミセス・フェアバンクス本人を見張らせるためでした」

「で、彼女は老婦人を殺させてしまったのか！　大胆不敵な犯行だったな、パットン。わたしはこの仕事じゃ新参者かもしれないが、ある女性を保護することをきみが保証したのに――しかも著名な女性だ――いったいなぜ、守ることができなかったのかな」

「実際の話、彼女は守られていたんです。あんなことが起こるはずはありませんでした。起こってしまったわけですが」

「曖昧な言い方はしないでほしい」本部長は言った。額に血管が浮き上がっている。「彼女は死んだんだ。そうだろう?」

ややあってからようやくパットン警視は事の次第を話した。ミセス・フェアバンクスを毒殺する試みがあった時点まで話をさかのぼり、部屋に現れた蝙蝠や何かの謎についても語った。

「そういった生き物はどうにかして持ち込まれたんです」パットン警視は言った。「わたしは部屋を調べました。方法はわかりませんが、持ち込まれたに違いありません」

「運び込んだということか」本部長は言った。「それは簡単だろう。老婦人の外出中に部屋に入れたんだ。部屋に鍵は掛かっていなかったのだろう?」

「昼間は掛かっていませんでした」

「結構。その先を話してくれ」

パットン警視がときどき覚え書きを読みながら先を話す間、本部長は目を閉じて座っていた。ついに本部長はきちんと座り直し、意外なほど抜け目のないまなざしでパットン警視を見た。

「きみの容疑者は二人だけだろう、パットン。フランク・ガリソンは容疑者ではない。彼が老婦人を殺すはずがあるかね? 彼には得るものがないのだよ。とにかくわたしはフランクを知っている。実に立派な人間だ」

「わたしが知っているのは――」

「もういい。きみが疑っているのは誰かね? この若い医者とカールトン・フェアバンクスか。医者は除外される。となると、残るのはカールトンだ。彼のこともわたしは知っている。気取り屋だといつも思っていたものだ」

「それは陪審員に受けがよくないでしょうな」パットン警視は憂鬱そうに微笑した。「とにかく、カールトンは人殺しのタイプだと思えません。もちろん――」

「タイプ？　タイプだと！　どんなタイプの奴だって、三百万ドルの半分をもらえるなら人殺しだってやるとも。ヘンリー・フェアバンクス老人が亡くなったとき、未亡人に残した遺産がその金額だったんだ。公債でだぞ、パットン！　いかさまの株だのガラクタ株だの、ありふれた株券だのではない。公債でだ！」

「多額の金だったでしょうな」パットン警視は言った。「もしかしたら、本部長はご自身でフェアバンクス家の者たちと話したいのでは」

本部長は慌てて立ち上がった。「いや、そんなことはない」彼は言った。「わたしには約束があるんだ。それに、きみにはきみなりのやり方があるだろう。たぶん、わたしのやり方よりもいいだろうな！」

そう言って本部長は出ていった。パットン警視は拷問用のゴムホースを無理に押しつけられて残されたように感じた。


フェアバンクス家に戻ったヒルダはまだベッドに入っていなかった。靴を脱いで疲れた足をさすったが、眠くなかったのだ。失敗したという気持ちがつらかった。いったい、自分は何をしてしまったのか？　三階へ行くためにミセス・フェアバンクスの部屋の前を離れたが、ほんの三分ほどだった。

台所には十五分間、もしかしたら二十分間はいたかもしれないが、ブルック医師が代わりに見張ってくれると言ったのだ。その時点でミセス・フェアバンクスは生きていた。そのあとミセス・フェアバンクスはラジオをつけ、音量を上げげた。まるで部屋の外のさまざまな動きにいらだったかのように。

ほかに何があっただろう？　ヒルダは自分のトレイを奥の階段まで運んでいき、その後スージーがそれにつまずいた。ヒルダは奥の階段へ戻って、スージーがいるのを見つけた。あれにはどれくらい時間がかかったのか？

ヒルダは立ち上がると、廊下にいた警官を驚かせてしまったが、懐中時計を手にしてストッキングを履いただけの足で走った。秒針がたった一分半しか指し示さなかったことを知って、信じられない思いだった。あれから何があったっけ？　スージーと廊下で椅子に座っていたとき、アイリーンの部屋から網戸がバタンと打ちつける音が聞こえて、そこへ行ったのだった。アイリーンは眠っていて、ヒルダは網戸を閉めて鍵を掛けた。ミセス・フェアバンクスが亡くなっていることに気づいたのはそのあとだ。老婦人の手はすでに冷たくなっていた。

とすると結局、犯人はカールトンということになる。カールトンのはずだ。

ヒルダは自室に戻り、窓辺に立って外を見た。最上等の服に身を包んだエイモスが気取った笑みを浮かべて日曜のディナーに来るところだった。昨夜の雨があがったあとの芝生には鳥が忙しそうに群れている。食事の時間になったせいで外のやじ馬の数はいくらか減っていたが、まだいることに変わりはなかった。

カールトンとはね、とヒルダはみじめな気持ちで考えた。カールトンの姿が思い浮かんだ。ストライプのズボンを穿いて黒の上着に黒のネクタイを締め、金槌と釘でいっぱいの葉巻の箱を持って穴をふさごうとしていたカールトン。母親を殺した男性が網戸を釘づけしてまわろうとするものだろうか？　田舎や作物を育てることを好む物静かで立派な小柄な男性が？

昼のディナーの席に着いて、カールトンがローストビーフを優美な手つきで切っているのを見ていたとき、彼が犯人だなんてあり得ないというヒルダの思いは強くなった。

「ウェルダンにしますか、それともレアですか、ミス・アダムス？」

「ミディアムでお願いします」

カールトンのはずはない、とヒルダはテーブルを見回しながら思った。ここにいる誰も犯人のはずはない。黒いドレスを着てほとんど化粧もせず、今度ばかりは煙草を吸っていないスージーのはずもない。ジャニスが犯人のはずもない。ああ、ジャニスのはずはないわ。若くて悲劇に見舞われた様子で、何も食べていないジャニス。ブルック医師ですら犯人とは考えられない。じっとジャニスを見守り、しきりに話している医師。アイリーンじゃないのも確かだ。二階の部屋で具合が悪くてヒステリーを起こしていたのだから。料理を配りながら頭を振っているウィリアムのはずもない。青ざめてはいるが、きびきびと働いているアイダでもないだろう。ここにいる誰のはずもないのよ。ヒルダは陰鬱な思いで考えた。だったら、誰が犯人なの？

その日の午後、見張りの警官は屋敷から引き上げたが、ミセス・フェアバンクスの部屋は鍵が掛かって封印されていた。マリアンに関する知らせは相変わらず何もなく、ジャニスは電話で父親と話したあと、とうとうベッドに行って眠ってしまった。

カールトンが事情聴取のために警察本部に連れていかれたのは午後三時だった。

そのとき、ヒルダは一階の廊下にいた。カールトンは警察に行くことを誰にも言わなかった。彼はステッキ立ての中から慎重に一本を選んでいたが、低い声でヒルダに話しかけた。

「家内からぼくのことを尋ねられたら」彼は言った。「用事があって町へ出かけたと伝えてくれ。帰りは遅くなるかもしれないから、起きて待っていなくていいと言ってほしい」

ヒルダは外に止まっている車を見た。ヘンダーソン警部と刑事が待っていた。鏡の前で帽子を直すカールトンをヒルダは気の毒に思った。こちらを向いたとき、彼の顔は蒼白だった。

「ぼくは母を好きだったんですよ、ミス・アダムス」カールトンは奇妙な声で言い、後ろを見もせずに、待っている警官たちと車のほうへ行った。

同じ日の午後四時、マリアン・ガリソンが家に帰ってきた。

第十七章

マリアンが何も知らずに帰ってきたのは間違いなかった。乗ったタクシーが激しく警笛を鳴らして群衆の間をなんとか進んでこようとしたとき、マリアンは初めてショックを受けた。警官がやじ馬を押し返したが、玄関の屋根の下に車を停めると、タクシーの運転手は彼女が座席でぐったりしているのに気づき、呼び鈴を鳴らした。

「こちらのご婦人はお体の具合が悪いようなんですが」運転手はウィリアムに言った。「わたしが運びましょうか？」

ウィリアムは玄関の階段を下り、目を閉じて血の気の引いた顔をしたマリアンを発見した。

「どうしたの？　何かあったの、ウィリアム？」

「お気の毒です、奥さま。大奥さまが亡くなられたのです」

「亡くなった？　でも、あのやじ馬たちは！　どうしたというの？　母に何が起こったの？」

「少しも苦痛はなかったそうです。とにかく警察はそう言っています。大奥さまは眠っている間に亡くなられました。もしも――」

マリアンは手を伸ばしてウィリアムの腕をつかんだ。

「まさか毒じゃないわよね、ウィリアム？　毒殺ではないんでしょう！」

彼はためらい、年老いた頭を激しく揺すっていた。

「いいえ、奥さま。思うに――ナイフで殺されたのです」

マリアンは気を失いはしなかった。深く息を吸い込んで車から降りた。運転手とウィリアムが手を貸して彼女を家の中へ入れた。けれども、マリアンはそこから先へ歩けなかった。玄関扉の近くにある椅子に腰を下ろし、ウィリアムに視線を据えたまま、音をたててバッグの留め金を開けたり閉めたりしていた。

「誰がやったの?」半ばささやくようにマリアンは訊いた。

「誰にもわかりません。今はまだ。警察は――」

マリアンは立ち上がった。「ジャニスに会いたいわ」荒々しい口調で言った。「あの子と話をしなくては。わたしの部屋へ行ったほうがいいわね」

ウィリアムはマリアンの腕を取った。「今はだめです、ミス・マリアン」ウィリアムは震え声で言った。「実は、あの――」

マリアンは彼の手を振り払った。「いったいどうしたというの?」そう詰問した。「わたしは自分の部屋へ行くわ。ジャニスを探して、わたしが帰ったと伝えて。ばかみたいな真似はやめてよ」

ジャニスが階段を駆けおりてきたときの状況はそんなふうだった。腹を立てて当惑しているマリアン。そして、どうしたらいいかわからずに途方に暮れているのが明らかなウィリアム。ジャニスは一目で事情を悟り、母親の冷たい顔にキスした。だが、マリアンはキスを返そうとしなかった。

「どうして、わたしが自分の部屋に行ってはだめなの、ジャニス? どういうこと?」

この場面で登場したのがヒルダだった。マリアンの顔は真っ赤で、ジャニスは青ざめた顔をして若い体をこわばらせていた。

「ごめんなさい、お母さま。できるだけ早く彼女に部屋を出てもらいますから。だから――」

「誰に出てもらうというの？」

「アイリーンよ。具合が悪いの。彼女がお母さまの部屋にいるのよ」

マリアンの華奢な体が硬直した。「へえ、そういうことなのね」彼女は言った。「あなたはあの女をここへ連れてきてわたしの部屋に入れたってこと。わたしの人生をめちゃくちゃにした女を。わたしがいなくなるが早いか、あの女を引き入れたというわけね！」

マリアンはまだ話すつもりだったようだが、ヒルダがさえぎった。ヒルダはマリアンを図書室へ連れていって強いスコッチを一杯飲ませた。その頃にはマリアンから怒りの炎は消えていた。彼女は茫然としているようだった。だが、目を閉じたままジャニスの話に耳を傾けていたものの、酒のおかげで気持ちは落ち着いたらしかった。とはいえ、ジャニスが簡単に状況を説明し終えたとき、マリアンがまず話した相手はヒルダだった。

「じゃ、結局、あなたがいてもこんなことが起こってしまったのね！」マリアンは言った。「あなたに母の世話を任せたのに、殺されたってことよ」

マリアンは激しく震えていたが、怯えてもいた。ヒルダは不思議に思った。マリアンはジャニスを見つめている。まだ話していないことがあるだろうと言わんばかりに。マリアンは悲しんでいるというよりはむしろびくついている、とヒルダは思った。でも、冷静で断固たる態度もとっていた。

「あの女をここから追い出して」マリアンは言った。「今すぐによ、ジャニス。聞こえている？　自分で歩けないと言うなら、運んでいきなさい。運ぶことができないなら、放り出すのよ。あなたがどれもできないなら、わたしがやってやるわ。さもなかったら、彼女の首を絞めてやる」マリアンはつけ足した。

そんな状況でヒルダはパットン警視に電話した。邪魔が入ったので腹を立てたかのように彼は不機嫌だったが、アイリーンを家から解放することには同意した。

「あの女は容疑者といえない」パットン警視は言った。「確かだよ。しかし、まずはブルック医師の許可を得たほうがいい」

ヒルダが電話したところ、ブルック医師は帰ってもいいとしぶしぶ許可を出した。それからヒルダはアイリーンの部屋へ行った。驚いたことに、アイリーンはすでにベッドから出て着替えている最中だった。椅子に腰かけてアイダにストッキングを穿かせてもらっていたアイリーンは冷ややかに微笑した。

「階下の騒ぎが聞こえたのよ」アイリーンは言った。「心配いらないとみんなに言ってやって。わたしは出ていくから。マリアンは自分の部屋を使えるわ。わたしに言わせれば、このいまいましい家全部を彼女は好きにできるでしょう」アイリーンはパンプスに足を滑り込ませて立ち上がった。「たぶん」彼女は言った。「わたしの愛する夫も帰っているわね」

「昨夜お帰りになりました。ワシントンから」

アイリーンは鋭いまなざしでヒルダを見た。「ワシントンから？　なぜ、あなたがそんなことを知っているの？」

「今朝お目にかかりましたから」

「どこで？　ここでなの？」

「ご主人のアパートメントへうかがったんです。ジャニスさんから行ってほしいと頼まれて。ご主人が昨夜この屋敷へいらしたので、ジャニスさんは心配していたのです」

アイリーンの顔に警戒の色がちらっと浮かんだ。「あの人がここにいたって、どういうこと？　この家にいたの？」

「ここの敷地にいらしたのです。あなたの居場所がわからないので、探すためにやってきて、窓越しにジャニスさんに声をかけたとおっしゃっています」

アイリーンは立っていられなくなったようにベッドに座り込んだ。「いつ――それはいつのことなの？」

「一時半から二時の間だったと思います」ヒルダは言った。「ご主人の飛行機は真夜中に到着しましたが、まずは自宅へ行ったそうです。それからご主人はこちらへ歩いてきたんです。かなり距離がありますよね」

アイリーンの顔は血の気が失せて灰色になっていた。息をするのも困難といった様子だ。「警察はそのことを知っているの？」彼女は唇を引き締めて尋ねた。

「ここの敷地にご主人がいらしたことを知っています。フランクさんご自身が認めたんです」それからヒルダはアイリーンを気の毒に感じてつけ足した。「わたしならそのことについてはあまり心配しませんよ、ミセス・ガリソン。もちろん、今のところ警察は全員を容疑者と見なしています。タクシーを呼んだほうがよさそうですね。よろしければご自宅まで付き添います」

けれども、アイリーンは付き添いなど求めなかった。電話をかけたヒルダが戻ってきたとき、アイリーンはさっきよりも具合がよさそうに見えた。あるいは少なくとも自分を抑えていたのだろう。彼女はマリアンの化粧台に向かって腰を下ろし、鏡で自分を見ていた。挑戦的と言っていい態度で頬紅や口紅をつけ、身づくろいを終えた。アイダがスーツケースを下まで運んだ。アイリーンは入り口で振り返って部屋をじっくりと眺めた。

「誰かの死を願う気持ちがあなたにはわかるかしら?」アイリーンは辛辣な口調で言った。「雨の中を自分が歩いているときに車を乗り回している人を目にして、事故に遭えばいいのにと思ったことはある?　誰かを憎むあまり、真夜中に眠れないまま横になって枕を激しく叩いたことはあるかしら?そう、マリアン・ガリソンからわたしが受けたのはそんな仕打ちなのよ。それに夫は今でもマリアンを大切に思っている。離婚して七年経っても、マリアンを愛しているのよ。彼女のためなら電気椅子送りになってもかまわないほどにね!　ばかな人。本当にフランクはどうしようもない愚か者よ」


アイリーンが家を出ていったとき、カールトンはまだ帰っていなかった。依然としてパットン警視のオフィスにいたのだ。小粋な感じはもうなかったが、相変わらずカールトンは頭を傲然と上げていた。

「もう一度考えてみてください、ミスター・フェアバンクス。あなたは部屋に入っていってベッドの足元を回り込み、ラジオを消して、そのまますぐに出てきた。どうしてラジオのスイッチが見えたんですか?　マッチを擦ったとか?」

「そんなことをする必要はなかった。古くからあるラジオなんです。ずっと前からわが家にありました。スイッチがどこにあるかぐらいわかりますよ。それにもちろん、廊下の明かりがドアから差し込んでいましたから」

「お母さまに話しかけなかったという主張は曲げないんですね？」

「話しかけませんでした。母はラジオをつけたまま眠る習慣がありました。ぼくが部屋に入っていってスイッチを切ったことは何度もあったんです」

「あなたはすぐに部屋から出たのですね？」

「出ました。すぐに。看護婦さんに訊いてください。その場にいたんですから」

しかし、カールトンは疲れていた。その日はほとんど何も食べていなかったし、頼めば水をもらえて煙草は充分に与えられたが、喉から手が出そうなほど酒が欲しかった。全身に冷たい汗が流れ、口はからからに乾いていた。カールトンは舌で唇を湿した。

「たとえば、金庫が置いてあるクローゼットを調べるはずなどなかったのですね？」

「なぜ、調べなくちゃならないのですか？　何カ月も置いてあったものなのに」

「クローゼットの扉も調べなかったんですね？」

「ああ、もう勘弁してくださいよ！　覚えているはずないでしょう？　いったいどういうことですか？　扉が開いていて、ぼくが通りがかりに押して閉めたとでも？　そんなことが母の死とどう関係するんです？」

「あのクローゼットの中に誰かが隠れられたと思いますか？」

「誰が隠れるんだ？　ぼくの姪が？　それとも妻が？」

「質問しているのはわたしですよ、ミスター・フェアバンクス」パットン警視は言った。「お母さまの部屋に入ったとわかっている人間はあなただけです。彼女が――亡くなった頃にね。おつらいとは思いますが、我々は調べなければなりません。もし、今回のことにあなたが何も関係ないなら、協力したいとお思いになるでしょう。誰もあなたを無理やり入れようとは思っていません」――彼は咳払いした――「刑務所にはね。さて、あなたは遺産相続人の一人だとおっしゃいましたな」

カールトンの威厳がわずかながら戻ってきた。心なしか横柄になったようにすら見えた。「そう思いますよ。妹とぼくが相続人です。たぶん姪のジャニス・ガリソンにもいくらか遺されるでしょう。もちろん、はっきり知っているわけではありませんが。ぼくの――ぼくの母は自分だけで管理していましたから」

「遺産がどれくらいあるか、だいたいの考えはおありでしょう」

だが、カールトンはこの点についてもっと確かなことを知っていた。「一時はたいそうな額でした。価値が減ってしまったものもありますが、慎重な投資がされていましたよ。大半は国債で」

「ミセス・フェアバンクスはそういった債券を金庫に保管していたのですか？」

「知りません。金庫に保管していたのじゃなければいいが。以前は銀行の貸金庫をいくつか利用していました。たぶん今も貸金庫を持っているでしょう」

とにかく、尋問は昨夜の話に始終戻っていった。ナイフの話とか。あのナイフを前に見たことはありますか？　どこかで買いませんでしたか？　もちろんナイフや店を突き止めることはできる。それはカールトンも心得ていた。あなたが町の生活を好まないのは本当ですか？　カールトンも妻も農場に住みたかったという。まあ近頃は多くの人が農場暮らしを望んでいるでしょうな。そう言われてカールトンは顔を輝かせた。

「ぼくは本当に農場を欲しかったんですよ」カールトンは言った。「自分で働けば、そこには暮らしというものがある。人間は自尊心を保てます。ぼくはかなり調べましたよ。町を出て遊び半分で農場で暮らす人は――資本を失うだけです。そんな人たちは家を修理し、見栄えのいい鶏小屋や豚小屋を作るが、三年か四年もするとまた町へ戻ってきます」

「母親から独立したいと思って、農場のことを考えたわけですか?」

「それが理由のすべてではありません。だがそうだとしても、かまわないでしょう? 別に悪いことではない」

警察はミセス・フェアバンクスがフロリダから戻ったときに毒殺されかけた話にカールトンを引き戻した。カールトンは腹を立てた。

「母に毒が盛られたなんて話をぼくは絶対に信じませんでしたよ。故意にそんなことがされたはずはない。食べ物には毒と同じような症状を引き起こすものがあります。調べたんです。母はあの日の前日、フロリダから戻ってきた。列車の中で何か悪いものを食べたのかもしれません」

「医師はそう考えていませんがね」

「あの若造め! あいつが何を知っているというんだ?」

パットン警視は机から紙を一枚取り上げた。「これはブルック医師の供述書です」彼は言った。それを読む。「『典型的な砒素中毒の症状が見られた。患者は発熱と焼けつくような痛み、嘔吐、強い喉の渇きを訴えた。わたしが診療したとき、患者の脈は弱く、気を失いそうだった。両脚には激しい痙攣が見られた。わたしは患者に吐剤を与えて胃の洗浄をした。後にラインシュ・テストをしたところ、一般には三酸化砒素として知られる亜ヒ酸の反応があった。さらに患者のトレイの砂糖入れに砒素が入っていたことを発見した。家族の依頼に応じて、その件は警察に報告せず』」

「ああ、なんということだ」カールトンは弱々しく言った。

彼は座っている椅子の腕を握り締め、尋ねられたことがほとんど聞こえないふうだった。空気が抜けたように、かつてないほど小柄に見え、返答はそっけなかった。

「お母さまを怖がらせようとした一連の企てについては何かご存じですか？　つまり、蝙蝠などのことですが」

「いや。知りません」

「蝙蝠などがどうやって家に持ち込まれたか、おわかりですか？」

「いや」

「じゃ、別の言い方で尋ねましょう。蝙蝠などがどんなふうに用いられたか、あるいはなぜ用いられたかについて、あなたは疑問を持たないんですか？」

その問いにカールトンは怒りを爆発させた。「いや。持つはずもないでしょう！」彼は叫んだ。「ぼくをどうしようというんだ？　やってもいないことを無理やり自白させるつもりか？　ぼくは母に毒など盛らなかった。ナイフで殺しもしなかった。いまいましい蝙蝠のことなど何も知らなかったんだ。誰がそんな残酷なことをしたのかも——」

カールトンの声はうわずった。頬を涙が伝い落ちる。彼はハンカチで力なく涙を拭った。「すみません、みなさん」彼は言った。「ばかな真似をするつもりはありませんでした。徹夜でしたし、今日はまだ何も食べていないものですから」

パットン警視たちはカールトンが落ち着くまで少し待った。カールトンは煙草に火をつけ、笑顔を作ろうとした。「いいですよ」彼は言った。「もう質問されても大丈夫です」

だが、カールトンから重要な証言は得られなかった。何かを隠し続けているという確かな印象以外には。とはいえ、警察はカールトンを引き留めなかった。その晩の八時、パットン警視はカールトンを家まで車で送った。途中で食事をするために車を停めると、カールトンはウイスキーを二杯、ストレートで飲んだ。屋敷に着いたとき、カールトンはそれまでよりも元気そうに見えた。

屋敷には人影がなかった。自分の部屋を掃除させて空気を入れ替えてもらったあと、マリアンはそこへ引っ込んでドアに鍵を掛けてしまった。ジャニスはコートニー・ブルックと一緒にアイリーンを訪ねていって留守だったし、ヒルダは命令を受けたらすぐに出ていけるようにスーツケースを詰めていた。けれども、スージーは図書室で待っていたのだ。車が止まる音が聞こえると、スージーは野生の獣さながらに飛び出してきてパットン警視に食ってかかった。

「この人を連れていったのね！」スージーは言った。「この家で母親を愛していた唯一の人間なのに、警察へ連れていったなんて！　夫に何かしたら、あなたたちを後悔させてやる。おおいに後悔することにね」

「ぼくは大丈夫だよ、スージー」カールトンは穏やかに言った。だが、彼女の怒りは収まらなかった。

「あなたの看護婦を連れていったらよかったでしょう。またはフランク・ガリソンを？　なぜ、あたしを連れていかなかったのよ？　何が起こっているのか、あたしなら少しは話してあげられたかもね」

「ああ、黙るんだ、スージー」カールトンは警告口調で言った。「今回のことについてはみんながあれこれしゃべりすぎる」

その頃には一行は家に入っていた。カールトンが叱責するような視線を向けると、たちまちスージーはおとなしくなった。

「いったい何が起こっているんですか?」パットン警視は問いただした。

「マリアンが戻ってきたのよ。そのことに興味をお持ちならね。彼女が激怒したので、アイリーンは出ていったの」スージーは煙草に火をつけ、パットン警視ににやりと笑いかけた。「この家ってなかなかすてきなところでしょう」陽気な口調で言った。「退屈したら、たまにいらっしゃるといいわね」

パットン警視は二人を階下に置いて、その場を離れた。スージーはハイボールを作っており、カールトンはパイプに火をつけていた。実情を知らなければ、なかなか家庭的な場面だっただろうなとパットン警視は思った。

二階へ行くと、ヒルダは自室にいた。窓辺に立って外を見ていて、スーツケースは荷物を詰めて椅子の上に置いてあった。それを目にしたパットン警視はしかめ面をした。

「まさか帰るつもりじゃあるまいな」彼は言った。「ここにいてほしいんだが」

「もう患者はいないのよ」

「わたしが足を折らねばならない羽目になるとしても、きみにはいてもらわねばならない。なんだったらブルックに頼んで、あの娘を病人ということにさせろ。神経が参ったと言ってな。理由は何でもいいが、きみはここにとどまるんだ」パットン警視はヒルダをじっと見た。「窓の外におもしろいものでも見えるのかい?」

「いいえ。ただ、考えていたの」

「何を?」

またもやいかにも無邪気そうな表情になったヒルダを、パットン警視は疑わしげな目つきで眺めた。

「たいしたことじゃないのよ。白ペンキの缶のことなの」

「何だって?」

「白ペンキの缶。もちろん、不安なときに人は妙な行動をとるものよね。トランプの一人遊びをしたり、爪を噛んだり、犬を蹴飛ばしたりとか。奥さんが身ごもっていたとき、たいそう見事な庭の木を切り倒した男の人を知っているわ。でも、ペンキはそういったことと違うと思うの。ペンキはいろんなものを隠すのよ」

「なるほど。誰がこのあたりでペンキ塗りをしていたのかね?」

「カールトン・フェアバンクス。今朝のことよ。彼は網戸を釘づけにすると、できてしまった痕にペンキを塗ったの」

「実にきちょうめんなことだな」パットン警視は言った。

「でも、何週間か前、彼は母親の部屋の網戸を釘づけにしたはずよ。その網戸にもペンキを塗ったかどうかをわたしは知りたいの」

パットン警視はしょうがないなとばかりに笑った。「きみに必要なのはぐっすり寝ることだ」そうヒルダに言った。「ベッドへ行って、そんなことは忘れるんだな。それから覚えておいてくれ。出ていってはだめだよ」

けれども、ヒルダは頑固だった。ミセス・フェアバンクスの部屋の網戸を見たがり、とうとうパットン警視は部屋の封印を解いてドアの鍵を開け、彼女に鍵を渡した。部屋は封印されたときのままだった。ベッドの上掛けはめくりあげられ、家具のあちこちに指紋検出用の粉が残っている。ヒルダは真っすぐ窓に向かった。

「ほら、カールトンはペンキを塗らなかったのよ」

「そんなことがなぜ重要なのかわからないね」

「わたしにもわからない。今はまだね」

「結構。まあ、頑張ってくれたまえ」パットン警視は相変わらず甘やかすような口調で言い、ヒルダを残して出ていった。小柄なヒルダはその気味の悪い部屋でなおも網戸に視線を据えていた。

パットン警視はあくびをして車に乗った。塀の外にいたやじ馬たちはほとんど姿を消していた。わずか六人ほどが残っていて、これ以上わくわくさせられることが起こらなくなるまでは希望を捨てずにいた。パットン警視は彼らに気づきもしなかった。白ペンキについてのヒルダの言葉は、いったいどういう意味だろう？　殺人事件に白ペンキがどう関係するんだ？　その考えが警察署へ戻る間も、その後ベッドに入ってからさえもパットン警視を悩ませ続けた。

ミセス・フェアバンクスの部屋ではヒルダが電気を消して出ていこうとしていた。死にはすっかり慣れていたので怖くはなかったが、ベッドに横たわっていたミセス・フェアバンクスの年老いた小柄な体の印象が蘇ってきて、失敗したという思いを新たにかきたてられた。ヒルダは立ち尽くした。自分に何ができたのだろう？　どこで失敗してしまったのだろうか？

そのとき、またしてもヒルダは耳にした。クローゼットから聞こえてくる、何かをひっかくようなかすかな音を。

第十八章

ヒルダは勢いよくクローゼットの扉を開けたが、中は空っぽだった。扉には相変わらず靴の袋がぶら下がっていて、金庫は閉まっており、物音はもうやんでいた。階下の図書室からかすかに聞こえてくるカールトンとスージーの話し声以外、屋敷は静かだった。

廊下に出ると、ヒルダはさっきよりも気分がよくなった。正体は何であれ、この物音は前に聞いたものと違っていた。ヒルダはすばやく向きを変え、カールトンの部屋のドアを開けて入っていった。そしていきなり立ち止まった。

クローゼットには男がいた。こちらに背を向けて立ち、クローゼットにぶら下がった服を手探りしている。ヒルダは電灯のスイッチを探ってつけた。姿があらわになったのは目をぱちぱちさせたウィリアムだった。

「何かございましたか?」彼は尋ねた。

自分が震えていることに気づき、ヒルダは驚いた。

「いいえ。大奥さまの部屋にいたら、物音が聞こえたんです。わたしはてっきり――」

ウィリアムがにっこり笑うと、見事な入れ歯があらわになった。

「クローゼットにいたのはわたしですよ」ウィリアムは説明した。「カールトンさまの服のお手入れをしているんです。スーツにアイロンを掛けてほしいとのことですし、今朝、お靴の爪先にペンキを付けてしまわれたとのお話で。驚かせてしまったなら申し訳ありません。わたしどもはみんな神経が参っているんじゃないかと思います。では、失礼して……」

ウィリアムがいつものように非の打ちどころのない重々しい態度で自分のそばを通ると、ヒルダはひどくばかげた気になったが、彼は靴の片方を取り落とした。ヒルダはそれを拾い上げて見てみた。古い黄褐色の靴で爪先に白いペンキの汚れが付いている。その朝にカールトンが履いていた靴は黒だった。黒に間違いない。今でもヒルダにはカールトンの姿が目に見えるようだった。黒い靴を履き、黒い上着を着てストライプ柄のズボンを穿いて、葉巻の箱と金槌を手に部屋から部屋へとまわり、のちには白ペンキの缶を持って動き回っていたカールトンの姿が。

ウィリアムはヒルダの様子に気づいていなかった。靴を拾ってもらった礼を言い、部屋から出ていった。そのあとでヒルダは電灯を消した。だが、部屋を出てはいかなかった。ウィリアムが裏手の階段を下りていく足音が聞こえるまでその場に立ち尽くしていたのだ。それからドアを閉めると、マッチの箱を手探りして両膝をつき、木型を入れられてクローゼットの床に整然と並んだ靴を徹底的に調べ始めた。

ヒルダには背後でドアが開いた音が聞こえなかった。電灯がついたときに初めて、カールトンが部屋に入ってきたことに気づいた。まだ膝をついて、くすぶったマッチを持ったまま、ヒルダは振り返った。こちらへ歩いてくるカールトンは顔をゆがめ、怒りのあまり額の静脈が浮き出ていた。一瞬、ヒルダは攻撃されるかと思った。慌てて立ち上がる。

「すみません」ヒルダは言った。「大奥さまの部屋にいたら、こちらから物音が聞こえたんです。また鼠が出たのかと思いまして」

カールトンは話を信じていなかった。彼女にはそれがわかった。カールトンは一、二歩ヒルダのほうへ歩いて立ち止まった。

「ここでの用事はもう終わっただろう？　この屋敷での用は」そう言ったカールトンの声は怒りのせいでくぐもっていた。「母にはもうきみが必要ない。アイリーン・ガリソンは帰った。いつまでもここにとどまるつもりかな？　きみに関係のないことを嗅ぎ回って」

「わたしに関係ないということは確かですか？」ヒルダは詰問した。「大奥さまの依頼に応じて、警察はここへわたしを送り込んだのですよ。まだ警察から帰っていいと言われていません。こっちだって帰りたいところです」

カールトンは苦心して自分を抑えた。ヒルダの横を通りすぎ、クローゼットの扉を閉めた。ふたたびヒルダに向かい合ったとき、彼の声はさっきよりも普通のものになっていた。「少なくとも、家族の部屋には入らないでほしい」カールトンは言った。「この家に鼠などいない。もしもまた鼠が出たといった騒ぎがあったときは使用人たちに知らせてくれ」

ヒルダはできるだけの威厳をかき集めて部屋から出ていった。自分の部屋のドアを開けたとき、さっき聞こえたのと同じ、何かがこすれるような小さい音がしたが、あまりにも動揺していたので調べる気にもなれなかった。考えをまとめようとしながら、しばらく窓辺に立っていた。外は真っ暗だった。やじ馬がいなくなったため、見張りの警官たちは任務を解かれたらしい。ハドソン街の街灯の明かりで見えたのだが、一人の警官もいなかったからだ。エイモスもどこかへ行ったか眠っているようで、車庫も暗かった。

腕時計の蛍光文字盤に目をやり、まだ十時だと知ってヒルダは驚いた。

なおもそこに立っていると、ややあってドアに軽いノックの音があり、マリアンが入ってきた。

「明かりをつけないで」マリアンは言った。「暑すぎるわ。ミス・アダムス、あなたはここにいたんでしょう。何もかも見ていたのよね。誰がやったの？　誰が母を殺したのですか？」

ヒルダにはマリアンが見えなかった。おぼろげな人影が部屋にいるのはわかったが、マリアンの声はこわばって緊張を帯びていた。

「わかっていたらいいのにと思いますよ、ミセス・ガリソン」

「あの女——どうしてあの女はここへ来たのかしら？」

「大奥さまがここへ来るように話したとか——」

「まさか」マリアンは鋭い口調で言った。「あの女には何か目的があったのよ。フランクがわたしと一緒だと言ったなんてね！——アイリーンはお金をもらいにきたんでしょう。母はいくらかあげたの？」

「わたしはその部屋にいませんでしたから。いくらか差し上げたのかもしれません」

マリアンは部屋着のポケットから煙草入れを取り出し、煙草を取って火をつけた。マッチの炎に照らされて見えたマリアンはこれまでになくやつれていたが、げっそりした顔の黒くて悲劇的な目はジャニスとそっくりだった。

「わたしにはさっぱりわからないわ」マリアンは言った。「どうして、みんなはあんな女をわたしの部屋に入れたの？　三階の部屋は全部あいているのよ。それになぜ、警察は窓の一つから網戸を持ち去ったの？　持っていったのよね？」

「昨夜、何者かがあの窓から屋敷に侵入した可能性があるのです」ヒルダは慎重に言った。「網戸が開いているのをわたしが見つけました。玄関の屋根から網戸を開けられたはずです。掛け金が一つ掛かっていただけですし、ナイフの刃で――またはもちろん、中から開けることもできたでしょう。部屋にいた誰かによって」

マリアンは煙草を取り落とした。「ああ、そうよ！」彼女は言った。「もちろん、フランクよ。入ってきたのはフランクだと思われたのね。アイリーンが彼を中に入れたんだわ！　警察はもうフランクを逮捕したの？」

「いえ。尋問はしましたけれど、それだけです」

「フランクは逮捕されるはずよ」マリアンは抑揚のない声で言った。「ジャニスは彼が家の外にいたと言っているわ。フランクは逮捕されるでしょうし、弁解の余地があの人にある？　彼なら屋根を上れたでしょう。とても力が強いもの。向こう見ずにも、あの人が屋根に上ったのを見たことがあるわ。きっと警察はジャニスがフランクを自分の部屋に入れてかくまっていたと言うでしょう。でも、彼がそんなことをしたはずないわ、ミス・アダムス。わたしの母親を大切に思っていたんだもの。あの人くらい優しい人はめったにいない。フランクは神みたいな忍耐力を持っていたの。わたしが彼の人生を台なしにしたのよ。わたしは嫉妬深い愚か者だった。だから、あの人はわたしから去った。彼が去ったのはわたしのせいなのよ。だから今は……」

ヒルダはマリアンにしゃべらせておいた。心の中では前夜のマリアンの部屋の窓についてまた考えていた。外の風の中で何かがはためいていたのだった。ヒルダはマリアンを見やった。「昨夜、大奥さまが亡くなっているのを発見する前に奥さまの部屋の網戸を閉めたときですけれど、外の雨戸の一つに細いロープが結びつけてありました。そのことについて何かご存じじゃありませんか？」

「ロープ？　登れるようなもの？　ああ、なんてこと。まさかフランクがそれで――」

「登れるほど丈夫なものじゃありませんでした。そんなに長くもなかったし。ただ、気になったものですから」

だが、マリアンの答えははっきりしなかった。「わからないわ」彼女は言った。「何年もそこにあったのかもしれない。覚えていないわ」

ヒルダはマリアンと一緒に彼女の部屋へ戻った。アイリーンがいたときとは変わってしまった、とヒルダは思った。ベッドにはシルクのカバーが掛かり、明るい色の小ぶりの枕がいくつかあった。つい数時間前、アイリーンがひどく挑戦的な態度で化粧していた化粧台には相変わらず金色の道具類が載っていたが、今やそこにはさまざまなクリームや香水の瓶がたくさん並んでいた。椅子には銀狐の襟巻が投げかけられ、箱から出してはいないが片づけてもいない、透けるほど薄い下着類が長椅子に置いてあった。

「アイダは具合がよくなかったの」マリアンは興味なさそうに言った。「だから休ませてあげたわ」

どうやらマリアンはロープのことを忘れてしまったらしかった。だが、ヒルダは窓を持ち上げて探した。ロープはなくなっていた。

そのことをヒルダが告げると、マリアンは肩をすくめた。「たぶん、あなたが想像しただけのものだったんじゃないの」

「想像なんかしませんでした」ヒルダは冷ややかに言った。

自分の部屋に戻ったヒルダはさまざまな謎の断片を一つにまとめようとしたが、まったく結論が出なかった。あのロープは確かにあった。それが今はない。重要なことに違いないし、何か意味があるはずだ。アイリーンが持ち去ったのだろうか？　もしもそうだとしたら、なぜだろう？　それとも、家族の誰かが取り外したのか？　カールトンのはずはない。アイリーンが立ち去ってマリアンが来てから、カールトンはここにいなかった。ジャニスでもない。アイリーンを送っていって、まだ帰っていないのだから。それじゃ、スージー？　ロープが重要なものだとしたら、スージーは取り除こうとするだろう。何のためらいもなくやるはずだ。でも、あのロープがなぜ重要なのか？　一本のロープと、黄褐色の靴に付いた白ペンキの汚れ。その二つには何らかのつながりがあるはず。それとも、そんなものなどないのか？

ヒルダは行動を起こさねばと感じた。いく日も自分のまわりでさまざまなことが進行していた。殺人事件だけではない。ちょっとした人目を忍んだいくつかの動き、クローゼットの扉が開いたり閉まったりしたこと、話をする人や沈黙する人、出ていったりやってきたりする人。そしてヒルダはいつも単なる観察者にすぎず、しかも目にしても理解はできなかった。カールトンが車庫から何かの包みを運んできた夜、階段のてっぺんに現れた人影、アイリーンの部屋の開いていた網戸。そして今度は――よりにもよってばかげたことだけれど――なくなってしまったロープ。

ヒルダは廊下を見回した。スージーの部屋の明かりはついている。明かりが欄間から漏れていて、ヒルダはドアまで行って軽くノックした。けれども、中には入らなかった。そこに立っていたら、スージーの泣き声が聞こえてきたのだ。スージーのほかの行動と同じように自由奔放な、子どもみたいなすすり泣きだった。

ヒルダはスーツケースから懐中電灯を取り出し、階段を下りていった。ブルック医師の車がちょうど着いたところだった。ガタガタ鳴る音や、古びたエンジンの排気音を聞けば、間違いない。しかし、ブルック医師は家の中に入ってこなかった。ジャニスが車のドアを開けてその横に立ったが、声は冷ややかだった。

「あなたのことが理解できないわ。ただそれだけよ」ジャニスは言った。

「さっきも言っただろう。ぼくはどんな女性にも頼って生きるわけにはいかない。きみには今やお金が入ることになったし、金についてのぼくの考えはちょっと人と違っている」ブルック医師の口調は頑なだった。「ぼくは妻を自分の力で養いたいんだ。さもなければ、結婚はしないよ」

「わたしはもらったお金に手をつけないわ、コートニー」

「そこが間違っているんだ、ダーリン。きみは金を使わないと思っている。空腹になっても、靴を履かなくてもやっていけると思っている。だが、きみにそんなことはできないよ。今日の午後も夜もきみのことを見ていた。義理のお母さんの部屋の後片づけをしていたね。ああいうことは嫌だったろう？　それが贅沢というものなんだ。茹でた牛肉とキャベツだけを一週間食べて――」

「病的なほど完璧な自尊心以外、あなたには見えていないのよね？」ジャニスは言い、ブルック医師の目の前で車の扉を閉めた。

ヒルダは台所へ戻った。警察があのロープを取り外したのでなければ、家の中か庭のどこかにあるはずだ。くず入れと外のごみ箱を探ったが、何の成果もなかった。それからあまり気は進まなかったが、地下室へ下りた。電灯はつけたくなかったし、懐中電灯は暗闇のごくわずかな部分しか照らしてくれない。そこにはロープがあった。何かの理由で貯蔵庫の中に大きく巻いたロープがあったのだが、太くて重かった。

ヒルダが目的のものを見つけたのは炉の中だった。いつなのかはわからないけれど、火を少しおこしたようだが、それは燃え尽きずに焦げただけだった。ヒルダはそれを引っ張り出して懐中電灯の光を当てた。八フィートほどの黒くなった細いロープ。誰かが燃やそうとしたのだから、重要なものに違いなかった。ヒルダはこのロープを見た昨夜のことを思い返してみた。アイリーンがベッドで眠っていて、外では雨が降って網戸がパタパタと打ちつけていた。そして濡れ鼠になったスージーが廊下に立っていたのだ。

ヒルダは炉にあった灰に触れた。まだかすかなぬくもりがあった。では、わりと最近――二時間か三時間以内に――誰かがこのロープを燃やそうとしたのだ。どういう意味なのか考えようとしたが、ヒルダは疲れていた。その日の午後はほとんど寝ていなかったし、それから無駄に忙しく駆け回っていたのだ。

ロープを持って階段を上がるヒルダを見た者はいなかった。それを新聞紙で包み、スーツケースの中のいちばん上に置いた。たぶん明日になれば、頭ももっとはっきりするだろう。あるいは、パットン警視がこの謎を解いてくれるかもしれない。今のヒルダの望みはベッドに入ることだけだった。

風を通したかったので、窓を開けたまま服を脱いだ。そのとき、家から出ていくジャニスの姿が偶然に見えた。暗がりの中でもジャニスのほっそりした姿、ゆったりした優雅な動きは見間違えようがなかった。コートニー・ブルックの家へ行く途中なのだろう、とヒルダは気楽に考えた。仲直りして謝罪するために。ブルック医師の自尊心とジャニス自身の自尊心に折り合いをつけようというのだろう。だが、ヒルダは目を見張った。ジャニスはハドソン街を横切らなかったのだ。街灯の下にジャニスの姿はまったく現れない。きっと彼女は車庫へ入ったのだ。

ヒルダはドレッシングガウンと懐中電灯をさっとつかんでジャニスのあとを追おうと決めたが、そんな行動をとることになった恐怖の正体が自分でもよくわからなかった。一階の廊下は明かりが消えていたものの、玄関のドアが開いていた。ヒルダは裸足で芝生を走って横切った。だが車庫に着くと、自らの愚かさを感じ始めた。車庫のドアは閉まっていて、その上のエイモスの部屋の窓は暗かった。物音一つ聞こえない。懐中電灯をつけて初めて、階段へ通じるドアが開け放したままだと気づいた。中に入って見上げる。上の屋根裏部屋で小さな光がひらめいたようだった。

そのとたん、それが起こった。屋根が落ちたかのような、何かが壊れる音が頭上から響いたのだ。ヒルダは茫然としてすぐには動けなかった。ただ上を見ながら立ち尽くしているだけだった。ようやく出てきた声はか細くてかすれていた。

「ジャニス!」ヒルダは呼んだ。「ジャニス! そこにいるんでしょう?」

答えはなく、ヒルダは階段を駆け上がった。てっぺんに着くと、懐中電灯を屋根裏部屋に向けた。ジャニスが身動きもせずに床に倒れていた。額の傷から血が流れ、そばには重そうな梯子が横倒しになっていたのだ。

第十九章

ジャニスは息をしていた。ヒルダがまず確かめたのはそのことだった。ジャニスの脈は速かったが力強く、呼吸は規則正しかった。ずっと締めつけられそうだったヒルダの心臓は元の状態に戻った。事故の原因は明らかだった。なぜかジャニスは塔に登ろうとして梯子を使ったが、それが滑ってしまったのだ。切り傷はジャニスの傍らに転がっている古い鳥籠にぶつかってできたものだろう。

ヒルダは最初、助けを呼びに屋敷へ行こうと思った。エイモスは外出中に違いない。彼の部屋のドアは開いていて中は暗かったのだ。だが、ジャニスを一人で残していくことに奇妙なためらいを覚えた。ヒルダは狭い踊り場を横切ってエイモスの部屋に入り、明かりをつけて浴室を探した。清潔なタオルを一枚と洗面器に入れた水を持って戻ろうとしたとき、ドアが静かに閉まる音がした。

初めはドアがひとりでに閉まったのだと思った。ヒルダは洗面器とタオルを床に置き、ドアを引っ張った。けれども、びくともしない。鍵を掛けられたのだと、ようやく気がついた。彼女が洗面器に水を入れている間に、誰かがやってきて鍵を取り、外から施錠してしまったのだ。

ヒルダは半狂乱になった。ドアを激しく叩いたが、向こうにあるのは静寂だけだ。それから彼女らしく実際的で合理的に考え始めた。窓を開けて外を見てみた。ハドソン街の向こうで口笛を吹いて犬を呼んでいる女のほか、誰の姿もなかった。飛び降りるには地面との距離がありすぎた。でも、屋敷と連絡を取る方法が何かあるに違いない。ヒルダはあたりを見回し、エイモスのベッドの横に屋内用の電話があることに気づいた。そのときですら、あまり期待はしていなかった。ここからの電話はおそらく台所か裏手の廊下に通じているのだろうし、家族の者は二階にいるのだから。しかし、たちまち電話に応答があったので、ヒルダはほっとした。

腹を立てたようなカールトンの声が電話の向こうから聞こえた。「いったい何だ、エイモス？」彼は言った。「火事にでもなったのか？」

「ヒルダ・アダムスです、ミスター・フェアバンクス」彼女は言った。「車庫の屋根裏部屋でジャニスさんが事故に遭って、わたしのほうは部屋に閉じ込められています」

カールトンの反応は遅かった。「閉じ込められているとは、どういう意味だね？」

「誰かがわたしをエイモスの部屋に閉じ込めたんです。ジャニスさんは怪我をしています。屋根裏部屋にいるんです。何が起こっているのかわかりませんが、急いで来てください。わたしは――」

カールトンはヒルダが話し終わるまで待たなかった。ヒルダが窓から見ていると、カールトンは家を出て、ドレッシングガウンの裾を足のまわりで翻しながら芝生を走って横切った。彼女はカールトンが階段を上ってきたときにドアの内側に立っていたが、彼はそのまま屋根裏部屋へ上っていった。マッチを一本か二本、擦っているらしく、短い沈黙があった。それからドアの外で彼の声がした。

「ジャニスは梯子から落ちたに違いない」カールトンは言った。「ブルック先生を呼んでこよう」

「ジャニスさんを残していってはいけません」ヒルダは言った。「一人にしてはだめです。わたしはジャニスさんが落ちたとは思いません。誰かがこのあたりにいるんです、ミスター・フェアバンクス。ジャニスさんの怪我はひどいものではありません。とにかく今のところは。でも、彼女を置いていってはだめです」

「どうしたらいいんだ？」

「そのあたりに鍵がないか探してください。このドアの外か階段にあるかもしれません」

カールトンはついに鍵を見つけた。ドアのすぐ外に落ちていたのだ。だが、探すために彼は最後のマッチを使ってしまった。ヒルダがやっと部屋から出たとき、あたりは真っ暗で屋根裏も暗かった。

「わたしの懐中電灯」ヒルダは言った。「ここに置いたはずですが」

「ぼくが来たときは真っ暗だった。エイモスの部屋に蠟燭かマッチがないか見てくれ。ぼくは医者を連れてくる」

ヒルダは手探りでジャニスのもとへ行った。まだ気を失ったままだが、ヒルダに触れられると、ジャニスはかすかに身動きした。ヒルダは暗闇の中でジャニスのそばの床に座った。カールトンがコートニー・ブルックを連れて戻ってきたときも、その場を離れずにいた。

そのあとはちょっとした混乱状態だった。男二人でジャニスを屋敷へ運び、家中の者が起きた。スージーが激しいヒステリーを起こしたので、誰もが当惑した。ヒルダが家庭用のアンモニアをたっぷりと嗅がせると、スージーは息を詰まらせ、ヒステリーから回復した。顔を上げた彼女の目から涙が流れていた。

「あたしのせいよ」スージーは言った。「あたしは話すべきだったの。でも、カールトンが――」

「何を話すべきだったんですか？」

スージーは答えなかった。目を閉じ、頑なに沈黙を守っていた。

廊下の向こうの部屋ではブルック医師がジャニスのベッドの脇に座り、氷嚢を頭に当ててやっていた。彼はシャツを着ておらず、パジャマの上着姿で陰鬱な表情だった。

「誰かが彼女を殺そうとしたんだ」ブルック医師は言った。「最初、ジャニスは梯子から落ちた。そのあと、殴られた。明らかに懐中電灯でね。見つけたとき、懐中電灯には血がついていました」

マリアンはベッドの反対側からブルック医師を見つめていたが、顔いっぱいに恐怖の色が浮かんでいた。「でも、誰がジャニスにこんなことを?」彼女は強い口調で訊いた。「この子を殺したい人なんているの?」マリアンはベッドにかがみ込んだ。「ジャニス。ジャニス!　誰にやられたの?　何があったのよ?」

「今はそっとしておきましょう」ブルック医師は言った。「じきに目を覚まします。邪魔をせずに休ませておくほど、治りが早い。ジャニスは大丈夫ですよ、ミセス・ガリソン」

真夜中にフランク・ガリソンがやってきた。必死に電話をかけていたカールトンはようやくフランクがクラブにいることを突き止めたのだ。長身のフランクが部屋に入ってくると、急に部屋が小さくなったようだった。マリアンは彼を見て真っ青になった。

「あなた、何をしにここへ来たの?」

「ジャニスはわたしの子どもだよ、マリアン」フランクは丁寧な口調で言った。

「あなたはこの子を見捨てたのよ。この子とわたしを捨てたじゃないの」

フランクはマリアンの言葉を無視した。彼がジャニスの容体を尋ねると、ブルック医師はベッド脇の持ち場を譲った。立ち上がったマリアンは顔に苦悶の表情を浮かべていた。

「わたしをこの部屋から追い払うつもりね。そうなんでしょう?　ご自分の女のところへ帰ったらいかが?　ジャニスのことなどあなたにはどうでもいいんでしょう。なんの価値もないのよ」

「座るんだ、マリアン」フランクは重々しい口調で言った。「この子は我々の娘だ。少なくともその点はわたしときみの共通したところだよ。それから、静かにしてくれ。ジャニスの意識が戻るところだろう」

　けれども意識が戻ったものの、ジャニスは助けになることを何も話さなかった。ぼんやりと部屋中を見回したあと、頭が痛いとだけ言い、眠ってしまったのだ。父親が帰っていった午前三時、ジャニスはまだ眠り続けていた。ブルック医師はヒルダに寝るようにと言った。

「ジャニスは大丈夫です」ブルック医師は言った。「一日か二日は寝ていなければなりませんが、それだけのことですよ。あなたは少し眠ったほうがいい。睡眠が必要な顔だ。とにかく、ぼくが付き添っていますから」

　ヒルダは三時間眠った。それから起きて制服を着た。ジャニスの部屋では彼女もブルック医師も眠っていた。ヒルダは階下へ行き、外へ出たが、途中で誰にも会わなかった。

　エイモスが車庫に戻っていた。階段を上らないうちから彼のいびきが聞こえた。塔の円屋根から差し込む淡い光で、屋根裏部屋はヒルダたちが出てきたときのままだとわかった。床には梯子が倒れており、トランクや壊れた家具が散乱している。しかし、ジャニスの体が倒れていた場所に落ちていたのは、昨夜ヒルダが気づかなかったものだった。四フィート四方ほどの、漂白されていないモスリンの布。ヒルダはそれを拾い上げてじっくりと観察した。かなり新しい布らしく、数日前にエイモスが屋根裏部屋に案内してくれたときになかったのは間違いない。

　ヒルダが布きれを元の位置に置いて梯子にかがみ込んでいたとき、エイモスが現れた。上は寝間着姿でズボンを穿いている。エイモスは不機嫌だった。

「ここで何をしてるんだね？」疑うような口調で尋ねた。「一日中働いたのに、ちゃんと眠らせてもらえねえとなると――」

ヒルダはエイモスの話をさえぎった。「この梯子を運んでちょうだい、エイモス。塔を見たいのよ」

「なぜだい？」

「なぜでもいいじゃない。昨夜、ジャニスお嬢さまがここで怪我をしたのよ。その理由を知りたいの」

「怪我をした？　ひどい怪我じゃねえですよね？」

「ひどい怪我だったのよ。でも、きっと治るわ」

とはいえ、一見したところ、塔には特に変わった点はなかった。床には梯子を立てるための四角い穴だけが開いていた。四方の壁に隙間のあいた開口部があるので、光が充分に入ってくる。がらんとしているが、一箇所だけ、何年も積もっていた埃がかき乱されたようなところがあった。すると、ヒルダはあるものに気づいた。運転手用の一組の古い手袋。部屋の隅に押し込まれていたが、どうにか手を伸ばして取った。ふたたび下へ行くと、彼女は手袋をエイモスに見せた。

「これはあなたのもの？」

エイモスはまじまじと手袋を見た。それからにやりと笑った。「じゃ、そこにあったってことか！」彼は言った。

「あなたが上に持っていったんじゃなかったの？」

「なんだって、上に持っていかなきゃならないんだ？」エイモスは喧嘩腰に訊いた。「二カ月か三カ月前に、こいつをなくしちまったんだ。誰かに盗まれたんだと思ったよ」

エイモスは手袋を返してもらいたがったが、ヒルダは彼が腹を立ててもおかまいなしに、家に持って帰ることにした。これで謎の一部は解決したと彼女は感じた。だが、帰る前にエイモスに尋ねた。

「昨夜、あなたが何をしていたかは説明できるのでしょうね?」

エイモスは怒りの形相で一歩ヒルダに詰め寄った。「じゃ、おれがお嬢さんに怪我をさせたってのかい?」荒々しい口調で言った。「自分の娘みたいに思っているのに、殺そうとしたってか! もちろん、昨夜どこにいたかは説明できる。あんたには関係のないことだがね。殺人犯を探すなら、車庫なんかに来なくたっていいだろうが、警察の看護婦さん。お屋敷を探すんだな」

その朝、ジャニスは前よりも状態がよくなった。頭痛がして、痣がいくつかと小さな切り傷が一つある以外、体への影響はなかった。コーヒーを一杯飲み、トーストを一枚食べさえした。しかし、自分の身に何が起こったのか、ジャニスにはまったく見当がつかなかった。覚えていたのは梯子が滑ったと思ったことぐらいだった。

ジャニスはあの日、ベッドへ行かなかった。ブルック医師と喧嘩したので、眠れなかったのだ。彼女は彼のところへ会いに行こうと決めた。車庫の前を通りかかったとき、頭上から何か音が聞こえた。ジャニスはそれがエイモスだと思った。階段へのドアが開いていたので、彼に声をかけてそのことを教えようとした。けれども返事がなかったため、ジャニスは階段を上った。

ジャニスは怖いなどと思わなかった。祖母の部屋に現れた蝙蝠は円屋根の塔から来たのではないかと考えたことがあったそうだ。

「あそこの雨戸には隙間がいくつもありました」ジャニスは言った。「鳩ならそこから入れないけれど、蝙蝠だったら入れるんじゃないかと」

何か聞こえたと思った音は蝙蝠が飛び回る音だったかもしれないと彼女は言った。どんな音だったかはうまく言い表せません。ただ、音はしました。そんなに大きくなかったです、と。ジャニスは屋根裏部屋をよく知っていた。子どもの頃に遊んだ場所だったのだ。そこに着くまでマッチを擦る必要さえなかった。

驚いたことに、梯子がきちんと据えつけてあった。ジャニスは塔を調べようと決め、マッチを擦って梯子を上った。てっぺん近くまで上ったとき、梯子が倒れたのだった。

「梯子が倒れるのを感じました」ジャニスは言った。「でも、つかまるところがどこにもなくて。わたしは――ただ落ちたんだと思うわ。よく覚えていません」

みんなはジャニスにそう思わせておいた。おそらく梯子は無理やり引き倒されたのだろうと、ジャニスに言う者はなかった。または残酷にも懐中電灯で殴られたのだということも。

その朝、あとでヒルダはパットン警視に会った。彼女は警視の向かいに腰を下ろし、二人の間の机の上にモスリンの布きれ、手袋、白ペンキの小さな缶、そして焼け焦げたロープの切れ端を並べた。

パットン警視は神妙な顔つきでそれらを見た。「まだ足りないものがあるぞ」彼は言った。「蛇はないのか？　モルモットは？」

彼は疲れた様子だった。あまり寝ておらず、さわやかで生き生きして、両手をきちんと膝の上で組んでいるヒルダを見るとなんだかいらいらした。

「きみは人間じゃないよ」パットン警視は言った。「それにこういったガラクタは、いったいどういうことだ？」

「昨夜、誰かがジャニス・ガリソンを殺そうとしたということよ」

パットン警視は危うく椅子から飛び出しそうになった。「何だと?」彼は叫んだ。「なのに、わたしに連絡しなかったのか?　いいかい。もうきみをこんな事件に関わらせないぞ。きみときたら、殺人事件を一件起こさせて、今度は――」

パットン警視は言葉に詰まった。ヒルダはこれまでにないほど平然として見えた。「あなたには睡眠が必要だと思ったの」彼女は穏やかに言った。「それにフェアバンクス家の人たちはあなたに会いたがらなかったから」そう言ってかすかに微笑した。「当分はあなたに会わなくていいと、あの人たちは言っていたわね」

「誰がそんなことを言ったんだ?」

「たぶんカールトンかと」

そのあと、ヒルダは事の次第を語った。ジャニスが襲われたこと、それをヒルダ自身が発見したこと、エイモスの部屋に閉じ込められたこと、そしてカールトンが助けにきてくれたことを。

「じゃあ、カールトンは一階にいたんだな?」

「そう。たぶんお酒を飲んでいたんでしょう」

パットン警視は椅子の背にもたれた。「きみはカールトンが犯人だとは思わないんだな?」

「彼は母親を愛していたと思うの」

二人の視線がぶつかった。険しいパットン警視の目と、ブルーで子どもっぽいけれど頑固なヒルダの目が。

「カールトンには動機も機会もあった」

「そんな理由で起訴はできないでしょう?　大陪審は決して――」

「わかったよ」パットン警視はあきらめた声で言った。「さて、こいつらはどういったものなんだ?」

ヒルダは微笑んだ。「ロープについてはわからないわね。とにかく、今のところは。でも、老婦人を怖がらせて心臓発作を起こさせたいと思ったら、どんなことをするでしょうか。もしかしたら、彼女は蝙蝠を恐れていたのかも。鼠とか、ほかのものもそうね。そういった生き物を捕まえて、古い鳥籠に入れてモスリンの布を掛け、誰も来ない場所に隠しておいたのじゃないかしら」

「車庫の塔か?」

「ええ。でも、蝙蝠は——それにほかの生き物も——歯がある。だから分厚い手袋を使うのよ。ここにある手袋を見て。小さな穴がいくつかあいているでしょう」

「どこで蝙蝠を捕まえたのだろう——ほかの生き物もだが?」

「塔の外でしょうね。何の動物も見なかったけれど。たぶん、怖がらせてしまって逃げられたんでしょう。でも、屋根裏部屋には蝶の採集網があった。それを使えば捕まえられそうよ」

パットン警視は両手を上げた。「わかった。きみの勝ちだ」彼は言った。「だが、どうやってそんな生き物を部屋に持ち込んだんだ?」

「そこでペンキの出番じゃないかと思うんだけれど」ヒルダは冷静に言った。

彼女はしばらくそこにいた。立ち上がったとき、パットン警視は彼女をドアまで送った。ヒルダはいつもパットン警視をおもしろがらせるし、喜ばせてくれることも多かった。けれどもその日の朝、警視の目にはこれまでなかった称賛の表情が浮かんでいた。

「きみは本当に有能な人だよ、ミス・ピンカートン」彼は言い、ヒルダに微笑みかけた。「ぶたれると思わなければ、キスしたいところだ」

「そう思ったのは初めてじゃないでしょう」

「どっちが?」彼はいぶかしげに言った。「ぶたれることかい、それともキス?」

「両方よ」ヒルダは言い、部屋から出ていった。

ヒルダが屋敷に帰ると、アイダが一階の廊下を掃除していた。彼女は顔を上げず、ヒルダも声をかけなかった。この女が生きていた姿を見るのはこれが最後になるとは、ヒルダは夢にも思わなかった。

第二十章

その日の午後、二時に検死審問が開かれた。大変短いものだった。カールトン・フェアバンクスが母親の遺体を確認し、とりたてて新しい進展はなかった。スージーは気分が悪そうで、帰宅してベッドへ行ったが、マリアンは町に残って葬儀の手配をしたり、葬式のときの慣例の黒い品物を買ったりした。

午後四時頃にパットン警視がフェアバンクス家を訪ねると、マリアンはまだ外出から帰っていなかった。前よりも体調がよくなってベッドに起き上がっていたジャニスの部屋にはコートニー・ブルックが出入りを繰り返していたが、中にいる時間のほうが長めだった。二人はあまり話をせず、ただ一緒にいるだけで満足のように見えた。カールトンは図書室にいて、一杯か二杯は酒をひっかけたものの、ほとんどしらふだった。

パットン警視の姿を目にしても、カールトンは驚いた様子もなく、ぎこちなく立ち上がった。「あなたがいらっしゃるのではないかと思っていましたよ」彼は言った。「ジャニスのことは単なる事故だ。しかし、普通でないようなことが起こったからと言って、我々が疑わしいなどと判断しないでください。もし、我々の誰かが危害を加えたというなら……」

だが、ここでカールトンの声は尻すぼみに消えてしまった。ややあって、彼は冷静さを取り戻した。

「状況がよくないことは承知しています」彼は言った。「ペンキの缶がなくなっているのを見たときは──しかし、それは母の死と少しも関係ない。まったく何も。ぼくは無実だし、それに──ああ──妻にも罪などないんです」

二階へ行くパットン警視のあとにカールトンが続いた。ヒルダは二人が上がってくるのを見て、カールトンは階段のてっぺんまでたどりつけそうにないと思った。けれども亡くなった夫人の部屋の鍵をヒルダが開けると、カールトンは気を取り直した。もっとも、ベッドには視線を向けようとしなかったが。

パットン警視はきびきびして職業的な態度だった。すぐさまクローゼットへ向かうと、金庫には目もくれずにひざまずき、幅木を調べた。懐中電灯で照らし、幅木をとんとん叩いて耳を澄ますと小首を傾げた。その間カールトンは無言で突っ立っていた。

立ち上がったパットン警視の口調は歯切れがよかった。「いいでしょう」彼は言った。「さて、あなたのお部屋も拝見したいのですが」

今度はカールトンが警視の先に立って歩いた。カールトンは体が縮んだようで、ひどく老けて見えた。部屋の中に入ると、カールトンはスージーの部屋に通じるドアを閉めたが、パットン警視がクローゼットの扉を開けたときにようやく口を開いた。

「これはぼくの名誉に懸けて誓うが」カールトンは暗い声で言った。「昨日の朝までこのことについてはまるっきり知らなかったんです。もっと早くお話しすべきでしたが、これに関わっているのが」──彼はつばをごくりとのんだ──「関わっているのが、ぼくにとってとても大切な人なので」

それ以上、カールトンは話さなかった。きちんと木型をはめた靴の列からパットン警視が一足ずつ取り上げるのを黙って見ていた。ペンキは拭き取ってあったが、黄褐色の靴も並んでいる。警視は懐中電灯を取り、幅木に光を当てた。

「これはどうやって開けるんですか?」

「横に滑らせるんです——暖炉のほうへ。今は固定してありますが」

「昨日から固定したのかな?」

「昨日からです。昨日の朝、これを釘づけしてペンキを塗りました」

白ペンキはもう乾いていた。パットン警視はさまざまな道具が入っている小さな道具入れをポケットから出した。その一つを選び出し、作業に取りかかる。カールトンは無言だった。開け放した窓からそよ風が入り、カーテンを揺らした。外の通りでは月曜日らしく慌ただしげに人々が行きかい、〈ジョーの店〉は買い物をしたり噂話をしたりする女たちで混雑していた。

「パトカーがまた来ているわ。ほら、見えるでしょう」

「時間の無駄よね。フェアバンクス家の人たちみたいな人間を、警察が殺人容疑で逮捕するはずないもの」

幅木を横に滑らせるまで少し時間がかかった。ペンキのせいでくっついていたからだ。だが、とうとう幅木は動き、パットン警視は懐中電灯を取り上げた。そこは何も入っていない狭い空室になっていて、壁の厚さ分の幅があった。奥には木の板があり、留め金とねじで床に留めつけられていた。彼がその板を開けると、予想どおり、それはミセス・フェアバンクスのクローゼットの幅木になっていたのだ。右側にあるのは金庫だった。金庫に触れることはできたが、合わせ錠のダイヤルまでは手が届かない。空室の高さはわずか七インチほどだった。

パットン警視は両手の埃を払いながら立ち上がった。「これでいろいろと説明がつくと思いますよ」彼は言った。「お母さまを怖がらせようとしたいくつかの試みだけでなく、ほかのこともこれでわかります、ミスター・フェアバンクス」

「どんなことですか?」

「たとえば、お母さまの部屋のラジオの遠隔装置のケーブルです。おそらくお母さまはあの晩の早いうちに殺されたのでしょう。あなたはこの部屋からラジオをつけて、あとでお母さまの部屋に入った。表向きはラジオを消すためだったが、本当はケーブルを抜くためです。あなたがクローゼットに行ったのはそこにケーブルを置くためでした。あとでこちら側からそっとケーブルを引き出せるようにね」

「ぼくは神に誓ってそんなことをしていない」

そのとき、スージーが部屋に駆け込んできた。今にもパットン警視に飛びかからんばかりに憤っている。「ばかね!」彼女は言った。「とんでもないばかよ! 昨日まで主人はこの穴のことを知らなかったのよ」

スージーの言葉にカールトンは腹を立てたようだった。「黙っていろ」彼は言った。「これ以上、事態を悪くするな。もう充分にひどいことになっているんだ。部屋へ帰れ。ぼくは――」

スージーは夫の言葉にまるで注意を払わなかった。怒りと恐怖のせいであえいでいる。「主人の話には耳を傾けないで。あたしがやったの。あたしがやったことなのよ。あたしが完全にこの穴をふさぐ機会があったら、主人は決して気づかなかったでしょう。でも、義母の部屋にいろいろな生き物を持ち込んでいたのがあたしだと思っているなら、それは違う」彼女の声は甲高くなっていた。体をわなわなと震わせている。「この家の誰かがそんなことをしたのよ。あたしじゃないわ。十フィートの長さの棒を使っても、あんなものには触れたくなかったでしょう」

スージーは話を始めた。もはやどんなものも彼女を止められなかっただろう。カールトンはこちらに背を向けて窓から外を見ている。パットン警視は耳を傾け、ヒルダは観察していた。

事が始まったのは去年の冬の終わりだった、とスージーは言った。スージーが銀行へ行ったとき、ミセス・フェアバンクスが分厚い札束を受け取ったのを見たのだ。

「義母のほうはあたしに気づきませんでした」スージーは言った。「義母が貸金庫のほうへ行ったのを見て、お金をしまっておくのだとわかりました。そのことをカールトンに話しましたが、あたしの言うことを信じてくれなかったの。いずれにしても、お母さんは自分の好きなようにやるだけのことだと主人は言いました」

それから金庫の問題が起こった。どうしてミセス・フェアバンクスは自分の部屋に金庫を置きたがるのだろう？　その頃、彼女にはほかの点でも変化が現れていた。金払いが渋くなってきたのだ。ミセス・フェアバンクスはキッチンメイドと、もう一人いたメイドを首にした。

「あたしは心配になりました」スージーは言った。「義母が自分の部屋に金庫を置きたがった理由がよくわかったからです。あたしは貧しい階級の出かもしれませんが、義母が何をやっているかについてはちゃんと見当がつきました――証券類を売って、税金を逃れるために現金に換えていたのです。今はそれを家の中に貯めておこうとしているのね、と！」

「あたしは義兄に頼んで大工仕事をしてもらいました」スージーは挑戦的に言った。「金庫は壁の中に作られる予定でした。そこであたしの考えを義兄に伝えたの。もし、義母が二百万ドルか三百万ドルをこの家に置いているとしたら、どうなるだろうか、と。大勢の人がそのことを知っているかもしれない——銀行やブローカーも。そういった情報は漏れるものよ。安全ではない。あたしたちは安全ではなかったんです。もし、火事でもおこったら……」

スージーの義兄は少なくとも彼女が老婦人の動向に目を光らせているのがいいだろうと提案した。「ミセス・フェアバンクスを変えることはできない」義兄は言った。「だが、彼女を見張ることはできる。それで本当に現金を隠しているなら、そのことをカールトンに話して掛け合ってもらえばいい。脱税を試みれば、ミセス・フェアバンクスは刑務所行きになってしまうぞ」

ミセス・フェアバンクスとマリアンはフロリダにいて、ジャニスは学校の友人を訪ねていたから、スージーとカールトンは何日か町を離れて農場を探した。だからその間、スージーの義兄は苦もなく壁に穴を開ける作業ができた。老婦人が帰ってくると、スージーはかなりのことを知った。大半は穴を通じて盗み聞きしたことからだった。ミセス・フェアバンクスは車で出かけて帰宅すると、金庫に何かを入れる。しばらくして、明らかに金が貯まると、ミセス・フェアバンクスには新しい習慣が生まれた。夜になると部屋の鍵を掛けてカードテーブルを据えつけ、貯めた金を数えていたのだ。

「あたしは幅木を全部開けたことはなかった」スージーは言った。「でも、一インチかそこら、横に滑らせました。義母は靴を入れた袋をドアに掛けていたので、靴が邪魔になることはなかったの。彼女はトランプの一人遊びをするふりをしていましたが、あたしはだまされなかった！　でも、あたしがカールトンにこのことを伝えようとしても、信じてもらえなかったでしょう。どうやって知ったのかを話すわけにもいかなかったし」

ラジオにつなげるケーブルや遠隔装置の可能性について尋ねると、スージーは手を振って否定した。

「そんなの、ばかげているわ」彼女は言った。「義母が亡くなるまで、こんな穴があることを主人は知らなかったのよ。昨日の朝、モーニングコートに合わせるために黒い靴を探すまではね。それから彼はあたしをひどく叱って、昨日、幅木を釘で打ちつけてしまった」スージーはカールトンのそばへ行って腕に片手を置いた。「カールトンがたった一つあたしに疑いをかけたものがありますが、それは身に覚えのないものでした」彼女は静かに言った。「主人はあたしが車庫で蝙蝠を飼っていると思っていたの。布に包まれた鳥籠を車庫で発見し、それをあたしに持ってこようとしたところを看護婦さんに見られたんです。だから鳥籠を返してこなければならなかったのよ！」

ヒルダを見たスージーのまなざしには恨みなどなかった。「あなたって本当に頭がいいのね」スージーは言った。「でも、鳥籠のことには気づかなかったでしょう？　そんなわけであの晩、雨の中をあたしは出ていったの。カールトンから鳥籠のことを聞いて、まだ車庫にあるかどうか見たかった。その中に何があるのかも」

「だけど、あなたは車庫に入らなかったのでしょう？」

「誰かに追い払われたのよ」急にスージーは用心深そうになって言った。「誰かに腕をつかまれて……」

その頃、一階の台所ではマギーが時計を見ていた。「どうしてアイダは帰ってこないのかね」マギーは言った。「ほんの一時間ばかり外出すると言っていたけど、もう五時だよ」彼女はウィリアムに紅茶を注ぎ、自分のカップにも紅茶をいれた。「近頃、アイダの行動は妙だね」彼女は言った。「大奥さまがお亡くなりになった前後から変なんだよ」

「アイダなら大丈夫だろう」ウィリアムは言った。「たぶん、映画にでも行ったんだろうよ」

けれども、二階にいた者たちは誰もアイダのことなど考えていなかった。とにかくそのときは。カールトンは母親の金庫の鍵の組み合わせ番号を知らなかったし、パットン警視はどうしても金庫を開けたがっていた。

「母は組み合わせ番号を紙に書いていたと思いますよ」カールトンは心配そうに言った。「最近、母の記憶力はあまりよくなくなっていたので。たぶんあなたは見たことがあるでしょう、ミス・アダムス」

だが、ヒルダはそんな紙など見たことがなかった。ミセス・フェアバンクスが金庫を開けた現場を目撃したことも。その後に続いた部屋の捜索でも、まったく進展がなかった。パットン警視たちは壁から絵を取り外したり、床の敷物の端をめくったり、ベッドを隅から隅まで探ったり、テーブルや化粧ダンスの引き出しに敷かれた紙の下を調べたりした。散らばっている数冊の本や炉棚の花瓶すら調べた。時計やラジオの裏側も、スージーの話によれば、老婦人が一人遊びをするふりをしていただけのトランプも。

こうして捜索していた間、彼ら四人は友好的と言っていいほどの雰囲気になっていた。少なくとも、共通の目的で四人は結ばれていたのだ。六時十五分前にマギーが入り口にやってきたとき、ミセス・フェアバンクスの部屋は徹底的に調べられている最中だった。スージーは椅子に乗って窓にかかったカーテンの上を探っていたし、パットン警視はベッドの下にもぐっており、両脚しか見えなかった。

マギーはすまなそうな表情をしていた。「お邪魔するつもりはなかったんですが」彼女はかなりまごついた様子で言った。「アイダのことなんです。一時間ほどで戻ると言って一時に出かけたんですが、まだ帰ってこないんです」

パットン警視はベッドの下から這い出した。立ち上がって服から埃を払い落とす。「よくこんなことがあるのかな?」

「あたしの知るかぎり、一度もありません」

「どこへ行くと言っていたのかい?」

「絹のかがり糸を買わなければならないと言っていました。その前に昼ごはんを食べたらいいと言ってやったんですが。アイダは気分が悪そうでした。でも、昼食ができるのを待たずに出かけてしまって」

警視は腕時計に目をやった。「もう六時近いな。出かけてから五時間か。わたしなら心配しないよ。そのうち帰ってくるだろう」

しかし、アイダは姿を見せなかった。買い物や葬儀屋との打ち合わせから帰ってきたマリアンは疲れ切った様子だった。彼女は夕食を断り、長椅子に横になった。目を閉じたマリアンの表情は苦々しいものだった。

カールトンはスージーと部屋に閉じこもっていた。ジャニスとブルック医師は彼女のベッドの横にトレイを二つ置いて、傾かないようにバランスをとりながら手を握り合ったりして食事をとったが、かなりの量を残した。

ヒルダがそのトレイを片づけようとしたとき、ブルック医師があとを追ってきた。「あの、ちょっと」と彼は言った。「何が起こっているんですか? アイダが行方不明だとか?」

「わたしにはよくわかりません、先生」

「とにかく、大変な騒ぎだったとか? マギーの話によれば、あなたがたは老婦人の部屋を根こそぎひっくり返したようなものだったそうですね」

「金庫を開ける組み合わせ番号が書かれたものがないか探していたんです」

ブルック医師は口笛を吹き、ジャニスの部屋のドアをちらっと振り返った。「ぼくならそのことをジャニスに話しませんよ、ミス・アダムス」彼は言った。「動揺させるかもしれませんからね」

ブルック医師は詳しく話そうとせず、その晩、ヒルダはそれについて頭を悩ませていた。依然としてアイダが帰ってこないことも妙だった。八時になると、ウィリアムが田舎にいるアイダの家族に電報を打ち、彼とマギーは台所でその返事を待った。食事を終えたブルック医師は何時間か自分の診療所へ行っていたが、九時には屋敷へ戻ってきた。マリアンはベッドへ行き、カールトンとスージーは図書室にいた。特に用事がなかったヒルダは自室で腰を下ろし、夕暮れが夜へと変わっていく様を眺めていた。見聞きしたさまざまな事柄を寄せ集めて考えてみたが、その結論は？　これまでよりも事件の解決に近づいているとは思えなかった。

アイダ？　アイダが何をしたのだろう？　ミセス・フェアバンクスの部屋の開口部を発見したのかもしれない。アイダが膝をついてクローゼットの底部を拭いていたとき、幅木がちゃんと閉まっていなかったとか。部屋に蝙蝠たちを忍び込ませたのはアイダだったとすら考えられる。彼女は田舎育ちの女だ。蝙蝠なんか怖がらないだろう。でも、なぜ、そんなことを？　アイダの動機はどんなものだったのだろう？

ヒルダは殺人が起きた日の朝を思い返した。アイダは自分の部屋の窓辺に立っていた。ヒルダとパットン警視が部屋に入っていったとき、アイダは膝の上で両手を組み、細面の顔に奇妙な表情を浮かべていたっけ。アイダは何かを恐れていたのだ。怖さのあまり、立ち上がって逃げようとしたが、できなかった。そして今、彼女は消えてしまった。

ヒルダの隣の部屋ではジャニスとブルック医師が話し合っていた。ヒルダは立ち上がると、音をたてないようにして表側の廊下に出ていった。上を見ると、三階は暗くてがらんとしていて、アイダの部屋へ通じる長い廊下は薄気味悪かった。夜になって冷えてきて、時代を経た屋敷は軋んだ音をたてた。階段のてっぺんに見かけた人影のことを思い出し、ヒルダは軽く鳥肌が立つのを感じた。

けれども、いったんアイダの部屋へ入り込むと、気分はよくなった。電灯をつけてまわりを見渡す。アイダが計画的に家を出た形跡はまったくなかった。椅子の背もたれには洗ったストッキングが掛けてある。脱ぎ捨てられた青い制服がベッドの上にあった。使い古したスーツケースはクローゼットの床に立ったままだ。

くず入れに入っていたのは新聞紙だけだったが、松材の化粧台の下に紙きれが見つかった。手紙の一部のようで、たった二語しか書かれていない。一行目には「残念」とあり、その下には「無害」と書いてあった。手紙の切れ端はそれ以外見つからなかったので、とうとうヒルダはあきらめて電灯を消した。

ヒルダはそっと歩いて二階への階段を下りた。驚いたことに、ミセス・フェアバンクスの部屋のドアが開いている。中に入ってみると、ブルック医師がいた。テーブルの引き出しを開けて何かを取り出している最中だった。

ヒルダに気づくと、ブルック医師は仰天したらしかった。それから彼はにやりと笑った。「トランプを探していたんですよ」彼は言った。「ジャニスとぼくはジンラミーをやりたいので」

ブルック医師はトランプを見せたが、ヒルダはそれに手を伸ばした。「わたしがいただきます」彼女は言った。「この部屋から何も持ち出してはいけないという命令を受けていますので」

「まあ、そう言わないで。トランプくらいは――」

「どうかわたしにください。トランプなら一階にもありますよ」

ブルック医師はしぶしぶトランプを渡した。「それで、このトランプをどうするつもりですか?」

彼は尋ねた。

「元あった場所に戻すんです」ヒルダは頑なな口調で言った。「そしてこの部屋のドアに鍵を掛けます」

ブルック医師が出ていくと、ヒルダはドアに鍵を掛けてその鍵をしまった。

真夜中に電報が届いた。アイダは実家に帰っていなかったらしい。眠れるようにとマリアンにホットミルクを持っていったヒルダは使用人たちがまだ台所にいることに気づいた。マギーにウィリアム、そして、ドアのそばでパイプを吸っているエイモス。みんな心配そうで用心深い表情ね、とヒルダは思った。

マギーはアイダが死んだものと考えているようだった。「アイダはいい人だったよ」涙ながらに言う。「信心深いキリスト教徒でもあったね。余計なことに口を出したりしなかったし」

エイモスはパイプの灰を振り落とした。「余計なことに口を出さなかったって?」彼は言った。「それは確かかい? だったら、大奥さまが殺されなさったあと、昨日おれのところでアイダは何をしていたんだ?」

「それは作り話だろう?」

「作り話だと? おれの部屋の窓から外を見ているアイダを捕まえたんだ。あいつは詮索屋だった。

嗅ぎ回っていたんだよ。おれはアイダを信用したことはなかったね」

「あんたは誰のことも信用しないじゃないか」マギーは軽蔑するように言った。「とにかく、アイダがあんたの部屋で何をしたかったというんだね?」

「まさにそのことをおれは尋ねたんだ。アイダが言うには、何枚か毛布を持ってきたんだとさ。おれはこのお屋敷に勤めて三十年で、アイダは十年だ。あいつがおれのベッドなんかに興味を示したのはあれが初めてだったよ」

どうやらエイモスはそのことをおもしろいと思っているらしかった。彼はにやっと笑ったが、マギーは軽蔑のまなざしで見た。

「せいぜいありがたいと思うんだね」

「ありがたいだと? 夏の初めに毛布をありがたがるだって? 毛布なんざ、おれの部屋に入り込むための言い訳さ。違うとは言わせねえぞ」

その晩、ヒルダは数日前にスージーが気絶した理由を突き止めた。

ジャニスが休むようにと言ってくれたので、ヒルダはありがたく受け入れた。欲しいのは熱いお風呂と睡眠だけねとヒルダは思った。明日になれば、家に帰れる。愛する小鳥と日当たりのいい居間のところへ。自分にできることはすべてやった。殺人事件を解決できなかったけれど、一つの謎は解き明かした。ヒルダはアイダの部屋にあった紙切れをスーツケースにしまって、きれいな寝間着を取り出し、ちょっとためらったあとでミセス・フェアバンクスの部屋の鍵を枕の下に入れた。服を脱ぎ、寝室用のスリッパを取ろうとクローゼットに手を伸ばした。スリッパの片方の中にはとぐろを巻いているる何か冷たくてべたついたものがあり、ヒルダがそれに触れると、彼女の足の上を滑っていってべッドの下に入り込んだ。

一瞬、ヒルダは麻痺したようになって動くこともできなかった。それからスリッパを履くと部屋を出て廊下を横切り、スージーの部屋のドアをノックした。スージーはいつものように片手に煙草を持ち、おなじみのセンセーショナルな雑誌をもういっぽうの手に持ってベッドに入っていた。

「ご主人に話してください」ヒルダは冷ややかに言った。「先日の晩、あなたが気絶するほど驚いたものが今わたしのベッドの下にいると。無害なものだと思いますけれど」

「無害ですって！」スージーは言った。「あのいまいましい覗き穴に手を突っ込んだとき、あれに触れて死ぬほど驚いたのよ。あれは――」

「そうです」ヒルダは穏やかに言った。「あれは蛇です。あれを置いた者が誰だかわかるといいのですが」

第二十一章

鑑識課

死亡者の報告書

死亡者の氏名：不明
死亡者の最後の住所：不明
死亡日時：○○年六月十七日午前一時
死体の検案日時：○○年六月十七日午前八時
報告者：市立病院
死亡場所：市立病院
死体の検案場所：死体安置所
死亡確認した医師：キャシディ医師
性別：女
年齢：四十歳前後
肌の色：白

備考：午後四時に〈スターン・アンド・ジョーンズ〉百貨店の休憩室で激しい苦痛を訴える女が発見されたという報告あり。同店の医師がショック状態にあった女の処置をした。市立病院への搬送時（警察の報告書を参照）には虚脱状態にあった。病院への到着は六月十六日午後五時十分。

遺体は痩せているが、栄養状態は良好な女。両手の状態から使用人、あるいは掃除婦または類似の職業に従事していたと推察される。衣服からは手がかりなし。体に暴力を受けた形跡なし。

自殺を示す遺書の類は発見されず。小さな紙袋入りの絹のかがり糸がバッグに発見されたことから、死亡者は死を予期していなかったと思われる。さらに前述の休憩室の係員の報告によれば、発見当時、死亡者には意識があり、毒をのまされたと言っていたという。

前記の状況を鑑みて、死亡原因は以下のように推定される。

一人または複数の不明人物による砒素の投与：殺人と判定される。

（署名）鑑識課長

S・J・ワードウェル

検死解剖報告

推定年齢：四十歳

体重：約百五ポンド

身長：五フィート三インチ
速記者：ジョン・T・ヘロン

私、リチャード・M・ウィーヴァーは〇〇年六月十七日、死後七時間経過の本遺体の検死を行い、その結果が以下のとおりであることをここに証明する。

四十歳前後と思われるこの白人女性の遺体にはいかなる外傷も見当たらず。解剖した結果、砒素中毒の兆候が発見された。胃洗浄器を使用したため、最後に食物を摂取した時刻は不明。死亡より十二時間ほど前と想定される。

内臓からは多量の砒素が検出された。

（署名）検死官助手
リチャード・M・ウィーヴァー

行方不明のアイダが死体安置所にいるのが発見されたのは、彼女がいなくなった翌日の正午だった。そのときには検死解剖が終わっていて、遺体確認のためにカールトンがそこへ連れていかれたとき、疲れたアイダの両手は死体安置所の冷たい遺体安置台の上で安らかに休んでいた。

遺体を一目見たとたん、カールトンはあとずさった。「確かに、これはアイダです」カールトンはかすれた声で言った。「なんということだろうか、警視！　我々に何が起こっているのだろう？」

「おそらくアイダは知りすぎていたのでしょう」パットン警視は言い、死体安置所の係員に合図して遺体を見えないところに移動させた。「哀れなことです。残酷な死ですよ」

パットン警視は考え深そうにカールトンを見やった。「報告書を読みました」警視は言った。「昨日、アイダは昼食をとらずに外出しました。三時か、その少しあと、彼女は〈スターン・アンド・ジョーンズ〉の手芸売り場で絹のかがり糸を買ったそうです。女店員の話によれば、アイダは気分が悪そうで激しい腹痛がすると不平を言っていたとか。女店員は休憩室へ行ったらどうかと勧め、アイダは休憩室へ行きました。最初は椅子に座っていた。それから休憩室の係員はアイダをソファに移動させ、店の常駐医を呼びにいった。医師の話によると、アイダは自分の名も住所も告げなかったらしい。病院に着いた頃には話すこともできなくなっていました。どうやら屋敷を出てから休憩室で発見されるまでの間にアイダは毒をのまされたようです」

カールトンの視線を浴びながら、パットン警視はアイダが病院へ運び込まれたときに着ていた服を調べた。そこからは何も見つからなかった。けれども、彼女のバッグには驚くべきものが入っていた。口紅もおしろいもなかった。硬貨入れには一ドルか二ドルあるだけ。しかし、鏡の裏にあるポケットに真新しい百ドル札が五枚見つかったのだ。

二人の男は信じられない思いで札を見つめた。

「あなたが彼女にこんな金を払っているのではありませんよね?」

「まさか、払うはずがない。アイダはどこでこれを手に入れたのだろう?」

札は続き番号で、パットン警視はその番号を控えた。それから札を封筒に入れ、金庫にしまうようにと命じた。二人で通りに出ても、カールトンはまだ混乱した様子だった。カールトンは震える両手で煙草に火をつけた。だが、なおも動揺が収まらなかった。長々と息を吸い込む。

「少なくとも、今回の殺人は我々と関係ありませんね」カールトンは言った。「我々の誰も彼女を殺すはずありませんから。あの金については――」

「昨日は検死審問のあと、みなさんは全員、午後ずっと家にいらしたのですよね？」

カールトンは真っ赤になった。「あなたがいたじゃありませんか。我々を見たでしょう。ぼくの妹は別として。マリアンは買い物に出ていましたからね。だが、彼女にはアイダを殺す理由などない――今回のことで妹を疑うことはあなたにもできませんよ。彼女は――」

パットン警視はカールトンをさえぎった。「マリアンがよく買い物に行くのはどこですか？」

「それは――わかりません。町中のあちこちじゃないかな。だからどうしたというんですか？　母が亡くなったとき、マリアンはアトランティック・シティにいたんだ。それにマリアンはアイダを気に入っていた。あなたはこんなふうに調査を続けるわけにいきませんよ」カールトンの声は高くなっていた。「我々全員を疑うわけにはいかない。ひどい話だ。ばかげている」

「殺人は二件起きました」警視は表情も変えずに言った。「〈スターン・アンド・ジョーンズ〉にはレストランがありますね？」

「さあ、知りません。マリアンは出かける前に昼食を済ませましたよ」

そこで二人は別れ、カールトンは堅苦しい態度でタクシーを拾い、家に帰った。パットン警視は警察へ帰り、いくつかの銀行に電話をかけた。カールトン・フェアバンクスが利用している銀行が見つかると、彼の預金残高を調べてほしいと頼んだ。しばらく待ったあと、警視は残高を知った。

「現在の残高は三百四十ドルです。先週、カールトンさんは七十五ドルの現金を引き出しました。それだけです。まさか彼を疑っているわけではないですよね、警視さん？」

「この一カ月かそこらの間に百ドル紙幣で五百ドルを引き出した記録はないですか？」

「いいえ。それほどの残高があったことはありません」

パットン警視がふたたびフェアバンクス家を訪ねたのは一時だった。まず、彼は使用人たちに尋問した。彼らは口数が少なくて怯えていた。エイモスすら普段ほどぶっきらぼうではなく、アイダが砒素で殺されたことを知らされると、場はしんと静まり返った。とはいえ、使用人たちが警視に話すことは何もなかった。アイダはミセス・フェアバンクスの死を深刻に受け止めていたという。前の日は朝食以外に家では一切食べなかったらしく、「朝食もごくわずかでした」とのことだ。アイダがどこに金を預けていたかと尋ねると、町の銀行に口座を持っていたとみんなは口をそろえて言った。

アイダが自殺を図った可能性を信じた者は一人もいなかった。

「どうしてアイダが自殺を図るんだね？」マギーは実際的な口調で言った。「安定した仕事に就いていて給金もよかったのにさ。とにかく自殺なんてする柄じゃなかったよ。毎月、田舎にいる家族に金を送っていたんだ。これでそんなこともできなくなるけどね」彼女はつけ足した。「親たちは年老いていて、農場の仕事だけじゃ暮らしていけないだろう。親には知らせたんだろうね？」

「いいえ、まだですよ。ご両親の住所を教えてほしい」

パットン警視は住所を書き留め、ヒルダはどこにいるかと尋ねた。自分の部屋にいるとウィリアムは答えて警視を二階へ案内した。ヒルダは膝に編み物を載せて椅子に座っていた。警視は部屋に入ってドアを後ろ手に閉めた。

「アイダの話は知っているだろう？」

「ええ。今、マリアンの部屋で家族会議が開かれているのよ」

「話は聞こえなかったかい?」

「盗み聞きなんかしなかったので」ヒルダは取り澄ました口調で言った。

二人は裏階段を上がってアイダの部屋へ行った。階下で昼食の支度をする物音が聞こえる以外、屋敷はひっそりしていた。アイダの部屋はヒルダが前日に見たときと変わらなかった。パットン警視は捜索してみたが、重要なものは何も出てこなかった。彼が調べ終えると、ヒルダは前に見つけた紙切れを差し出した。

「『残念』に『無害』か」彼は読んだ。「手紙の一部らしいな? 無害とは何のことだと思うかい?」

「わたしの考えでは」ヒルダは穏やかに言った。「蛇のことではないかと。ほら、蝙蝠だの何だのでは効果がなかったでしょう。だから彼女は蛇を試してみたのね」

「誰が蛇を試したって?」

「アイダよ」

「いったい何の話をしているんだ? もし、『無害』という言葉から蛇じゃないかと思ったのなら──」

ヒルダは微笑した。「違うの。昨夜、わたしのクローゼットで蛇を見つけたのよ」

パットン警視はあ然とした。「これはなんと! そいつが無害だったと、どうしてわかるんだ?」

「もちろん、その紙切れがあったからよ。それに自分の目で見たから。庭で見かけるような小さな蛇にすぎなかった。庭に放してやりたかったけれど、カールトン・フェアバンクスが殺してしまったのよ。ゴルフクラブでね」そうつけ加えた。

パットン警視はまじまじとヒルダを見た。きちんとした白の制服に身を包み、感じのいい穏やかな顔をしたヒルダ。ヒルダを揺すぶってやりたいという強い衝動に駆られた。

「じゃあ、実に簡単だったわけだな」パットン警視は辛辣な口調で言った。「アイダが蛇をきみのクローゼットに入れて、カールトンがそいつをゴルフクラブで殺したと」彼の声が高くなる。「いったい、蛇が二つの殺人とどんな関係があるというんだ？　わたしを見てにやにやするのはやめろ」

「にやにやなんかしていません」ヒルダは威厳を持って言った。「アイダが蛇をわたしのクローゼットに入れたとは思えない。たぶん蛇は壁の穴から逃げたのね。蛇のせいでスージーは死ぬほど怯えた。でも、蛇を屋敷に持ち込んだのはアイダに違いないの。蛇やそのほかの生き物も」

「なぜだ？」

「彼女が田舎育ちの女だったからよ。町からたった三十マイルしか離れていないところに実家があって、アイダは月に一度かそこらは訪ねていた。で、わたしは考えたの」ヒルダはつけ足した。「今日の午後、そこに行けないかと。アイダのご両親は娘の死を知っているかもしれないけれど、お年でしょう。彼らにとってはつらいことに違いないもの」

パットン警視は疑い深げにヒルダを見た。「それだけかい？　もしかして、ほかのことも考えていたんじゃなかろうな？」

「ちょっとあたりを見て回っても害はないわね」ヒルダは慎重な口ぶりで言った。「ブルック先生が車で連れていってくれるんじゃないでしょうか」

パットン警視は窓辺へ行き、外を眺めていた。「なぜ、アイダはあんなことをしたんだろう？」彼は訊いた。「老婦人の遺言状で得るものはあったとしても、わずかだろうに」

「あら、アイダがミセス・フェアバンクスを殺したとは思っていないわよ」ヒルダは慌てて言った。

「アイダはこの屋敷が大嫌いだった。一つには仕事がうんと大変だったからでしょう。もしかしたら老婦人を脅して引っ越させようとしたのかも」

「だが、きみはそんなことを信じていないだろう？」

「ええ。アイダが自殺したとも信じていません」

パットン警視は帰る前にカールトンに会った。「こんな状況になったことを考えると」警視は言った。「ミス・アダムスをもう一日か二日ここに置いておきたいのですが。あなたたちが給金を払う必要はありません。そのことはわたしがなんとかします」

「では、この家には相変わらずスパイがいることになるわけですな」カールトンは辛辣な口調で言った。「ぼくはどうしたらいいんですか？　ミス・アダムスを置いておけばいい。ぼくはもううんざりだ」

第二十二章

その日の午後、年老いたイライザ・フェアバンクスは聖ルカ教会での葬儀後に埋葬された。警察はやじ馬や、カメラを高く上げて家族の写真を撮ろうと必死になっているカメラマンたちを押し戻していた。重い棺に納められたミセス・フェアバンクスの小柄な体は教会に運び込まれ、葬儀後にまた外に出てきた。次々と続く車の長い列が教会へやってくると、ふたたび人々を乗せて去っていった。

「あれは何なの？　結婚式？」

「しっ、静かに！　あれはね、お葬式なの。ナイフで刺されたおばあちゃんのね」

マリアンが車から出てきた。喪服をまとった彼女の顔は陰鬱だった。カールトンとスージーが現れ、彼女は人目もはばからず泣いていた。ジャニスは青ざめて愛らしい顔をしていたが、頭を傲然と高く上げ続け、コートニー・ブルックに腕を取られている。誰もフランク・ガリソンに目を留めなかった。彼は教会の後ろのほうに腰を下ろしていたが、何を考えていたかは神のみぞ知るというところだろう。この同じ教会であげた結婚式のことを考えていたのかもしれない。マリアンが自分の横に立っていたときを。あるいは洗礼盤の前で行ったジャニスの洗礼式のことを考えていたのかもしれない。自分の腕の中にいた温かくて小さな体のことを。それとも、フェアバンクス家の信者席に座っていた、毎週日曜の朝を思い出していたのだろうか。小柄な老婦人の隣に腰を下ろしていたときのことを。

葬儀が終わるなりフランクは立ち上がった。

一家の者が墓地から戻ってきたのは五時で、ヒルダがマリアンをベッドに入れて手があいたのは六時だった。ヒルダは家の横側のドアからそっと外に出ると、車庫の前を通ってハドソン街へ行った。コートニー・ブルックが車の中でヒルダを待っていた。

「大丈夫だといいんですが」彼は言った。「町中ではこんなおんぼろ車でも問題ないんです。止まってしまっても、直してくれる人を頼めますからね。でも、今回みたいな遠出となると……」

ヒルダは車に乗り込んで身を落ち着けた。「大丈夫ですよ」気楽な口調で言う。「大丈夫じゃなくちゃいけないの」

とはいえ、最初は何の発見もないように思われた。悲しみに打ちひしがれたアイダの年老いた両親は当惑しているだけだった。

「あの子をあんな目に遭わせたいと思った人なんていたんでしょうか?」彼らは尋ねた。「いい娘だったんですよ。余計なことに首を突っ込んだりしなかった。それにアイダはフェアバンクス家の方たちに好意を持っていたんです。とりわけミセス・ガリソンにね。そう、ミセス・マリアン・ガリソンですよ。そこにマリアンさんの写真があります」ヒルダはそちらに視線を向けた。炉棚には何年か前に撮られたらしいマリアンの写真が飾ってあった。「あの頃のマリアンさんはおきれいでしたよ」アイダの母親は言った。「アイダはいつもマリアンさんの着替えを手伝っていました。アイダは——」

ふいにアイダの母親は口をつぐんだ。夫が何か合図を送ったのだろうとヒルダは思った。それ以上、二人からはまったく情報を得られなかった。彼らは蝙蝠だのほかの動物だのについて何も知らないと言い、その驚きぶりを観察していたヒルダは本当なのだろうと確信した。ヒルダたちは昔風の客間で腰を下ろしていた。一方の隅にオルガンがあり、火の気のない暖炉には紙のうちわが飾ってある。アイダの両親は娘が蝙蝠などの生き物を町へ持っていったことを否定した。「なぜ、そんなものを持っていくというんですか？」

「そういう動物を買ってくれる研究所があるんですよ」ヒルダは嘘をつき、立ち上がった。「フェアバンクス家の車庫で鳥籠に入れてそんな生き物を飼っていた人がいます。気にしないでください。とにかくお気の毒でした。もし、わたしに何かできることがあれば……」

ブルック医師は家の中に入らなかった。ヒルダが出てくると、彼は車の横に立っていた。

「おかしなことがありましたよ」彼は言った。「向こうの納屋のそばに男の子が一人いたんです。ぼくがその子のほうに歩き始めたら、逃げてしまった。それはさておき、アイダのご両親は知らせを聞いてどうでしたか？」

「落胆していました」ヒルダは疲れた声で言った。「たぶん、あなたが見た男の子があれをやったんでしょうね」

「あれをやったって、何を？」

「蝙蝠やら何やらを捕まえて、アイダに渡したんです」

ブルック医師は危うく車を溝に落としそうになった。「そういうことだったんですか」彼は言った。「アイダだったのか！　しかし、なぜです？　それにアイダを殺したのは誰なんですか？」

「先生は本当にご存じないのですか？　ミセス・フェアバンクスが亡くなった夜、先生は三階で誰かをごらんになったでしょう？　たしかコーヒーのカップを持っていらして、こぼしたじゃありませんか」

ブルック医師はトラックを一台追い越してから答えた。「そんなばかげた推論は聞いたことがない」彼は言った。「そういうのが警察のやり方だとすれば──」

「わたしは警察の人間じゃありません」ヒルダは辛抱強く言った。「先生は誰かをごらんになったのね？」

「見ていないと言ったはずですよ」

ブルック医師は嘘をついていたし、しかも下手だった。ヒルダはその話題を追求しなかった。町まで帰る残りの道中、ヒルダはほとんど口をきかなかった。顔にはもはや穏やかで無邪気な表情が浮かんでいない。意気消沈し、どこか具合が悪そうに見えた。ブルック医師が街道沿いの店で食事はどうかと丁重ながらも冷ややかに誘うと、ヒルダは断った。

「お腹がすいていません」彼女は言った。「でも、ありがとうございます。できるだけ早く帰りたいんです」

とはいえ、急いでいたはずなのに、フェアバンクス家に戻ったとき、ヒルダは何をするわけでもなかった。制服に着替えようともしない。自分の部屋で帽子を脱ぎ、腰を下ろしただけだった。ベッドに行く途中でヒルダの部屋のドアをジャニスがノックしたとき、彼女はまだ暗い中に座っていた。

「あらまあ！」ジャニスは言った。「明かりをつけましょうか？　何か召し上がりました？」

「何も食べたくなかったんです、ジャニス」

「今夜、あなたとコートニーは何を企んでいたんですか？」ジャニスは興味ありげに訊いた。「ほら、あなたがたを見たのよ。何時間かお留守だったわね」

「アイダのご家族に彼女のことを報告に行ったんです」ヒルダは言った。「本当に悲しかったですよ。

悪い知らせを運ぶなんて嫌なことです」

ヒルダはジャニスをじっと見た。この娘はまた打撃が与えられたら耐えられるだろうか？　もし、自分の想像が当たっていたとしたら？　秘密を知っていたためにアイダが殺されたという推測が当たっていたら、どうするだろう？

真夜中になってようやくヒルダは動き始めた。家の者は寝静まっていた。その頃には車庫のエイモスの部屋の明かりさえついていなかった。しかし、ヒルダは用心のため、靴を脱いだ。それから懐中電灯を持って三階へ上っていった。けれども、アイダの部屋へ戻ったのではなかった。客室へ行って一つずつ調べた。床や浴室を調べ、ベッドを覆っている埃よけを剝がした。

見つかるかもと予期していたものがあったのは、カールトンの部屋の真上の部屋だった。

そのあと、ヒルダはベッドに行って眠ったが、心の目覚ましをセットしたかのように六時ぴったりに目を覚ました。図書室に下りていって、独身者用アパートに住んでいるパットン警視に電話したとき、家の中で活動している者はいなかった。警視は寝ぼけたような声で電話に応えた。

「ヒルダ・アダムスですけれど」彼女は用心しながら言った。「あなたにやってほしいことがあるの。できれば今」

「こんな時間にかい？　なんてこった。ヒルダ、きみは眠らないのか？」

「眠るわよ。でも、起きたの。部下の方をホテルにやって調べさせてもらえませんか？　日曜の朝早くホテルに着いて、その日の午後に出ていった女がいないかと」

「日曜か？　わかった。しかし、どういうことなんだ？」

「あとでお話しします。ここでは話せないの」

ヒルダは電話を切り、また二階へ行った。わたしはなんてばかだったのだろう、と彼女は思った。もっと前にこういうことに全部気づくべきだった。とはいえ、恐ろしさも感じた。その水曜日の朝、パットン警視のオフィスに腰を下ろしたとき、そういった不安の表情はまだヒルダの顔から消えていなかった。

「どうやってわかったんだ?」パットン警視は尋ねた。

「じゃ、当たっていたのね?」

「当たっていたなんてものじゃない。どんぴしゃりだ。あの女は日曜の朝五時にホテルにチェックインして、その日の午後にチェックアウトした。彼女は土曜日にアトランティックシティを発っている」

ヒルダは深々と息を吸い込んだ。「もっと前に気づくべきだったのよ」彼女は言った。「階段のてっぺんに現れた人影やシャンデリアが揺れたこと。ブルック先生も見たと思うの。見ていないと言っているけれど。でも、部屋はどれも前と同じに見えた。ただ、アイダが浴室を掃除してしまって。埃は元どおりにすることができないでしょう。それが彼女の命取りになったと思うのよ。もしもアイダが窓を上げるだけにして、埃をそのままにしていたら——」

パットン警視は思わず微笑した。「きみはさぞかし優れた犯罪者になっていただろうな、ヒルダ」彼は称賛するように言った。

パットン警視は覚え書きに目をやった。マリアンは家を出ていった夜、アトランティックシティの大きなホテルの一つに泊まっていた。マリアンはほとんど部屋で過ごし、食事は部屋に運ばせ、土曜の遅い時間の列車で出発した。

「ぴったり一致している」パットン警視は考えるように言った。「マリアンは遅くなってから家に着き、おそらくアイダが彼女を家に入れて、アイリーンがここにいると言ったのだろう。アイダはマリアンを三階の裏階段からこっそりと上がらせ、三階の部屋で休ませた。それから、どうしたか？　マリアンはブルック医師がジャニスといる間に階段を下りて、自分の母親を刺したのか？　それは——控え目に言っても不自然だよ」

ヒルダは身じろぎもせずに座っていた。「よくわからないのよ」とうとう言った。「彼女は確かにあの家にいたの。家の捜索が行われていたとき、マリアンがどこに隠れていたかはわからない。もしかしたら車庫にいたのかも。とにかく、彼女は逃げ出した。そしてあなたに解放されたあと、アイダはマリアンがいた部屋のベッドを整えたのでしょう」

「どうしてきみは正しい方向がわかったのかな？」パットン警視は興味ありげに訊いた。

「正確なところはわからないのよ」ヒルダは立ち上がった。「アイダのご両親の話では、彼女はマリアンに心酔していたとか。そのあとブルック先生が——わたしはただアイダが月曜日に〈スターン・アンド・ジョーンズ〉でマリアンに会ったのかどうかと考えていたの」

パットン警視は驚愕の表情でヒルダを見た。「まさか、そんなことを本気で思っているんじゃないだろうな？」

「あり得る話よ」ヒルダは憂鬱そうな口調で言い、部屋から出ていった。

ヒルダが立ち去ってから、パットン警視は覚え書きを慎重に読み返した。〈スターン・アンド・ジョーンズ〉のレストランのウエイトレスはアイダを見た記憶がなかった。しかし、マリアンのことははっきりと覚えていた。店でも有名な客だったのだ。マリアンは三時にレストランへ来て、紅茶を一杯飲んだ。だが、連れはいなかったという。ミセス・フェアバンクスの遺言状に関しては、彼女の弁護士だったチャールズ・ウィルスに長距離電話をかけてみると――カナダにサーモンを釣りに行っていたのだ――老婦人は遺言状の三つの控えをすべて手元に置いていたという。しかし、カールトンが言っていたことはだいたいにおいて合っていた。遺産はマリアンとカールトンとで分けるが、マリアンの取り分にはジャニスへの信託財産も含まれていたのだ。

「それでも、ジャニスに与えられる金は十万ドルもあるわけですよ」弁護士は言った。

遺言状は七年前に作成された。弁護士はミセス・フェアバンクスが内容を変えたとは思わなかったようだ。

そのあと、パットン警視はミセス・フェアバンクスの銀行へ行き、多少苦労したが情報を手に入れた。結局のところ、ここ一、二年の間にミセス・フェアバンクスが証券を次々に売って現金に変えていたことを知った。この金を彼女は銀行の地下室にある貸金庫に預けたらしかった。そういった貸金庫をいくつか持っていたのだ。ここの現金をほかに移しても、銀行にはそのことがわからなかった。これは珍しい手順というわけではない。顧客が女性の場合はなおさらだった。女性は収入や相続にかかる税金を腹立たしく思って、それから逃れたいとつねに考えるものだ。銀行はこの点についていかにも人間的な指摘をつけ加えた。「たいていのお客さまはそうなさいますよ」と。

オフィスに戻ると、パットン警視は起こった時間順に出来事を書いた短い表を作った。

一月、スージーはミセス・フェアバンクスが銀行から現金を引き出して自分の貸し金庫に入れるのを目撃した。

二月、ミセス・フェアバンクスとマリアンがフロリダへ行き、その間にクローゼットに金庫が設置される。そしてスージーの義兄が壁に覗き穴を作った。

三月九日の夜、ミセス・フェアバンクスが帰宅。翌朝、砒素を服用した症状が彼女に現れた。砒素は砂糖の中に仕込まれていた。

その後、ミセス・フェアバンクスは家族の者を疑い、朝食は自分で作り、ほかの食事は誰かが食べたのを見届けたものだけを食べた。しかし、毒殺の試みは繰り返されなかった。三月のその日から五月の始めまで、すべては以前と変わらなかった。

それからいわゆる怪奇現象が始まった。五月一日、ミセス・フェアバンクスは自室で初めて蝙蝠を発見した。その後、一カ月の間にさらに二匹の蝙蝠、二羽の雀、一匹の鼠が現れた。さらに一匹の蝙蝠が出た時点でミセス・フェアバンクスは警察に行った。

「誰かがわたくしを殺そうとしています」背筋を真っすぐにして椅子に座ったミセス・フェアバンクスは言った。「わたくしの心臓が悪いことを家族はみんな知っているのです。でも、わたくしはそう簡単に怯えたりはしません」

パットン警視はノートを押しやり、いろいろと考えながら昼食をとりに出かけた。

その午後、彼はコートニー・ブルックに会い、自分の考えをすべて話した。パットン警視はこの医師に好意を抱いていたが、話が金庫とその中に入っているらしい金のことになると、彼に変化が現れたのを感じた。ブルック医師はかすかに身を固くした。

「ぼくは金のことなどどうでもいいんです」ブルック医師は言った。「実を言えば、金のことで悩まされています。貧しい女性と結婚するほうがいい。遅かれ早かれ、金庫は開くんですよね？」

「開けるのは簡単ではありません。だが、鍵を開ける組み合わせ番号が見つからなければ、金庫の製造元が開けられる人間を派遣してくれるでしょう。今夜、わたしはフェアバンクス家の敷地に見張りを置きます。金が金庫にあるなら、家から持ち出されるわけにはいきませんからな」

けれども、ブルック医師が相変わらず落ち着かない様子だったので、パットン警視は話題を変えた。彼は砒素について尋ねた。それほど苦労しなくても砒素は手に入りますよ、と医師は言った。もちろん、除草剤に含まれていますが、たとえば、水に浸した蠅取り紙からでも砒素は取れます。昔の壁紙やある種の布地からでさえ、取れるんです、と。だが、ジャニスが襲われた話になると、ブルック医師は怒りの表情になった。

「ジャニスを殺したい人なんているでしょうか？　老婦人やアイダの場合は——まあ、老婦人は金を持っていましたし、アイダは何か秘密を知っていたのでしょうから、殺されるのもわかる。だが、ジャニスを殺そうとするなんて——」

ブルック医師はまじまじと警視を見た。

「ジャニスさんを殺そうとした人がいるとは思いませんよ」

「考えてみてください」パットン警視は言った。「ジャニスさんは殺されても不思議はなかった。彼女は意識を失っていたし、あのとき看護婦はエイモスの部屋に閉じ込められていた。だが、ジャニスさんは殺されなかった。おそらく意識を取り戻しかけたので、また気を失わせるために殴られたのでしょう。姿を見られたくなかった誰かがあの場にいたのです」

ブルック医師は何も言わなかった。窓から外を眺めている彼は自分がひそかに知っていることを、今の話と比べているかのように考え深そうに見えた。パットン警視を振り返ったとき、ブルック医師の顔にはかすかな笑いが浮かんでいた。

「おかしな話ですね」彼は言った。「ぼくはひどく怯えていました。ですが、あなたの話でかなり安心しましたよ。あの事故があってから、ぼくはジャニスの部屋の窓の下を毎晩うろうろしていたんです」

しかし、ミセス・フェアバンクスが亡くなった夜のことを尋ねられると、ブルック医師の顔から笑みは消えた。「三階の人影なんて見ませんでした」きっぱりした口調だった。「見たというのはミス・アダムスでしょう。ぼくがコーヒーをこぼしたというだけで――」

「わたしはあなたが人影を見たと思いますよ」そう言ったパットン警視の顔はいかめしかった。「あなたが見たのはマリアン・フェアバンクスでしょう。向こうもあなたを見たんじゃないですか」

「そんなはずありませんよ。彼女は家にいなかったんです」

「じゃ、誰を見たんですか、先生？」

「誰も見ていません」ブルック医師は頑なに否定した。「まったく誰も」

第二十三章

アイダが毒をのまされたのが月曜日で、ミセス・フェアバンクスが埋葬されたのは火曜だった。ヒルダがパットン警視に報告したのは水曜の朝だったが、同じ日の夜、フランク・ガリソンが殺人容疑で逮捕された。

水曜の午後遅く、パットン警視はフェアバンクス家をふたたび訪れた。マリアンを尋問するつもりだったが、彼はそれを恐れていた。もしもマリアンが母親と使用人を殺害し、自分の娘を襲ったのなら、人の心がない怪物だろう。マリアンは不幸せで辛辣な人間かもしれないが、犯人だとはパットン警視は信じていなかった。おそらくヒルダも信じていないだろう、と彼は思った。

だが、パットン警視はマリアンを尋問することにならなかった。マリアンは鎮静剤をのんで眠っていたのだ。ヒルダが制服に着替えて前と同じ廊下の持ち場についていることに彼は気づいた。ヒルダは編み物もせず、『看護の方法』も読まずに、カードテーブルを置いて一組のトランプをひたすら並べることに没頭していた。

「そんなことをしていても給金がもらえるんだからな！」パットン警視は言った。「わたしの仕事もそれくらい簡単ならいいのだが」

ヒルダはどこか上の空でうなずいた。パットン警視が眺めていると、彼女はトランプをかき集め、その端をそれぞれじっくりと見て、また並べ始めた。パットン警視は腰を下ろして彼女のやることを観察した。

「何をやっているんだ？」

「もうすぐ教えてあげます」ヒルダはひどく真剣だった。「順番が大事なの」彼女は言った。「クラブが最初ではだめ。たぶん違うものね。スペードかしら」

「きみは何があってもうろたえないんだな？　気分はどうだ？　めまいの発作は？　具合の悪いところはないのか？」

ヒルダはパットン警視の言葉を聞いてさえいなかった。ふたたびトランプを並べ、一つにまとめて端を見ると、軽く広げてパットン警視に渡した。トランプの端には何かが書いてあった。ヒルダはどことなく得意げに見えた。

「それが金庫を開ける組み合わせ番号じゃないかと思うの」ヒルダは満足そうに言った。

パットン警視はトランプをじっくりと調べた。こうしてきちんと並べると、トランプには一連の文字と数字が読み取れる。どう見てもインクで書かれたものだった。普通のやり方でトランプを切ったのでは、そういった文字や数字に気づかない。けれども今のようにきちんとした順番に並べると、文字や数字ははっきりと読み取れた。パットン警視はヒルダを奇妙な目つきで見やった。それから古い封筒を一枚取り出し、文字と数字を書き写した。

「それじゃ、ミセス・フェアバンクスがやっていたトランプの一人遊びとはこれだったんだな」彼は考え込むように言った。「すごいな、ヒルダ。どうやって思いついたんだ？」

「最初に思いついたのはブルック先生よ」ヒルダは警視に言った。

彼は鋭い視線を向けたが、ヒルダの顔は何も語らなかった。

パットン警視は金庫を開ける前にカールトンを呼びにやった。カールトンはほとんど口をきかなかった。どうやって組み合わせ番号を見つけたのかとすら尋ねなかったのだ。ヒルダがミセス・フェアバンクスの部屋の鍵を開け、彼女と警視のあとにカールトンが続いた。部屋は捜索が行われたときのままで、カールトンはできるだけ室内に目を向けまいとしている。まだ日の光が差し込んでいたが、クローゼットは暗いのでヒルダは懐中電灯を持っていた。パットン警視は懐中電灯を使ってダイヤルを回したが、扉を開けようとはしなかった。

「これはあなたが開けたほうがいいでしょう、カールトンさん」警視は言った。

パットン警視がクローゼットから出て、代わりにカールトンが中に入った。カールトンは扉を引き開け、無言で中を覗いた。金庫にはてっぺんまで札束がぎっしり詰まっていた。

カールトンはちょっと手を振ると、あとずさってクローゼットから出た。彼は体が小さくなったようで、奇妙なくらい無防備に見えた。「結構です。確かにありますね」カールトンはぼんやりと言った。「これをどうとでも好きにしてください。ぼくは見たくない。気分が悪くなる」

何度か促されて、ようやくカールトンはまたクローゼットに入った。

「お母さまの遺言状を探してください」パットン警視は言った。「見つけた紙はどんなものも持ち出してください。何かわかるかもしれません」

遺言状は金庫の仕切りの一つに入っていた。赤い蠟で封印された茶色の封筒に入れてあり、老婦人の細い字で「遺言状」と書いてあった。それを読んだとき、カールトンはもう少しで倒れそうになった。だが、封筒には別の紙も入っていて、彼はそれも開いて読んだ。カールトンはかび臭いドレスやドアの内側にぶら下がった靴入りの袋を背景に立ち、紙をきつく握り締めてまじまじと見ていた。しかし、ヒルダにもパットン警視にも、カールトンの反応は予想外のものだった。

「そうか、だから母は殺されたんだ」カールトンはかすれた声で言い、ヒルダたちが手を伸ばす間もなく、床にばったりと倒れた。


その夜、フランク・ガリソンは行きつけのクラブで逮捕された。彼はどう見てもクラブで暮らしていた。クローゼットには服がぶら下がり、化粧台にブラシが置いてあったし、逮捕されたときはパジャマ姿だった。

フランクはほとんど何も話さなかった。パットン警視は部下の刑事たちを部屋の外に出したが、フランクが着替える間、自分は中に残った。フランクは「すぐに戻れないかもしれないので」とかばんを持っていったほうがいいだろうと言った。そしてふたたび口を開いたときはジャニスの話をした。

「かわいそうな娘に、心配するなと言ってやってくれませんか?」フランクは言った。「あの子はただでさえ厄介事をたくさん抱えているんです。それに娘は――わたしを慕ってくれます」

パットン警視はフランクに当惑していた。フランクはクラブに滞在していることについて少しも説明しなかった。そもそも、話すらしなかったのだ。車の中に座ったフランクの端正な横顔が、通り過ぎる街灯の明かりに照らし出される。一度、煙草に火をつけたときを別にすれば、彼は身動きもしなかった。どうやら深く考え込んでいるらしい。パットン警視の部屋に着いて二、三人の刑事に囲まれ、速記者が質問や答えを書き記していたときも、フランクはさほど協力的とは言えなかった。

フランクが礼儀正しかったことは間違いない。ミセス・フェアバンクスが殺害された晩にフェアバンクス家の屋敷内にいたことを彼はきっぱりと否定した。もっとも、同家の敷地にいたことは認めた。

「わたしは夜遅くワシントンから帰ってきました。自宅には誰もいませんでした――このところずっとメイドを置いていなかったのです――家内も家にいませんでした。わたしはジャニスがアイリーンと仲がよいことを知っていたので、何か事情を知らないかと娘に尋ねるために家まで行ったのです。わたしたちは夫婦喧嘩をしていたので、家内が――まあ、最近、家内はかなり神経質になっていました。でも、ジャニスは――娘は――家内がフェアバンクス家にいると言いました。ジャニスとは彼女の部屋の窓越しに話しただけです。家の中には入りませんでした」

「そのあと、あなたは何をしましたか？」

「しばらくあたりを歩きました。それから自宅へ帰りました」

「お嬢さんと話したのは何時でしたか？」

「一時過ぎです。たぶん一時半頃かと。わたしがワシントンから戻ったのは十二時過ぎでした」

「お嬢さんは奥さんがどこにいるか話しませんでしたか？　どの部屋かと？」

フランクは赤くなった。「言いました。わたしの元妻の寝室にいると。気に入りませんでしたが、わたしにはどうしようもなかったでしょう？」

「奥さんの具合が悪いことをお嬢さんから聞きましたか？」

「はい」

「様子を見るために家の中に入らなかったのですか？」

「出かける前に夫婦喧嘩をしていましたから。家内がわたしに会いたがらないだろうと思ったのです。とにかく、家内がいるという部屋の明かりは消えていました。眠っているのだろうと思ったのです」

「喧嘩してから別居しているのですか？」

「そういうわけではありません。意見の不一致があっただけで」

「奥さんは身ごもっていらっしゃるんですよ」

　フランクは初めて腹立ちを示した。「それがこのことと何の関係があるんですか？」

　ミセス・フェアバンクスが殺害された夜の行動についてフランクは警戒しながらも話はしたが、アイリーンの部屋の窓からだろうとどこからだろうと、家の中には決して入らなかったと否定し続けた。窓の一つに手が届くようにと玄関の屋根にも上らなかったと。フランクはナイフを見せられたとき、自分の知るかぎり、以前に一度も目にしたことがないときっぱりと言った。だが、金庫がミセス・フェアバンクスの部屋にあることを知っていたのは認めた。「ジャニスから聞きました」と。それでも、金庫に何が入っているかは知らないと言った。

　しかし、金庫についての話にフランクがうろたえたのは歴然としていた。話題が変わって、車庫の屋根裏でジャニスが襲われた話になると、彼はほっとしたように見えた。もっとも、そのことを不思議がるのと同じように腹を立ててもいた。

「誰がやったにせよ、犯人を捕まえたら、わたしは――そう、わたしはそいつを殺しかねません」

「それについて思い当たるふしはありませんか？」

　フランクはためらっているようだった。「いいえ、まったく。ジャニスが誰かと間違われたというなら別だが。あるいは」彼はゆっくりとつけ加えた。「姿を見られたくない者があそこにいたのかもしれません」

　その後、警察はアイダの死に話題を移した。フランクは戸惑った様子だった。

「アイダをご存じでしたか?」

「もちろんです。彼女はフェアバンクス家に何年もいましたから」

「アイダはあなたの最初の奥さんのお世話をしていたんですか?」

「さあ、知りません。元の妻については話したくないのですが」

「マリアンさんとあなたの関係は良好なんですか?」

「ああ、彼女の話はしないでもらえませんか? 元妻のことは話したくない。いったい彼女がこんなことどう関係するんだ? わたしの——彼女への気持ちなど関係ないでしょう?」

フランクは興奮して憤っていた。パットン警視は緊張状態をやわらげた。

「ミスター・ガリソン、ここ数週間のどこかで、このアイダ・ミラーという女に何か動物を渡しませんでしたか? ミセス・フェアバンクスの部屋に持ち込むようにと?」パットン警視は覚え書きを取り上げて読んだ。「蝙蝠が五匹、雀が二羽、一匹以上の鼠、それと普通の小さな蛇」

刑事たちはにやっと笑った。速記者はペンを取り落とした。意外にも、フランク・ガリソンは声をたてて笑った。パットン警視だけがまじめくさった顔をしていた。

「それは真剣な質問ですか?」

「そうです」

「答えはノーです。そんなものはみな老婦人の想像の産物でしょう」

「亜ヒ酸と呼ばれる毒物を所持していたことはありますか? 砒素はどうでしょう?」

「ありません」

「月曜の午後のご自分の行動を説明できますか? たとえば、午後一時以降のことですが」

急に話題が変わってフランクはとまどったようだったが、どうにかまともに答えた。クラブで昼食をとった。その後、ワシントンで住宅建設業を引き継ぐことになった男に会いにいった。帰宅すると、家内はまだベッドに寝ていた。アイリーンはずっと「気難しい」状態だった。フランクはメイドを派遣してやると家内に言った。それから荷造りして家を出た。しばらくの間、自分たちはうまくいっていなかったとフランクは言った。たぶん、それは自分のせいだろうと。彼は怠惰な人間に慣れていなかったのだ。

「あなたは月曜日のどこかで〈スターン・アンド・ジョーンズ〉に行きませんでしたか？　百貨店ですが」

「そこに立ち寄って黒のネクタイを買いました。翌日にミセス・フェアバンクスの葬儀に出るつもりでしたから」

「何時に行ったんですか？」

「さっき話した男と会ったあとです。おそらく二時半か三時頃でしょう」

「そのとき、アイダに会いませんでしたか？」

フランクは困惑したようだった。「どこで？　どこで彼女に会ったというんですか？」

「百貨店です」

「いいえ。会うはずがありません」

「フェアバンクス家の鍵はお持ちですか？」

「どこかにあるとは思います。長年、あの家で暮らしていましたからね。持ち歩いてはいませんが」

尋問は一時半まで続いた。混乱させられるような質問をいくつも浴びせられたが、全体としてフランクは冷静なままだった。だが、パットン警視が机から紙を一枚取って渡すと、急にフランクは戦いを放棄したような表情になった。ちらっと紙に目をやって警視に返したフランクの顔はこわばっていた。

「わかりました」彼は静かに言った。「あの晩、わたしはあそこにいました。鍵を使っても、家内のいる部屋の窓を通り抜けても、わたしはあの屋敷に入り込めたでしょう。しかも動機があった。もうこれで充分じゃありませんか」

「この同意書のことを知っていましたか?」

「当時、ミセス・フェアバンクスが話してくれました」

「ほかにこれについて知っていた者は?」

「わたしの元妻です。ごらんのとおり、彼女はこれに署名しました。それとミセス・フェアバンクスとわたしが知っていたわけです」

「それ以外に知っていた者はいないんですね?」

「ミセス・フェアバンクスが話したのでなければ、いません。彼女が話したとは思いませんが」

パットン警視は立ち上がった。疲れた様子で今度ばかりは迷いの表情を見せていた。「お気の毒ですが、ミスター・ガリソン」彼は言った。「尋問はまだ終わっていないので、あなたの身柄を拘束しなければなりません。あまり居心地が悪くなければいいのですが」

フランクは無理やり笑みを作って立ち上がった。「拷問用のゴムホースは使いませんよね?」彼は言った。

「使いませんよ」警視は言った。

つかの間、沈黙があった。フランクは部屋の中を見回した。何かを、何か重要なことを言いたそうな様子だった。息苦しいほどの静寂。誰もが何かを待って見守っているかのように。しかし、それがどんなことだったにせよ、フランクは言うまいと決めたらしかった。

「わたしが犯人ではないと言っても無駄なんでしょうな?」

「有罪だと決まるまで、何人も有罪ではありません」パットン警視はもったいぶって言い、拘束されるフランクが部屋から出ていくのを見ていた。

フランクが勾留されたという知らせを翌朝伝えたのはカールトンだった。彼はまず妻のスージーに話し、彼女の涙が収まるまでそばについていてやったあと、マリアンに知らせに行った。彼は長い間、マリアンの部屋にいた。締め出されたヒルダにはカールトンの声とマリアンのヒステリックな大声が聞こえた。

「あの人がやったはずはないわ。絶対に。絶対にないのよ」

パットン警視が来たとき、最初、マリアンは会おうとしなかった。警視が部屋に入っていくと、マリアンは椅子に座ったまま身を固くし、前をにらんでいた。直面したくない何かを見ているように。けれども、彼が歯切れよく挨拶すると、彼女はくるりと振り返った。

「おはようございます」警視は言った。「少しお話しさせてもらえませんか?」

「嫌だと言うわけにはいかないのでしょう?」

「無理やり話させることはわたしにもできません」パットン警視は淡々と言った。「お願いしたいのはささやかな協力だけです」

「協力ですって!」マリアンはこわばった顔で冷たく言った。「どうしてわたしが協力しなければならないの? 警察はフランク・ガリソンを勾留しているのでしょう? とんでもなく残酷でばかげたことだわ！　あの人はわたしの母を愛していたのに！　あれほど心優しい人はいません！　彼が母を殺さなければならかった理由なんてあったの？」

「もちろん理由はちゃんとありますし、あなたもご存じのはずだ、ミセス・ガリソン」パットン警視はにこりともせずに言った。

彼は椅子を引き出して腰を下ろし、まともにマリアンと向かい合った。「お母さまが殺された晩、あなたがここへ帰ってきたのは何時でしたか？」警視は尋ねた。

間違いなくマリアンには予想外の質問だったようだ。話そうとして口を開けたものの、声が出てこない。彼女が椅子から立ち上がろうとすると、警視はその膝に片手を置いた。

「じっと座っていたほうがよろしい」彼は穏やかに言った。「あなたにはこの家にいる権利がありました。別に責めているわけではありません。たぶん、わたしが少し手助けしたほうがいいでしょう。あなたは元夫の今の奥さんが来た頃かそのあとに、家に着いたのですね。一階の廊下でアイリーンを見たか、使用人の誰かから彼女がいることを聞いたのでしょう。どちらにせよ、あなたはここにとどまろうと決めた。ここはあなたの家ですからな。アイリーンに追い出されるいわれはない。そうだったんでしょう？」

「ええ」マリアンは唇を引き締めて言った。「アイダから聞いたんです。わたしは自分の鍵で横側の入り口を開けました。誰もいなかったので、かばんを運ばせるためにウィリアムを探しにいったの。裏の廊下でアイダに会って話を聞いたのです」

マリアンは話し続けた。話せることを喜んでいる様子だった。マリアンはずっと腹を立てて憤慨していた。ジャニスにさえも会いたくなかった。こんなことになったのはジャニスのせいだったのだ。

アイリーンに子どもが生まれると話したのはジャニスだし、彼女を家に引き入れさえしたのも彼女だった。だからマリアンは家を出た。自分の母親にも、たった一人の子どもにも非難されることになってしまった！　そして今度はアイリーンがばかげた作り話をして、この屋敷を自分の避難所にしてしまったのだ。

「もう二度とあの女に追い出されまいと思ったのです」マリアンは言った。「アイリーンのせいでわたしの人生は台なしになったわ。今度は母の命令で、あの女がわたしの部屋にいたのよ。アイダから話を聞いたとき、初めはとても信じられなかったわ」

アイダが裏階段を上ってマリアンを三階へ行かせてくれ、ベッドを整えたことが判明した。すぐ下の部屋にいるカールトンに聞こえないように、マリアンたちは用心して歩く必要があった。とはいえ、マリアンはベッドに行かなかった。下の階にアイリーンがいるのに、眠れるはずがあるだろうか？彼女は開いた窓のそばに腰を下ろし、煙草を吸うのがやっとだった。スージーが悲鳴をあげ始めたとき、マリアンはまだそこに座っていた。

「そのとき、アイダが警告に現れたのですね？」

「何か大変なことが起こったとアイダは知っていました。彼女もわたしもそれが何かはわからなかったけれど。最初、家が火事になったのだと思いました。わたしはアイダに様子を見に行かせ、階段の手すり越しに耳を傾けていたのです。そのとき、何が起きたかを知りました」

マリアンは椅子にもたれた。顔色はさっきよりもよくなっており、彼女の様子を眺めていたパットン警視は危険な地点を無事に通過した人間のように見えるなと思った。

「屋敷にあなたがいることを知っていたのはアイダだけだったんですね？」彼は追求した。

「ええ。ジャニスさえも知りませんでした」

「その点は確かですか？　ブルック先生が廊下にいた間に、あなたは階段を下りませんでしたか？」

「下りていません」

　けれども、マリアンは動揺したようだった。細い両手が震えていた。

「あなたが階段を下りたと、わたしは思いますがね、ミセス・ガリソン」パットン警視は言った。「ブルック先生はお母さまの部屋のドアの外に立っていました。あなたは階段から先生に話しかけたのでしょう。朝になったらアイリーンを追い出してくれと。そうじゃありませんか？」

「いいえ！　そんなことはしませんでした」マリアンは躍起になって言った。顔には絶望そのものの表情が浮かんでいた。彼女は打ちのめされたようだった。「ブルック先生とは一言も話しませんでした」死人のような声で言う。「わたしが見ていたとき、先生は母の部屋から出てきたのです」

　そのあとのマリアンの話は重要ではなかった。生気を失ったまなざしをして、元気のない絶望的な口調で話したのだ。マリアンはブルック医師に姿を見られなかったと思ったらしい。そしてアイダの助けで、警察が事件を担当する前に屋敷から脱出した。裏階段を使い、生垣の壊れた部分を通り抜けて外へ出たのだ。運べるかばんを一つだけ持っていき、それ以外の荷物はアイダが隠した。その夜はホテルで過ごしたのだった。

「わたしは家にいるのが怖くなりました」マリアンは言った。「見たもののことで質問されたくなかったの。わたしはジャニスのことを考えてやらなければならなかった。これからもあの子のことを考えてやらなくては」彼女は悲しげにつけ足した。「コートニー・ブルックが母を殺しました。そしてわたしはジャニスの人生を永久に壊してしまったのです」

第二十四章

その日の午後、ブルック医師は警察本部で尋問を受けた。パットン警視がブルック医師を呼びにいくと、奥の診察室で幼い男の子の手に包帯を巻いていた。

「さあいいぞ、ジミー」ブルック医師は言った。「これからはナイフでいたずらしてはだめだよ」

男の子が出ていき、パットン警視は中に入った。包帯を片づけていたブルック医師の顔は重々しかった。

「ミスター・ガリソンが勾留されたのはどういうわけですか、警視？」彼は言った。「ぼくはジャニスの様子を見に行くところです。ひどく落ち込んでいるらしいんですよ」

パットン警視は気を緩めなかった。「あなたは我々に隠し事をしていましたな、先生」固い口調で言った。「殺人事件でそういうことは致命的ですよ」

ブルック医師は真っ赤になった。まだ一巻きの包帯を手にしている。それをテーブルに置いてから口を開いた。「わかりました。どんなことですか？」

「あなたはミセス・フェアバンクスが殺害された時刻、あるいはその前後に彼女の部屋にいましたね」

「だからどうしたというんですか？」ブルック医師は挑戦的な顔つきだった。「夫人はぼくの患者でした。彼女を診察する権利があったんですよ。あの夜、彼女はかなり興奮したし、ぼくは部屋の奥まで入ったわけではない。ドアを開けて耳を澄ましただけです。そのとき、ミセス・フェアバンクスは生きていました。誓ってもかまいません。呼吸の音が聞こえました」

「なぜ、そのことを話さなかったんですか？」パットン警視は容赦なく追及した。

ブルック医師の顔は暗くなった。「おじけづいたせいだと思います。あとでいろいろわかったときにジャニスのこの話をすると、人には言わないほうがいいとのことでした。別にジャニスのせいにするつもりはありませんよ」彼は急いでつけ加えた。「ぼくはびくびくしていました。実を言うと、今もそうなんです！」

ブルック医師はにやりと笑い、ハンカチを取り出して顔を拭った。「自分に人並みの度胸はあると思っていましたがね」彼は言った。「でも、今回のことには参りましたよ」

しかし、一緒に警察本部に来てほしいとパットン警視に言われると、ブルック医師は信じられないといった表情をした。「何のために？　ぼくを逮捕するつもりですか？」疑うような口調で尋ねる。

「逮捕というわけではありません。あなたの口述書を作りたいんです」

「知っていることはすべて話しました」

ブルック医師はとうとう警察に行くことにした。だらしない身なりの娘を呼んで、夕食までには帰ると伝えると、腹を立てたように音をたててドアを後ろ手に閉めて家を出た。パットン警視の部屋に着いたとき、ブルック医師はまだ怒りが収まらない様子だった。けれども部屋を一目見て、机についている速記者や、詰めているヘンダーソン警部や刑事たちに気づくと、医師の態度はかなり軟化した。

「まさか拷問するわけじゃないですよね」ブルック医師は言い、煙草に火をつけた。「いいでしょう。

ぼくは愚か者で臆病者かもしれませんが、人殺しではありません。そのことは覚えておいてください」

「拷問などしませんよ、先生。ちょっとした事実を知りたいだけです。どうぞお座りください。時間がかかりますから」

そのとおり、時間がかかった。質問が終わる頃にはブルック医師は蒼白な顔で疲れ切っていた。

「ジャニス・ガリソンは金庫に入っている書類のことを知っていましたか？」

「はい。なぜ、ジャニスを持ち出すんですか？　彼女は何もしていませんよ」

「彼女は父親を愛していましたね？」

「非常に愛していました」

「あなたはジャニスさんがかなりの遺産を受け取ることを知っていましたか？」

「はい」

「ミセス・フェアバンクスが殺害された夜のあなたの正確な行動を教えてください。看護婦が一階で湯を沸かしていた間にどうしましたか？」

「アルコールで皮下注射器をきれいにしました。そのあと、ミセス・フェアバンクスの部屋を覗きました。正常な呼吸をしていたのでジャニスのところへ行ったのです。そこに五分ほどいたと思います。その後、戻ってきてコーヒーを注ぎました。それを飲んでいたとき、看護婦が湯を持って戻ってきたのです」

「マリアン・ガリソンを見たのは何時でしたか？」

ブルック医師は仰天した様子だった。

「マリアン・ガリソンだって！　彼女はあそこにいませんでしたよ。翌日まで帰ってこなかったんです。日曜まで」

「マリアンは屋敷にいたんですよ、先生。あなたが母親の部屋から出てくるところを彼女は見ていました」

「ああ、なんてことだ」ブルック医師はみじめな声で言った。「じゃ、彼女もいたのか。かわいそうなジャニス！」

だが、ブルック医師は正直に話しているらしかった。ミセス・フェアバンクスの部屋から出てきたとき、彼はマリアンを見なかったのだ。けれども、あとになってコーヒーを注いでいたとき、三階から誰かが覗いているような気がしたらしい。ガラス製のシャンデリアが揺れていた。ブルック医師は上を見たが、そこには人影がなかった。

ナイフを見せられると、ブルック医師は弱々しく笑った。「一度も見たことはありません」彼は言い、しげしげとナイフを眺めた。「これをよく磨くという嫌な仕事をした人がいるようですね」

「磨いた目的は果たしたんじゃないかな」パットン警視はそっけなく言った。「これまで手術を担当した経験はありますか、先生？」

「たくさんあります」

「あなたなら苦もなく心臓の場所を見つけられたでしょうな？　暗闇でも」

「誰だって心臓の場所はわかりますよ。たいていの人が考えているよりも心臓は大きいんです。しかし、ぼくがミセス・フェアバンクスを刺したと言いたいなら、それは違います」

ブルック医師は金庫の鍵を開ける組み合わせ番号を、ジャニスと探したことをためらいもせずに説明した。

「ジャニスは金庫に同意書が入っていることを知っていました。祖母から聞いたのでね。彼女はその同意書のせいで父親が犯人と思われないかと心配していました。誰も金庫を開けられなかったとき、ぼくはたまたまトランプのことを思いついた。ミセス・フェアバンクスは夜になるとトランプで一人遊びをしていました。でも、もしかしたら一人遊びなどしていなかったのかもしれない。ジャニスは祖母が部屋に鍵を掛けて閉じこもり、金庫を開けるのではないかと信じていました。ぼくたちはトランプに金庫の組み合わせ番号が書いてあるんじゃないかと思ったのです。トランプの端に絵が描いてあるのを見たことがあったんですよ。ある方法でトランプを並べると、絵が現れる仕組みでした」

「この同意書を手に入れるため、そんなことを考えたのですね?」

「まあ、そうです。ジャニスは病気になりそうなほど心配していました。だが、看護婦さんのほうがぼくたちよりも賢かった。彼女はトランプを取り上げて部屋の鍵を掛けてしまったんです」

尋問は五時まで続き、町を離れないようにという警告を与えられてブルック医師は解放された。それを聞いてブルック医師はどうにかにやりと笑ってみせた。ポケットから財布を引っぱり出して、数枚のコインを出したのだ。

「町を離れるも何も――ほら――五ドル八十セント分の旅がやっとですよ」彼は言った。「家賃を払ったばかりでしてね」

ブルック医師が立ち去ったあと、パットン警視はヘンダーソン警部を見やった。「どうかな?」彼は言った。

「可能性はあります」ヘンダーソンは言った。「しかし、わたしならもう一人の男のほうに賭けますね。フランク・ガリソンも金欠だが、離婚手当を払わなければ金はあるはずです」

「なぜ、離婚手当を減額させないんだろうな？　殺しよりもそのほうが簡単だったろうに」

「まだ最初の妻を愛しているんでしょうね」ヘンダーソンはすぐさま言った。「まさしくガリソンが本命ですよ」

「ああ」パットン警視は言った。「じゃ、おまえもそう考えたんだな！」

オフィスに一人になると、パットン警視は前日にフランクに見せた書類を取り出し、じっくりと目を通した。要するに、ミセス・フェアバンクスの手で書かれた同意書で、マリアンの署名と、証人としてのエイモスとアイダの署名がある。それによると、元夫から受け取るマリアンの離婚手当は彼女の母親の死とともに打ち切られることになっていた。「さもなければ、わたくしの遺言状に示されたようにマリアンはわたくしの遺産を一切相続できず、遺言執行人から一ドル支払われるだけとなる」

パットン警視はこれを書いているミセス・フェアバンクスが目に浮かんだ。毅然とした小柄な体にマリアンや離婚やその条件への怒りをたぎらせ、震える老いた手で書いている姿が。警視は同意書とナイフを金庫へしまった。ヒルダのおかげで手に入った品物も。白ペンキの缶、擦り切れた運転手用の手袋、焦げたロープの切れ端、漂白していないモスリンのかなり大きな布、そして一組のトランプだった。そういった奇妙な物の仲間にパットン警視は紙切れを加えた。アイダの財布に入っていた新札の番号を彼が記録した紙だ。彼は陰気な顔でそれらを眺め回した。「まるで英国へ送る支援物資みたいだな」うなるように言った。

その日の午後遅く、パットン警視はアイリーンに会った。彼女はだらしない服装でベッドにいたが、涙に暮れていて、山猫さながらに警視に食ってかかった。

「警察なんかばかだって、わたしはいつも知っていたわ」アイリーンは金切声をあげた。「フランク・ガリソンについて何がわかったというの？　何もないはずよ。わかっているでしょう。わたしは彼を窓から中に入れたりしなかったわ。誰も入れなかった。わたしは具合が悪かったのよ。お医者さまに訊いたらいいじゃないの？　わかっているはずよ」

　パットン警視がアイリーンから得たものはなかった。彼女は不機嫌になり、それからヒステリックに声をあげて泣いた。ミセス・フェアバンクスの遺言状のことなんて知りません。同意書のことなんて聞いたこともないわ。いったい、何の同意書なのよ？　フランクを釈放するほうがあなたたちのためよ。わたしは弁護士を雇うわ。一ダースもの弁護士を雇ってやる。大統領のところへこの話を持っていくから。最高裁判所にも。それから——

　少なくとも、最高裁判所という言葉はパットン警視を追い払うには充分だった。彼はまだしゃべっているアイリーンを置き去りにし、メイドに送られて外に出るとき、医者を呼んだらどうかと提案した。「奥さまはかなり神経が参っているよ」彼は言った。なんとも控え目な表現だった。

　町へ向かう途中、パットン警視は商店街の一角でヒルダの姿を見たように思ったが、車を停めて振り返ると、彼女の姿は消えていた。

　もし、ヒルダのあとを追ったとしたら、パットン警視はきっと驚いただろう。

第二十五章

その日の午後、ヒルダは手持ち無沙汰だった。気を失ったカールトンは回復し、まだ青い顔をしていたが出かけてしまった。車を乗り回し、不幸な物思いにふけるのだろう。パットン警視が訪ねてきたあと、マリアンの部屋はずっとドアが閉められて鍵を掛けられていた。ジャニスは家のまわりをぶらつき、母親を案じていたが、何が起こっているのかは理解していなかった。そして、夫についての心配から立ち直ったスージーは雑誌を持ってベッドに身を落ち着けていた。

「できる間は怠けていたほうがいいのよ」スージーはヒルダに言った。「これからは豚小屋の世話をすることになるから。お金がいくらか手に入ったのでカールトンの気持ちが変わったと思っているなら、大間違いよ」

ヒルダは部屋の入り口に立っていた。顔つきは穏やかだったが、目には用心深い色が浮かんでいる。

「警察がミスター・ガリソンを勾留していることについてはどう思いますか?」ヒルダは訊いた。

「あたしの意見? 警察は頭がおかしいと思うわ。警察が見つけたあの書類のせいでフランクは有罪になるとカールトンは言っているけれど、あたしは信じない。あたしに言わせれば――」スージーは急に言葉を切った。

「何でしょうか?」

「なんでもない」スージーは陽気な声で言った。「もし、あたしがあなたならね、義母のベッド脇にあるラジオを調べてみるわね。あなたなら何かがわかるかもしれない。あたしには無理だけれど」

「何か問題でも？」

「さあ。何も鳴らないところにダイヤルの指針がセットしてあるのよ。ただそれだけ。カールトンは指針を動かさなかったと言っているの」

スージーは雑誌に戻り、ヒルダは老婦人の部屋へ行った。ドアを閉め、ラジオまで行ってスイッチを入れる。ラジオの真空管が温まるときのかすかな雑音が聞こえたが、ほかの音はしなかった。ヒルダは興奮するというよりは不可解な気持ちに駆られた。でも、外出しようともう決めていたし、仕事は二つあった。

一つ目の仕事は〈スターン・アンド・ジョーンズ〉百貨店の女性用の休憩室を訪ねることだった。係員はアイダを介抱したのと同じ女性で、たちまち堰を切ったようにしゃべりだした。

「あの女の人のお友達ですね？」係員は言った。「恐ろしいことじゃありませんか？　あの間ずっと、彼女が誰なのか知っている人もいなかったんですよ！」

「ここへ来たとき、彼女はかなり具合が悪かったの？」

「とても気分が悪そうでした。体に合わない物でも食べたのですかとわたしが尋ねると、紅茶を一杯しか飲んでいないとの返事で。わたしはすぐにティールームに電話をかけました。何人か女性のお客さまがいらっしゃったけれど、あの女の方を覚えていた者はいませんでした。とにかく、うちのお店の紅茶は大丈夫ということです。問題があったはずありません。さもなければ、ほかにも具合が悪くなったお客さまが大勢出たでしょうから」

「アイダが話したのはそれだけでしたか？」

「ええと、どこに住んでいるのかを話そうとしていました。家に帰りたかったんですね。グローブ街とおっしゃったと思います。でも、そう言ったあとで非常に状態が悪くなって、何もお話しできなくなりました」

百貨店をあとにしたとき、ヒルダは冷たい怒りで胸がいっぱいだった。死にかけていて自分が誰なのかも話すことができなかったアイダを思って激怒していた。そして今、ラジオが新たな重要性を帯びている。もし、周波数が合わないところにダイヤルをセットしてあるのに、ラジオが鳴り続けていたとしたら、状況がすべて変わってくる。ラジオが鳴ったとき、ミセス・フェアバンクスはすでに死んでいたかもしれないのだ。

ヒルダは〈スターン・アンド・ジョーンズ〉も含めて、ラジオを売っている店を何件もまわった。ラジオの遠隔装置を販売している店もあった。見せてもらった装置は長さが一フィートで幅が四インチくらいしかなく、六十フィート離れた地点からでもラジオを操作できた。

「遠隔装置を家の外に置いてもいいんです」男の販売員が言った。「で、これでラジオをつけたり消したりします。魔法のようじゃありませんか？」

六十フィート！　それだとマリアンの部屋まで含まれる。しかし、ヒルダがフェアバンクス家のラジオの型や製作年を告げると、販売員は首を横に振った。

「すみませんが」彼は言った。「そういった古いラジオではこの装置が働きません。絶対に無理ですね」

どこで尋ねても同じだった。ミセス・フェアバンクスの部屋のラジオは古すぎた。それにケーブルを用いる遠隔装置は最新式というだけでなく、調整するのにかなりの時間が必要だった。だが、最後にヒルダはあることをつかんだ。

六時には家に帰ったが、ヒルダは疲労困憊し、足が痛かった。真っすぐ台所に向かう。ウィリアムは裏手のポーチで夏の陽光を浴びてくつろいでいて、マギーはケーキを焼いていた。ヒルダがキッチンテーブルから椅子を引き出して座ると、マギーは赤くなった顔をオーブンから上げた。とにかく、この数日間でマギーの不信感は消えていた。彼女はヒルダに紅茶すら勧めてくれた。

けれども、ヒルダは断固として紅茶を断った。少なくとも今は。「水を一杯いただきたいわ」ヒルダは言った。「それから、アイダについて話したいのよ」

「あたしはアイダの話なんかするつもりはないね」マギーは固い口調で言った。「もし、アイダがこの家であんなものをのんだと思っている人がいるなら——」

「彼女の死について尋ねるつもりはないの。それは警察の仕事でしょう。ただ、このことだけ訊きたくて。どうしてアイダがエイモスに毛布を持っていったかわかりますか?」

「さあね。エイモスには毛布なんか必要なかったよ」

「あの日、何が起こったか思い出せますか? 大奥さまが殺された翌日のことですけれど」

マギーはこの点を考えてみた。「あの朝、アイダがどんなだったかはあんただって知っているだろう。あんまり具合が悪そうだったから、あたしが休ませたんだ。あとで彼女は下りてきたんだけれど、そのときにエイモスが言ったんだよ。アイダが毛布を持ってきたって。あたしは彼女のことを見ていなかった。知っているのは、アイダが昼食をとらなかったことだけさ。あたしたちがテーブルについたとき、アイダは出かけていった」

ヒルダは水を飲み干し、車庫に出かけていった。シャツの袖をまくり上げたエイモスが車庫の中でパイプを吸っていたので、ヒルダはいらだった。椅子の背にもたれて新聞を読んでいる。ヒルダに気づいて彼は目を上げた。

「何か御用ですかい、嬢ちゃん?」

エイモスはいつものようにずる賢い表情でにやりと笑った。ヒルダは嫌悪を込めて彼をにらんだ。

「一緒に屋根裏に上がってください」ヒルダは冷ややかに言った。「それと、わたしに作り笑いはしないで。好きじゃありませんから」

すると、エイモスはにやにや笑いを引っ込めてヒルダのあとについて上った。まだ充分に明るかったのであたりを見られた。屋根裏部屋がすっかり掃除され、片づけてあるのを見てヒルダは仰天した。

「誰がここをきれいにしたの?」ヒルダは鋭い口調で訊いた。

エイモスはにやりと笑った。「おれだよ」彼は言った。「何か言いたいことはあるかい、警察の嬢ちゃん? 自分が住んでるところを、きれいにしちゃいけないわけでもあるのかい?」

ヒルダはエイモスの言葉を無視し、注意深く見回した。あまり希望を持っていないときでも、ただあきらめるのは嫌だった。ヒルダの困惑ぶりに喜んで、エイモスはふたたび歯をむき出して笑った。

「笑うようなことじゃないでしょう」ヒルダは言った。「いくつか答えてほしいことがあるのよ。もし、わたしに話してもらえないなら、警察が尋ねることになるわね。掃除したとき、ここになかったものを何か見つけたかしら? 前にはここになかったものよ」

警察を持ち出したおかげでエイモスはまじめになった。「別になかったね。床にあったのは鳥籠だけだった。前は塔にあったんだ。アイダが籠の中で蝙蝠や何かを飼っていたときはな。アイダは籠を布で覆っていた。籠はおれが捨てたよ」

「まあ！」ヒルダはぽかんとして言った。「じゃ、あれがアイダの仕業だとあなたは知っていたのね？」

「まあな、古い鳥籠やら補虫網やらを持った女が、しょっちゅう夜中に塔へ上るのを見たら、まさか蝶を追っかけているとは思わないよな。まあ、そういうことだ」

「そのことを誰かに話したの、エイモス？」

「いいや」エイモスは無頓着に言った。「蝙蝠が誰かに怪我をさせるわけでもない。アイダにも楽しみを持たせてやろう、とおれは自分に言ったんだ。あまり楽しいこともなかっただろうからな」

ヒルダはまじまじとエイモスを見た。なんということだろう。彼が楽しみと呼ぶ行動をアイダに許しておくのがいいと思い込んでいた、このずんぐりした個人主義者、話したことよりも間違いなくもっと多くを知っていたこの男ときたら、本当にとんでもない。トランクの一つに寄りかかり、火の消えたパイプをときどき吸っているエイモスはこんなことをヒルダに話すのが愉快そうだった。それどころか、いったんしゃべり始めると彼はなかなか口を閉じられなかった。ある晩、カールトンがやってきて鳥籠を取って屋敷へ持っていったとエイモスは言った。たまたま彼は――つまりエイモスは――知っていたのだが、鳥籠は空だった。だが、朝になる前にカールトンは籠を元の場所に返した。ミセス・フェアバンクスが殺された夜、車庫のそばでスージーを捕まえたのはフランク・ガリソンだったとエイモスは言った。フランクを見たのだと。それに同じ夜、マリアンが屋敷にいるのを知っていたとエイモスはおもしろそうに話した。

「あれほど滑稽な見ものはなかったな」狡猾そうな目をヒルダに据えながらエイモスは言った。「パトカーが入ってきたとき、ナイトガウン姿のマリアンが芝生の上を猛スピードで走ってきたんだからな。おれは下へ行ってドアの鍵を開けたが、彼女はこっちなど見もしなかった。マリアンは屋根裏に隠れて、あとでアイダが服やバッグを持ってきたんだ。もうすぐ朝という頃だった」

「どうして前にそのことを言わなかったの、エイモス？」

「誰もおれに尋ねなかったからさ」

この男のあまりの無関心ぶり、途轍もない身勝手さにヒルダはなすすべもなかった。だが、エイモスへの質問はまだあった。「なぜ、アイダはそういった生き物を飼っていたの、エイモス？　大奥さまを脅して追い出すため？　なんだかんだ言っても、アイダは何年もの間、フェアバンクス家で働いてきたのよ」

エイモスはしたり顔で笑った。「もしかしたら、アイダは大奥さまが好きじゃなかったのかもしれないな」彼は言った。「あるいは階段が嫌いだったのかもしれない。お屋敷には階段が仰山あるからな。大奥さまにアパートメントに引っ越してほしかったのかもしれない。アイダがそんなことを言うのを何度も聞いたよ」

「アイダがどうやって生き物を部屋に持ち込んだのかも、あなたは知っているのね？」

「もちろんさ」エイモスは言い、またにやりと笑った。「クローゼットにある、カールトンの奥さんの覗き穴からだ」

そのあと、ヒルダはエイモスのところを出た。エイモスはなおも隠していることがあり、何らかの疑念を持っているらしいと彼女は感じた。けれども、彼がそんなことを話すはずはない。顔を見ていればわかった。

「じゃ、警察はミスター・ガリソンをしょっぴいたわけか」ヒルダが階段を下りていくとき、エイモスは言った。「ミスター・ガリソンと、通りの向こうに住む医者が捕まったのかい。あいつらにだまされるなよ、警察の嬢ちゃん。警察から出てくるまで、あいつらも嫌な思いをしなけりゃならないだろうな」どうやらエイモスはこのことを楽しんでいるらしく、声をあげて笑った。「しかし、あの蛇をつかんだとき、アイダがどんな気持ちだったか知りたかったな」彼は言った。「蛇が嫌いだったことは賭けてもいい」

「だったら、あなたにも知らないことがあるじゃないの！」ヒルダは冷たく言い、屋敷へ戻った。

とはいえ、エイモスのもとを去ったとき、ヒルダは彼に奇妙な感情を抱いていた。エイモスが何かを言おうとしていた気がしたのだ。自分が話さずにいることを当ててもらいたがっていたかのように。それに、抜け目のない彼の小さな目には悲しみのようなものがあった。深い悲しみ、悲劇的な悲しみが。

階段を上っていくと、ヒルダはジャニスが廊下にいることに気づいた。「母はまだ眠っているの」ジャニスは言った。「母には眠りが必要だと思うんです、ミス・アダムス。父はそんなに長く警察に引き止められませんよね？　父が犯人じゃないことを警察は知っているはずです」

ブルック医師も勾留されていることをジャニスが知らないのは明らかだった。ヒルダは何も言わなかった。マリアンの部屋のドアを開けようとしたが、鍵が掛かっていた。

「お母さまはどれくらい眠っているの、ジャニス？」ヒルダは訊いた。

「わかりません。警視さんが帰られてからずっと母は部屋にいるんです。もう七時ですけれど」

ヒルダはドアを軽くノックした。それからさっきよりも強くノックし、声をかけた。だが、答えはなかった。そばに立っていたジャニスは怯えた顔つきだった。

「まさか母が……?」

「おそらく睡眠薬の過剰摂取でしょう」ヒルダはきびきびした口調で言った。「医者を呼んできてください。コートニー・ブルックが捕まらなければ、ほかのお医者さまを。急いで」

やってきたのはブルックだった。芝生を駆けて横切ってくると、ちょうどそのときエイモスとウィリアムが玄関の屋根に掛けていた梯子を上って家の中に入った。二人を押しのけて上ったのだ。一瞬後、網戸が外れた。中に入ったブルック医師はドアの鍵を外して開け、玄関に顔を出した。

「お母さんはまだ息をしていますよ」彼は言った。「向こうへ行っていなさい、ジャニス。きみはここにいないほうがいい。お母さんは大丈夫だ」

ヒルダが部屋に入ると、ブルック医師は彼女の後ろでドアを閉めた。マリアンは身動きもせずにベッドに寝ていた。穏やかで、美しいと言っていいほど愛らしい寝顔だった。深い眠りによって顔から皺が消え、若い頃に戻ったかのように。しかし、マリアンはかなり弱っていた。

ブルック医師はマリアンを診察し、上着を脱ぎ捨てた。「さあ、ミス・アダムス」彼は言った。「この人を助けるなら、急がなくては」

第二十六章

その夜の九時に包みを抱えた若い男が屋敷にやってきて、ヒルダさんをお願いしますと言った。ウィリアムがそれを知らせにマリアンの部屋のドアまで来た。

「待たせておいて」ヒルダは手短に言った。「客間に案内してドアを閉めてちょうだい。一晩中待つことになるかもしれないと伝えて」

ウィリアムは年老いた頭を振りながらためらっていた。「奥さまの容体はいかがですか？」

「少しよくなったわ」

「ありがたいことです」ウィリアムは言い、よろけながら階段を下りていった。

ブルック医師が廊下に出てきたのは十時だった。かがんで優しくジャニスにキスした。「もう大丈夫だよ、ダーリン。ちょっとだけお母さんに会ってもかまわない。話をしてはだめだよ」

ジャニスが部屋から出てくると、ブルック医師は待っていた。ジャニスの部屋に彼女を連れていき、体に両腕をまわした。「ジャニス」彼は言った。「いつもいつまでも、ぼくのいとしいジャニス。ぼくにしがみついていたまえ、ダーリン。きみには誰かつかまる人間が必要だよ。そうじゃないかな？ぼくは強い。決してきみを見捨てないよ」

「心配事がたくさんあったのよ、コートニー！」

「心配なことばかりだったな。だが、すべて終わった。これ以上、何も起きない」

ジャニスは落ち着いていて正直なブルック医師の目を覗き込み、深々と息を吸った。「どうして母はあんなことをしたの、コートニー？　もしかして父が……？」

「お父さんは大丈夫だよ。ぼくの言うことを信じてくれ、ダーリン」

「だったら、誰が――」

「シッ、静かに」ブルック医師は言い、ジャニスを抱き締めた。「おとなしくするんだ、ジャニス。何も考えるな。何も心配するな。終わったんだ。きみはもう休んだほうがいい。ただ休むんだ」ブルック医師はジャニスを抱き上げ、優しくベッドに横たえた。「眠れるなら、眠りたまえ。眠れなかったら、ぼくのことを考えてくれ！　ほら、外を見て、ダーリン。月が出ている。今夜のためにぼくが注文した月だよ。きみのために注文したんだ」

ブルック医師が出ていくと、ジャニスは月を見ながら黙って横たわっていた。途方もなく疲れていたが、平和な気持ちでもあった。もう終わったのだ。コートニーがそう言った。ジャニスは毛布さながらのブルック医師の約束の言葉に包まれて眠りに落ちた。十一時にパットン警視が玄関の屋根の下に車を乗り入れたときも、ジャニスは眠っていた。

スージーとカールトンは図書室にいた。カールトンの顔はやつれ、スージーさえ打ちひしがれた様子だった。殺人事件は受け入れられても、自殺や自殺未遂に直面することは耐えられなかった。スージーにとって人生はとても大事なものだった。人生を愛する気持ちが非常に強かったのだ。彼女はカールトンの隣に座っていた。彼はスージーの肩に頭をもたせ掛けており、彼女のまなざしは優しかった。

「ばかなことを考えないで」スージーは言った。「もちろん、マリアンがそんなことをやったはずはないわよ」

「だったらなぜ、マリアンは自殺しようとしたんだ？　ただ一人の男しか愛せない人だから」

「あたしと同じように愚か者だからよ。ただ一人の男しか愛せない人だから」スージーは姿勢を正して煙草に火をつけた。「もうこのことは忘れましょう」彼女は言った。「農場のことを考えましょうよ。あなたは好きなものを何でも育てればいいし、あたしは豚を育てるわ。豚ってなかなかいいわね」スージーは言った。「少なくとも、豚はありのままよ。豚以外のものに見せかけようとなんかしない」

「きみが一緒なら何でもいいよ、スージー」カールトンはかすれた声で言った。「きみがそばにいてくれるなら」

　彼らにはパットン警視が階段を上がる音が聞こえなかった。こっそりとミセス・フェアバンクスの部屋に入ってドアを後ろ手に閉める音も。パットン警視は明かりをつけなければ、椅子に座りもしなかった。窓辺に行き、外を見ながら立っていた。彼には何もかもが気に入らなかった。ヒルダの依頼で来たのだが、芝居がかったことをするのは彼女らしくない。とすると、マリアン・ガリソンは自殺を試みたのか！　それは罪の告白か、それと同等のものだろう。とにかく、いったいヒルダはどこにいるんだ？

　パットン警視はだんだん腹が立ってきたが、そのとき何の前触れもなく彼の後ろにあるラジオがいきなり鳴り始めた。驚きのあまり、飛び上がるところだった。ラジオから聞こえるのは『カルメン』の〈ハバネラ〉で、恐ろしいほどの大音量だ。パットン警視が明かりをつけたとき、ヒルダが部屋に入ってきた。

パットン警視が知るかぎり初めてヒルダは怯えているように見えた。彼女はラジオを消して彼に向かい合った。

「こういうことだったのよ」ヒルダは言い、弱々しく椅子に腰を下ろした。

「こういうこととは、どういう意味だ?」

ヒルダはすぐに答えなかった。やつれて浮かない顔つきだった。「これは蓄音機。ラジオはダイヤルを回して指針を合わせてスイッチを入れるものよ。ラジオ局がない部分もある。もちろん、音は出ないわね。でも、ラジオを蓄音機と同じ回線につなげれば、別の部屋にいても、ラジオは鳴る。さっき鳴ったみたいに」

「あの晩、この家には蓄音機などなかった」パットン警視は頑なに言い張った。

「わたしはあったと思うの」

「どこにあったんだ? 我々はこの家を調べたんだぞ。どこにも蓄音機など見つからなかった」

ヒルダが答えずにいると、警視は彼女をじっと見た。ヒルダは疲れた両手を膝の上で組み、身じろぎもせずに座っていた。ブルーの目は落ちくぼみ、体から生気が失われたようだ。

「こんな仕事、大嫌い」ヒルダは言った。「詮索したり、探ったりすることが嫌になったの。もううんざり。これ以上やれない。女を電気椅子になんて送れないわ」

パットン警視は長い付き合いからヒルダをよくわかっていた。今のような気分のヒルダに無理を言うことはできないと。「犯人は女だったのか」彼は静かに言った。

ヒルダはうなずいた。

「どうやってやったんだ、ヒルダ?」

「この家をよく知っている人間が犯行に及んだに違いなかった」ヒルダはゆっくりと言った。「電気の回線を知っている人間。このラジオのことを知っていて、遠隔装置で動く蓄音機をどうつなげればいいかを知る機会があった人間よ。時間はそんなに必要なかった。数分もあればできたでしょう。ラジオには指針を合わせても音が出ないところがあるとわかれば、そこにダイヤルを回せばいい。それから離れた場所でレコードをかけると、ここで音が出るというわけよ」

「さっきはどこでレコードをかけたんだ?」

「カールトンの部屋に若い男の人がいるはずよ」ヒルダは淡々と言った。「今夜ここへ来れば十ドルあげると、その人に約束したの。彼にお金を払って家に帰したほうがいいわね」

パットン警視が十ドルを渡すと、ヒルダはそれを持って出ていった。彼女はなかなか戻ってこなかった。帰ってきたときはあまりにも蒼白な顔をしていたので、ヒルダが気絶するんじゃないかとパットン警視は思った。

「あの男の人は蓄音機を置いていったわ」ヒルダは言った。「朝になったら取りに来るそうよ。ごらんになりたければ……」

「ちょっといいかな、きみにはウイスキーが必要みたいだ」

「いいえ。わたしは大丈夫。一緒に来てくだされば、ごらんにいれます」

ヒルダはだるそうに立ち上がると、先に立って歩いた。カールトンはスージーとまだ階下にいたが、彼の部屋には明かりがついていた。コンセントでつながれて床に置いてあるのは小型の蓄音機らしかった。直径一フィートほどでレコードが載っている。コンセントは壁につながり、警視がレコードを取り上げると、『カルメン』の〈ハバネラ〉と書いてあるのが読めた。彼はそれを凝視し、ミセス・

フェアバンクスの部屋に行ってラジオをつけた。とたんに〈ハバネラ〉が流れ始めた。パットン警視はスイッチを切り、ヒルダがいる部屋に戻った。彼女は窓のそばに立っていた。

「このことを知ったのはいつだ？」パットン警視は詰問した。

「今日知ったばかりよ。スージーが言った何かがヒントになって。わたしはラジオを見ていて——いろいろ考えていたの。ほら、午前一時とか、そのあとの時間にラジオをやっている局はほとんどないでしょう。やっているのはダンス音楽を流す局。あの晩、ラジオから流れていたのは『カルメン』の曲だったと思い出したの。そのことをもっと早く思いつくべきだったわね」ヒルダはつけ足して微笑もうとした。

　パットン警視にはヒルダが時間稼ぎをしていると思われた。じれったくてたまらなかったが、彼はヒルダを急き立てようとしなかった。

「おわかりでしょうけれど、あまり時間はかからなかったのよ」ヒルダは話を続けた。「わたしは時間を測ってみた。二分もあれば、ナイフで刺して、ラジオのダイヤルを音の出ない部分に合わせるには充分よ。それにブルック先生はジャニスの部屋に五分か、それ以上いましたからね。あんなときでも彼女はチャンスをつかみとった。ものすごいチャンスを」ヒルダは言い、身震いした。「もちろん、彼女は尋常ではなかった。ああいった蝙蝠だの何だの——」

「ちょっと待ってくれ」パットン警視は乱暴に口を挟んだ。「こういったことをみんなやったのがアイダだと言おうとしているのか？」

「アイダ？　いいえ。もちろん、アイダは蝙蝠やなんかを利用したわ。エイモスが円屋根の塔でアイダを見ているの。たぶん彼女には何か理由があったのでしょうね。もしかしたら、ミセス・フェアバンクスをこの家から追い出したかったのかもしれない。もっと邪悪な理由があって、死ぬほど老婦人を脅すつもりだったのかも。そして殺人の翌日、アイダは車庫の屋根裏に蓄音機を隠したの。何枚かの毛布で隠して持っていったのよ。そんなわけでジャニスが怪我をして、わたしが閉じ込められることになったの。蓄音機はトランク類の後ろか、あるいはその中かわからないけれど、あそこに隠された。もちろん、また蓄音機を運び出さなければならないでしょう。ジャニスが行ったとき、アイダは屋根裏にいたのよ。アイダは出ていかなければならなかったの」

ヒルダは腕時計に目をやり、とうとうパットン警視はしびれを切らした。

「これだけ時間つぶしをしたら充分じゃないかな?」彼は言った。「いったい、何なんだ? 誰かに逃げるための時間を与えているのか?」

ヒルダは首を横に振った。「いえ、違うの。そうじゃなくて、わたしは……」彼女は目を閉じた。「アイダは殺されることになっていたのよ。多くのことを知りすぎていたから、紅茶のカップに砒素を入れられた。たぶん、砂糖に入っていたんでしょう。ミセス・フェアバンクスが砒素を盛られたときと同じよ。もしもアイダが――」

一階で電話が鳴り始めた。ヒルダは立ち上がってドアを開けた。カールトンが図書室で何か話している。興奮した口調だった。その少しあとで横側のドアをバタンと閉めて出ていく音がした。ヒルダは身じろぎもせずに立ったまま、耳を澄ましている。そんな彼女を警視は見守っていた。彼女の視線が階段に向いたとき、スージーが駆け上がってきた。息も絶え絶えで、目は驚きに大きく見開かれていた。

「アイリーンが」スージーはあえいだ。「アイリーンが自殺したの。フランクの兵隊用のリボルバーで」
　するとヒルダは気を失った。倒れるヒルダをパットン警視が支えた。

第二十七章

二日後の夜、パットン警視はヒルダのきちんとした狭い居間で腰を下ろしていた。カナリアは覆いを掛けた籠の中にいて、窓の青いカーテンや鮮やかな色のインド更紗のカバーが掛かった椅子にはランプの明かりが温かく当たっている。編み物をしているヒルダはいつものように穏やかで無邪気な様子に見える、と彼は思った。彼女の目だけがこの二週間の緊張の跡を表していた。

「なぜ、あんなことをしたんだ、ヒルダ？」警視は訊いた。「なぜ、あの晩、彼女に電話したんだ？」

「あの人が気の毒だったのよ」ヒルダは言った。「彼女を電気椅子送りにしたくなかったの」

「彼女は自殺などしなかったんじゃないかな。なんといっても、身ごもっているなら――」

「でも、実は身ごもってなどいなかったのよ」ヒルダは言った。「あれは屋敷に入り込むための彼女の口実だった」

パットン警視はまじまじとヒルダを見た。「いったいどうして、そんなことを知っているんだ？」

ヒルダは編み物に視線を落とした。「いろんな証拠があったのよ」曖昧な言い方をした。「それに、痛みがあるというのは簡単。痛いはずがないなんて、誰にも言えないから」

「しかし、フランクは妻の妊娠を否定しなかったぞ」

「彼に何ができたというの？　しばらくの間、同居していなかったとしても、彼女はフランクの妻だった。おそらく砒素事件のあとからずっと、彼は妻を疑っていたのね。彼女を見張っていたことはわかったわ。彼女がアイダを訪ねた夜に、フランクはあとをつけてきたのね。たぶん敷地内まで」

「じゃ、彼女は同意書のことを知っていたのか？　ミセス・フェアバンクスが亡くなれば、離婚手当は打ち切りになることを？」

ヒルダはうなずいた。「フランクが妻に話したに違いないわね。夫婦喧嘩をしたとき、彼女は夫をなじったでしょう。だって彼はお金に困っていたから」

「彼女はどうやって砂糖に砒素を入れたんだろう？」

「マギーの話によれば、マリアンと母親がフロリダから帰ってくる前日に、彼女が屋敷に来たそうよ。ジャニスはそのときには家に帰っていた。彼女はジャニスに会いに来たらしいの。でも、ミセス・フェアバンクスの食事のトレイが食器室に置いてあって、彼女は水を一杯もらうためにそこへ行った。そのとき、砂糖に砒素を入れられたでしょう」

「しかし、ミセス・フェアバンクスは毒で死ななかった。それから恐怖に襲われることになった。もちろん、そういうことだな」

「恐怖ね。ええ。そうよ。アイダがアイリーンに壁の穴のことを話したのでしょう。そして――わたしが思うに、彼女はアイダの弱みを握っていたのね。もしかしたら非嫡出子の問題かも。農場には男の子がいたし、アイリーンの家族はその近くに住んでいた。アイリーンはアイダの秘密を知っていたんでしょう」

「それは蝙蝠や何かの生き物を持ってきた少年かい？　蛇も含めて？」

「まあ、そう考えるしかないわね」ヒルダは素直に言った。「アイダは少年にそういった生き物を売るのだとかなんとか言ったのかもしれない。当然、ジャニスの家庭教師という地位をアイリーンに紹介したのもアイダだった」

「そして報酬として、毒入り紅茶を一杯もらったってことか！」

「アイダは五百ドルももらったのよ。それを忘れないで。殺された夜にミセス・フェアバンクスがアイリーンに与えた新札でね。たぶんアイリーンはその金でアイダを口封じできると思ったんでしょう。本当のところはわからないけれど。でも、気の毒なアイダは老婦人を刺殺するなんてことに耐えられなかった。ミセス・フェアバンクスが殺された翌朝、アイダがどんな顔をしていたか覚えているでしょう？　それにわたしたちがあの家にいた間、アイダは部屋に蓄音機を隠していたに違いないの。怖くてたまらなかったでしょうね。あとでわかったのは、アイダが毛布の下に蓄音機を入れて車庫の屋根裏に持っていき、そこに隠しておいたということだった」

「それを翌晩、アイリーンが取り戻したんだな。そして危うくジャニスを殺しそうになった。それで合っているかい？」

「ええ」ヒルダは考え深そうな表情だった。「おかしな話だけれど、わたしはあの人を見たのよね。もちろん、そのときは誰なのかわからなかった。わたしが窓を上げたとき、アイリーンはハドソン街を横切ったの。彼女は犬を呼んでいるふりをしたのよ」

パットン警視は立ち上がり、鳥籠の覆いの端を持ち上げて鳥を見た。鳥は輝く小さな目で警視を見つめ返した。彼はふたたび覆いをかけた。

「きみは不思議な女だな、ヒルダ」彼は言った。「心の中は実に家庭的な人間だ。それなのに――まあいい。アイリーンの話に戻ろう。彼女はいつ、どうやってこのラジオと蓄音機を使ったのだろうか？　何か考えはあるかい？」

「蓄音機がアイリーンのものだということはわかっていたのよ」ヒルダは穏やかに言った。「それを彼女に売った人を見つけたから。アイリーンは蓄音機を田舎に持っていくと言って、その人が彼女に使い方を教えてやったそうよ。残りの点についてはわたしの想像だけれど、アイリーンはミセス・フェアバンクスを殺してから、ベッドのそばにあるラジオのダイヤルを回したのでしょう。ブルック先生がジャニスのところにいた間にね。それから、ブルック先生はアイリーンに注射を打って彼女の部屋から出た。そのとき音楽が鳴り出したの。ブルック先生は廊下にいた」

「その間、アイリーンは蓄音機をどこに置いていたんだ？」

「どこでもかまわないでしょう。たぶん、ベッドの下じゃないかと。そこにはコンセントの差し込みがあるから。アイリーンはカールトンがミセス・フェアバンクスの部屋に入ってラジオを消すまで、音楽を鳴らしておいた。もしカールトンが消さなかったら、アイリーンが蓄音機を止めたでしょう。彼女はそうするためにベッドから出なくてもよかった。でも、もちろん、状況は悪くなったのよ。わたしが廊下にいたから。アイリーンもわたしがずっとそこにいることは予想外だったでしょうね。それにアイダはマリアンのことで忙しかった。おそらく、そのせいでアイリーンは気絶したのね。蓄音機をよそへ持っていかないうちに、わたしが遺体を発見してしまったから。アイリーンは朝まで蓄音機があっても大丈夫だと思っていたのよ」

「それじゃ、きみがアイリーンの部屋を探したとき、蓄音機はベッドの下にあったのか！」

「そういうわけではないの」ヒルダは憤然として言った。

「わかった。教えてくれ。蓄音機はどこにあったんだ？」

「アイリーンの部屋の窓の外にロープで吊るしてあったのよ」

パットン警視は称賛の念を込めてヒルダを見たが、そこにはほかの気持ちも込められていたようだった。「前にも言ったかもしれないが、ヒルダ、きみは賢い女だよ」彼は微笑しながら言った。「大盤振る舞いしよう。気に入ったものがあったら何かプレゼントするよ。しかし、ちょっと説明してほしいな。なぜ、法の邪魔をしてアイリーンに電話をかけたんだ?」

「アイリーンがジャニスを殺さなかったからよ」ヒルダは言った。「殺そうと思えばできたのに、彼女は殺さなかった」

「電話で何を話したんだ? すべてが明るみに出たと言ったのか?」

顔から少し血の気が引いたが、ヒルダの声は落ち着いていた。「実はたいしたことを言っていないの」彼女は言った。「遠隔操作つきの、ラジオを鳴らす蓄音機をまだ持っているかと尋ねただけ。アイリーンはしばらく無言だった。それから、いいえ、捨ててしまったわ、と言ったのよ」

ヒルダの目には涙が浮かんでいた。パットン警視は立ち上がり、彼女のところへ歩み寄って肩に手を置いた。「ああ、繊細でかわいいミス・ピンカートン」彼は言った。「愛らしくて利口で、どうしようもなく厄介なミス・ピンカートン! きみに何をしてやったらいいんだ? 連れて帰るわけにはいかないし、ここに一人で残していくこともできない」

パットン警視はヒルダを見下ろした。柔らかな肌や白髪混じりの髪、落ち着いたブルーの目を。

「いいかな」パットン警視はぎこちなく言った。「ジャニスとブルックは結婚するようだよ。スージーとカールトンのフェアバンクス夫妻は農場を探しながら二度目の新婚旅行に出かける。それにわたしの推測が外れていなければ、いずれフランク・ガリソンとマリアンは元のさやに戻るだろう。ああいった仲のいい男女の仲間に加わるなんてぞっとするが、しかし――わたしがときどきここへ訪ねてくるのはかまわないだろう？　もちろん、仕事とは関係なしにだよ、かわいいミス・ピンカートン」ヒルダはパットン警視に微笑みかけた。「仕事と関係なくても、わたしをほうっておいてくれるほうがいいわ」彼女は言った。

パットン警視が帰ると、ヒルダは長い間座っていた。それから意を決して熱い風呂に長々と浸かった。入浴剤をふんだんに使い、白髪になりかけた短い髪を洗って。ヒルダはふたたび三十八歳の薔薇色がかった天使みたいな外見になった。小さいが有能な両手にローションを慎重に塗っていたとき、電話が鳴った。ヒルダは読みたいと思っていた何冊もの本や、柔らかなベッドや、開け放したドアの向こうの鳥籠でカナリアが眠っている狭いけれども明るい居間を、困ったようなまなざしで見回した。それから受話器を取り上げた。

「こちらはミス・ピンカートン」彼女は言ったが、パットン警視の声を聞いたとたん、どうしようもなくうろたえてしまったのだった。

訳者あとがき

本書はメアリー・ロバーツ・ラインハート（一八七六～一九五八）の〈ミス・ピンカートン〉シリーズの第二長編"*Haunted Lady*"を全訳したものです。この作品は昭和三十七年（一九六二年）に『おびえる女』のタイトルで妹尾韶夫氏によって抄訳されています（『別冊宝石』一一二号収録）が、同氏の訳は参照させてもらう程度にとどめました。『おびえる女』では「フラー警部」となっていた主要登場人物の名を原文どおりに「パットン警視」にするなど原文表記を重視した結果、旧訳とは訳し方が異なる点があることをあらかじめお断りしておきます。また、現在では「看護師」という言い方が一般的である職業名を「看護婦」とするなど、本書では刊行当時の時代背景を考慮しました。

著者のラインハートは「Had I But Known（もし、わたしが知ってさえいたら＝（ＨＩＢＫ）派」の元祖と呼ばれています。あの時にわたしが重大な事実を知ってさえいたら、大事な手掛かりを見逃していなかったら、その後の事件は起こらなかっただろうにといった語りが特徴的です。国内ミステリでは、横溝正史の長編『犬神家の一族』が、このパターンの代表作でしょうか。

ラインハートの代表作は一九〇八年に発表された『螺旋階段』（"*The Circular Staircase*" 初訳は延原謙、早川書房・刊）ですが、ほかにも多くの作品を残しています。ピッツバーグ看護婦養成所で看護婦としての訓練を受け、のちには医師と結婚したという経験を生かしたと思われる、看護婦のヒルダ・アダムスを主人公にした、この『憑りつかれた老婦人』もそのひとつです。本作について簡単にお話ししましょう。

個人宅で病人の世話をするという表の顔とは別に、警察の手伝いをして犯罪を解決する、裏の顔を持つヒルダ・アダムス。病人の看護を口実に潜入した家庭の秘密を探り出し、優れた観察力や推理力を駆使して犯人を突き止めるヒルダの能力に感心し、パットン警視は彼女を「ミス・ピンカートン」というあだ名で呼んでいました。そんなヒルダが今回、潜り込むことを依頼されたのは裕福な未亡人、イライザ・フェアバンクスの屋敷でした。かつては社交界の花だったフェアバンクス夫人ですが、年老いた今はおかしな言動も見られるらしく、自分の部屋に蝙蝠や鼠が現れて困ると言い張っています。まわりの者は老婦人の勘違いだと思っていましたが、孫娘のジャニスは祖母を案じていました。相談を受けたパットン警視の頼みにより、ヒルダは老婦人の世話をするという名目でフェアバンクス家で住み込みの看護婦を務めることになります。

けれども、蝙蝠や鼠は単なる老婦人の妄想ではありませんでした。閉め切ってあるのに、フェアバンクス夫人の部屋には確かに蝙蝠などが現れたのです。さらに、フェアバンクス夫人が以前に砒素で毒殺されかけたこともわかります。

老婦人の家族構成は複雑なもので、長男のカールトンは商売に失敗し、農場を買って農業をやりたがっていますが、母親が金を出してくれないことを不満に思っているようです。その妻のスージーとフェアバンクス夫人の折り合いはよくありません。長女のマリアンは離婚のショックが癒えず、自暴自棄な暮らしを送っています。母親とも衝突している様子です。マリアンの夫だったフランクは、娘のジャニスの家庭教師だったアイリーンと再婚していました。フェアバンクス夫人は義理の息子のフランクがお気に入りだったらしいのですが、再婚相手のアイリーンのことは嫌っていました。家族の中で老婦人が心を許しているのは孫娘のジャニスだけに見えましたが、若いジャニスにも悩みがあるようでした。フェアバンクス夫人のかかりつけの医師であるブルック医師と恋仲になっているらしいのです。こんな家族の誰かがフェアバンクス夫人の殺害を企てているのでしょうか？　ヒルダはひそかに探りを入れ、家族の者たちの話に耳を傾けますが、内偵を進めるなか、とうとう事件が起きて……。

由緒ある屋敷という限られた空間を舞台にし、複雑な人間模様を描く人々を登場させて展開される殺人事件。ミステリとしての要素に加え、男女の愛憎や人間の欲望が語られているところが本書の魅力でしょう。ラインハートは「アメリカのクリスティ」と呼ばれるだけあって、本作品にも細かい伏線が張られています。また、クリスティ作品に見られるロマンティックな雰囲気も漂っています。天使を思わせる、年よりも若く見える顔立ちのヒルダが編み物をしていると、誰もが彼女に打ち明け話をせずにはいられなくなるという設定はアガサ・クリスティの生み出した探偵、ミス・マープルを彷彿とさせるかもしれません。

『憑りつかれた老婦人』は、訳出の底本とした *Miss Pinkerton: Adventures of a Nurse Detective*（一九五九）中で唯一、三人称で書かれた作品です。そのため、ヒルダ・アダムスという人物をはじめ、登場人物が客観的に描かれています。同書に収められたヒルダ・アダムスを主人公にした他の三作品が、いずれもヒルダの視点による一人称で書かれているのと対照的です。また、本作のヒルダは三十八歳という年齢になっていますが、他作品のヒルダはもっと若い姿で登場しています。『憑りつかれた老婦人』は同書の他の三作品と同時に刊行すべく、六年ほど前から翻訳が進められていたのですが、諸事情により遅れてしまい、その間にヒルダ・アダムスのシリーズ作品のひとつ、『ミス・ピンカートン』（ヒラヤマ探偵文庫）が平山雄一氏の優れた訳によって刊行されています。ヒルダの活躍ぶりをもっと読みたいという読者のみなさまには、まずは既訳の『ミス・ピンカートン』をお勧めいたします。ヒルダ・アダムスのシリーズで未訳の作品については、今後「バックルのついたバッグ（仮）」と「鍵のかかったドア（仮）」の二作をご紹介する予定です。

本作が刊行されたのは一九四二年。インターネットもSNSもない当時、犯罪捜査は今よりものんびりしていました。謎解きの楽しみもさることながら、古き良き時代の雰囲気を味わいつつ、ページをめくっていただけることを願っています。

最後になりますが、本作を翻訳する機会を与えてくださり、刊行を楽しみにしていらした亡き恩師の大久保博先生に深く感謝申し上げます。ありがとうございました。

〔著者〕

M・R・ラインハート

本名メアリー・ロバーツ・ラインハート。アメリカ、ペンシルベニア州ピッツバーグ生まれ。迫りくる恐怖を読者に予感させるサスペンスの技法には定評があり、〈HIBK（もしも知ってさえいたら）〉派の創始者とも称された。晩年まで創作意欲は衰えず、The Swimming Pool（52）はベストセラーとなり、短編集 The Frightened Wife（53）でアメリカ探偵作家クラブ特別賞を受賞。代表作の『螺旋階段』（08）は『バット』（31）のタイトルで戯曲化されている。

〔訳者〕

金井真弓（かない・まゆみ）

翻訳家、大学非常勤講師。千葉大学大学院人文社会科学研究科修士課程修了。大妻女子大学大学院人間文化研究科博士課程満期退学。おもな訳書に『クリミナル・タウン』（早川書房）、『マリア・シャラポワ自伝』（文藝春秋）などがある。

憑（と）りつかれた老婦人（ろうふじん）

――論創海外ミステリ 248

2020年2月20日　初版第1刷印刷
2020年2月29日　初版第1刷発行

著　者　M・R・ラインハート
訳　者　金井真弓
装　丁　奥定泰之
発行人　森下紀夫
発行所　論　創　社

〒101-0051　東京都千代田区神田神保町2-23　北井ビル
TEL:03-3264-5254　FAX:03-3264-5232　振替口座 00160-1-155266
WEB:http://www.ronso.co.jp

印刷・製本　中央精版印刷
組版　フレックスアート

ISBN978-4-8460-1899-3